D1500738

MARÍA ESTHER VÁZQUEZ

Borges, sus días y su tiempo

punto de lectura

© 1984, María Esther Vázquez
© Ediciones B Argentina, S.A.
© De esta edición: mayo 2001, Suma de Letras, S.L.
Barquillo, 21. 28004 Madrid (España) www.puntodelectura.com

ISBN: 84-663-0299-9
Depósito legal: M-12.943-2001
Impreso en España – Printed in Spain

Fotografía de portada: Daniel Mordzinski
Diseño de colección: Ignacio Ballesteros

Impreso por Mateu Cromo, S.A.

MARÍA ESTHER VÁZQUEZ

Borges, sus días y su tiempo

Prólogo

El reportaje es uno de los géneros más reprochables y populares de que adolecen nuestras letras. Finge ser una conversación, pero se identifica peligrosamente con el interrogatorio fiscal, con el catecismo y con los exámenes de ciertos profesores inhábiles que, en vez de dejar hablar al alumno, lo interrumpen descortésmente con nimiedades bibliográficas y exigencias de fechas. La rutina de preguntas y respuestas obliga a su víctima a simular que es Heine o Wilde o Bernard Shaw, empresa que suele acometer con escasa fortuna. El interrogador descarga preguntas que sugieren y casi imponen respuestas determinadas. Le duele, además, ser el que interroga y no el que dictamina e intercala sus propias aversiones y preferencias generalmente superfluas.

Muy otra cosa es, lo confiamos, este libro cuya materia es un diálogo cómodo entre dos amigos que, desde una fecha ya algo remota, se conocen y se quieren. Un diálogo, creo, no tiene obligación alguna de ser un modo verbal de la esgrima, juego de asombros, de tintas y de vanidades; es la investigación conjunta de un hecho o la recuperación de compartidas memorias y no importa saber si las palabras salen de un rostro o de otro. Su elaboración ha sido un placer para mí —un placer y no pocas veces una sorpresa—, porque no sabemos todo lo que sabemos o todas las opiniones que profesamos. Espero que el lector comparta esa tranquila felicidad de asentir y de disentir, que ha poblado tantas mañanas.

He mencionado a los interlocutores visibles; otros hay invisibles que, sin duda, enriquecerán con su ingenio este grato volumen: Eduardo Gudiño Kieffer y mis queridos amigos, ya ausentes, Francisco Luis Bernárdez, Raimundo Lida y Manuel Mujica Lainez.

La tácita presencia de mi madre, casi centenaria, preside la casa en que hemos conversado y que María Esther tan cariñosamente describe y cuya imagen acaso perdurará en la mente del lector como ahora ante nosotros.

La memoria abunda en sorpresas como en las viejas fotografías y en los espejos. No sé si estoy de acuerdo con todo aquello que registran puntualmente estas páginas; reconocerse es una de las artes que no acabamos nunca de aprender. Para mí este libro tiene, por lo menos, una irrefutable virtud: la de haberme reconciliado con Borges.

A María Esther Vázquez le ha tocado la ardua tarea de transformar en libro lo que originalmente fue ocioso y activo tiempo y no sé muy bien cómo agradecérselo. Procusto no dirigirá sus palabras, cuya meta esencial será la verdad.

JORGE LUIS BORGES

Después del Prólogo

El tiempo ocioso y activo a la vez al que Borges se refiere, transformado en letra de molde en este libro, corresponde en parte a una aventura que iniciamos muchos años atrás, cuando nos llevaron a Radio Municipal, Virgilio Tedín y Ricardo Costantino, sus directores. Borges y yo nos reuníamos en un sótano del Teatro Colón, donde funcionaba entonces la radio. Este sótano se inundaba cada vez que llovía, casi me atrevería a decir cada vez que llovía, casi me atrevería a decir cada vez que lloviznaba, y largos tablones, apoyados en escalones y cajones, cruzaban, a manera de puentes, vastos espacios abiertos y unían las diferentes dependencias de la radio. Borges caminaba sobre esos tablones y me acuerdo que, cada tanto, hundía el bastón a un lado y otro del endeble puentecito, tratando de tantear el fondo del efímero lago artificial.

Los temas de nuestras charlas ante el micrófono eran infinitos. Yo se los proponía, él los aceptaba e iniciábamos largos reportajes donde yo preguntaba y él respondía. He olvidado con qué frecuencia se radiaban estos programas, sólo recuerdo que grabábamos una vez por mes. Eso duró algunos años y luego, con el advenimiento del segundo peronismo, cambiaron las autoridades y el ciclo se terminó. Yo tuve la intuición de que esas cintas, que guardaban el pensamiento y la voz de Borges, iban a ser borradas. Compré entonces unas cuantas casetes y regrabé algunas; mi intuición se vio confirmada casi enseguida.

Esas casetes durmieron años en un armario; un día las oí, las desgrabé e hice un *collage* con las mejores, que ahora están en este libro.

También hubo después largas mañanas, en la casa de la calle Maipú, en que hemos conversado por el solo gusto de conversar y algunas de esas charlas están en estas páginas, «rescatando aquel tiempo ocioso y activo».

Se reunieron además aquí una serie de «encuentros» que Borges mantuvo respectivamente con Eduardo Gudiño Kieffer, Francisco Luis Bernárdez, Raimundo Lida y Manuel Mujica Lainez.

Al final del libro se agruparon frases y anécdotas breves que corresponden a Borges y a sus interlocutores.

A lo largo de estas «conversaciones» y «encuentros» se hallará un vasto mosaico de opiniones acerca de la literatura universal, la política, la religión, juicios sobre doctrinas, movimientos, autores, amigos y recuerdos personales que abarcan casi toda la vida de Borges. Evidentemente tal acumulación de reportajes puede llegar a ser tediosa y abundar en detalles superfluos. Pero, como la vida de Borges es la literatura y todas las conversaciones recaen sobre el tema, pienso que este exceso completa la intención del libro y que por eso, quizás, ayudará a los estudiosos de Borges a una mejor comprensión de su obra. He alterado la disposición cronológica, buscando un ordenamiento racional.

La intención de este libro es ofrecer un homenaje a Borges, al Borges íntimo que conocimos sus amigos. Al hombre que revisaba, sin verlos, los libros que guardaba en su casa, al hombre que viajaba por el mundo intuyendo paisajes y ciudades, que recibía premios y honores pensando si realmente los merecía y si la gente no se equivocaba al dárselos. Al Borges que adoraba el dulce de leche y que en la soledad de sus tardes en penumbra repetía, a media voz, los versos de los poetas más dispares: Alighieri, Marlowe, Quevedo, Whitman, Dante Gabriel Rossetti, Heine, sin distinción de épocas, movimientos o lenguas. Su memoria hasta albergaba a algún poeta oscuro de San Fernando que ganó los juegos florales en la década de los cincuenta.

Hablando de Edgar Allan Poe, Borges dijo alguna vez: «A la obra escrita de un hombre debemos muchas veces agregar otra quizá más importante: la imagen que de ese hombre se proyecta en la memoria de las generaciones». Esta reflexión es aplicable al propio Borges. Con él ha ocurrido un fenómeno extraño: sin proponérselo, sin tener nada de fácil ni su prosa ni su poesía, siendo sus libros comprados por muchos, leídos por pocos y comprendidos por menos, ha logrado, dentro y fuera del país y de su lengua, un éxito tan grande que trasciende los estrictos límites de la literatura para alcanzar al hombre y transformarlo en mito. Su desolada vejez, su ceguera irremediable, su figura enhiesta y rígida, que recordaba la arquetípica y digna posición de un prócer, sus intransigentes opiniones, difundidas una y otra vez en los diarios y revistas configuraron una serie de circunstancias que alimentaron ese mito.

Pero este hombre de pelo blanco, que a los ochenta y cinco años todavía reía a carcajadas con alegría, que tenía la vitalidad de un joven, era un ser de carne y hueso. Por eso en la primera parte del libro, «Aproximación al personaje», trato de mostrar cómo era, cómo vivía, cómo trabajaba, cómo era su madre, cómo era su carácter, cómo lo veía yo en ese tiempo y cómo lo recuerdo todavía hoy.

El volumen se cierra con una cronología y una bibliografía.

No debe esperarse de este libro un juicio crítico sobre la obra de Borges. Su sola intención es la de un acercamiento a un hombre que, desde su propio universo, se ha asomado al mundo, soñándolo y soñándose, en la busca de un único y, a la vez, infinito poema, que le ha llevado la vida.

Nota para la presente edición

Este libro estuvo agotado durante mucho tiempo; yo misma, sin darme cuenta, me quedé sin ejemplares. El azar, si es que realmente existe, dispuso que hace cuatro o cinco años encontrara tres en la librería Follas novas de Santiago de Compostela. Con ellos volví a Buenos Aires y los guardé en un armario. Ahora, al llegar el momento de volver a ofrecerlo a los amigos de Borges, lo he releído y me sentí envuelta en una niebla de melancolía. ¡Qué lejos parece el tiempo de la clara amistad! ¡Dónde quedaron las amables mañanas de complicidades compartidas hablando de todo un poco, de escritores amados y de otros que no lo fueron tanto, de versos memorables o de versos ridículos, de amigos, de gustos paralelos, de lo cotidiano, de lo efímero y de lo permanente! Ese sentimiento de nostalgia me llevó a buscar viejas casetes y al deseo de oír de nuevo la voz de Borges. Su risa, su respiración, su palabra tranquila llenaron el silencio del cuarto y por un momento tuve la ilusión de recuperar el tiempo perdido. Fui revisando las muchas grabaciones que he guardado y encontré, no sin sorpresa, charlas todavía inéditas. Una, la que lleva el número XV y corresponde a 1982, se ha incluido en esta reedición. Las otras quedarán definitivamente en el lugar de su pasado.

En la amistad hay también confidencias secretas, espacios cerrados que no deben ser violados.

M. E. V.
Invierno de 1999

APROXIMACIÓN
AL PERSONAJE

I

Borges a los sesenta y cinco años
(1964)

Hace ya muchos años que no puede leer. La ceguera, que lo ha amenazado desde la juventud, ahora es una compañera permanente. Sin embargo, en su despacho de la Biblioteca Nacional, de la cual es director, a menudo toma un libro de alguno de los anaqueles giratorios y lo lleva hasta su rostro; lo acerca tanto que casi apoya la cara sobre la tapa, tratando de descifrar el título. Empeño inútil. Sólo alcanza a distinguir ciertos colores: el amarillo, el primero que recuerda haber visto con «asombro y gratitud» en el zoológico en el elástico cuerpo del soberbio tigre de Bengala; el último que perderá en su extrema vejez. Extraña en especial el color negro pues aun con los ojos cerrados lo envuelve una eterna bruma gris blanquecina. Todavía distingue la luz de la sombra y esforzándose mucho logra alcanzar el blanco.

Todos los días repite la misma rutina. Mañana por medio dicta clase de literatura inglesa en la Facultad, vuelve a almorzar a su casa en la calle Maipú y antes de las tres sale otra vez, ahora hacia la Biblioteca Nacional. Sube por Maipú los pocos metros que lo separan de la avenida Santa Fe y baja las escaleras del subterráneo en la estación San Martín. Cada día, desde su silla alta, lo saluda con respeto el empleado que vigila los molinetes; sin darse cuenta se han hecho amigos. El hombre lo recibe con un ceremonioso: «Buenas tardes, señor poeta» y Borges se siente desbordar de simpatía hacia ese prójimo que en apenas cuatro palabras le ofrece su homenaje. A los doce o trece años de repetir el saludo, un viernes de otoño, el hombre lo detiene y le explica que se jubila y el lunes ya no estará en ese puesto donde ha pasado la vida y, muy emocionado, le pide que le permita estrechar su mano. Así lo hace, diciéndole: «Ha sido para mí un honor conocerlo, verlo pasar cada tarde. Nunca lo olvidaré, don Arturo Capdevila». Borges asombrado, confundido, tartamudeando (al mejor estilo de los *gentlemen* inventados en el reinado de Victoria) algo que podría interpretarse como expresión de gratitud y afecto, no sólo ofreció su mano sino que se dejó abrazar, sintiéndose por un momento —confesaría después— el doble de Arturo Capdevila.

Ya a bordo del tren subterráneo, cuenta las estaciones y, a veces en la cuarta, Moreno; otras, en la quinta, Independencia, desciende. Ambas quedan a la misma distancia, unos seiscientos metros de México 564. Siempre aparece un comedido que lo ayuda a cruzar las calles.

Adentro del edificio, desdeña el ascensor, que, por otra parte funciona discontinua y caprichosamente, y sube las altas escaleras hasta el primer piso. Antes de entrar en su despacho, enfrenta al alto reloj de péndulo, espera hasta oír las sonoras campanas que le avisan que son las tres y media. Entonces, al comprobar el orden de todas las cosas, contento, suele tararear desafinando algún tango viejísimo como *El pollito*, mientras abre la puerta y entra en su universo cerrado.

Enseguida aparece a saludarlo José Edmundo Clemente, el subdirector, y luego de una charla casi siempre divertida donde critican a algún conocido común, llega un amigo que, por lo general, es una amiga. A ella le dictará las líneas de algún poema o de alguna prosa. Después, tomado de su brazo, no apoyado, y no obstante el agobio de la ceguera, la lleva a recorrer con paso ágil y resuelto los altos laberintos de la Biblioteca, suben y bajan escaleras, cruzan patios, se asoman temerariamente a los abismos abiertos a los costados de la cúpula central, veinte metros arriba de la sala central de lectura.

Alrededor de las cinco y media saborea golosamente un café. Algunas tardes llegan las alumnas con quienes estudiará anglosajón todo el tiempo que le permitan las citas hechas con anterioridad. De las devotas del inglés antiguo, la primera en llegar y la última en irse es Vlady Kociancich, que comparte con pasión el culto del maestro.

A las ocho y media en punto vendrá a buscarlo Adolfito Bioy Casares para llevarlo a su casa; allí comerá con él y con Silvina. Después se encerrarán en el escritorio de Bioy a trabajar en las tramas de Bustos Domecq y alrededor de las doce Bioy lo dejará en la puerta de Maipú. Ya en el departamento, todavía le dictará algo a su madre, no más de media hora.

Así, día tras día, año tras año.

II

Borges a los setenta y cinco años
(1974)

Un hombre de pelo gris va por la calle. Lento el paso y la cabeza erguida. La mirada fija mira sin ver. Cruza Maipú, camino de su casa; con bastón inseguro tantea el suelo. Alguien, un desconocido, lo ha ayudado a atravesar la calle y lo acompaña hasta llegar a su puerta; la mano izquierda busca la cerradura, la derecha pone la llave con movimiento pausado. La puerta se abre. Él se despide. El brillo de una sonrisa agradecida abre su rostro serio y luego desaparece despacio en la penumbra. Es Borges; la gente lo reconoce, lo detiene, lo saluda, aun aquella que nunca ha leído una línea suya. Él agradece y, si está de buen humor o tiene tiempo, pregunta a su interlocutor en qué barrio de Buenos Aires vive y alguna copla o anécdota de ese lugar, vinculada con su infancia o su tradición familiar, enriquece la conversación. Más que conversación, monólogo, porque el accidental compañero, entre sorprendido y emocionado, sólo atina a agradecer. Borges conquista a la gente que no lo ha tratado nunca y aun a aquellos que se acercan mal predispuestos, generalmente por razones políticas. Pocos saben que él es, en el fondo, un nostálgico y

21

teórico anarquista con demasiado sentido del humor.

Sube Borges a su casa, un departamento en un sexto piso, donde vive desde los años cuarenta con su madre, casi centenaria; Leonor Acevedo nació el 22 de mayo de 1876. Desde el balcón que rodea los cuartos se ven la mansarda y los techos de la señorial casa que perteneció a Reynaldo Vilar, un importante médico amigo de Nicolás Avellaneda, y levantada a principios de siglo. Más allá están los árboles de la Plaza San Martín. La casa es modesta, tiene tres cuartos. En el recibidor hay un sofá pequeño, donde esperan los bastones de Borges, y en la pared, un gran retrato al óleo de Leonor Acevedo de Borges, ya anciana, observa a los que llegan con ojos atentos y vivaces. Es extraño, la señora ya casi no se levanta de la cama y, sin embargo, su presencia expectante está visible en cada objeto, en cada rincón. El living, donde Borges recibe a todo el mundo, es amplio. En un extremo está la mesa de comedor; en el otro, cerca de la ventana, hay un sofá y unos sillones. Los lujos del cuarto son algunas piezas de plata, colocadas sobre una alta y antigua mesa de trinchar. De entre ellos, un mate, una jofaina pequeña y una jarra fueron los enseres personales del bisabuelo de Borges, que hizo la campaña con San Martín y con Bolívar, y que, colgados del arzón de su caballo, recorrieron la mitad de América del Sur. Un viejo *dressoir de marqueterie* con la tapa de mármol, donde se apoyan dos frascos de cristal y la Madonnina de bronce y ónix que en 1967 le ofreció la ciudad de Milán; un pequeño escritorio-secreter, que le regalaron a la madre de Borges cuando tomó la primera comunión y cuatro bibliotecas completan los muebles del cuarto. Detrás del vidrio de una de ellas vive, fuera del tiempo, el bello rostro adolescente de Adolfo Bioy Casares. Un Piranesi y una Anunciación de grandes dimensiones, pintada por Norah Borges, enriquecen la luz de esta habitación donde se respira un clima de tranquila melancolía, acentuada por los retratos, algunos ya borrosos, que cuelgan de las paredes y por la pausada voz del poeta. Es como si allí, en ese sitio, todo se hubiera dicho y olvidado.

El pequeño dormitorio de Borges es casi una celda monacal; una estrecha cama de hierro, dos bibliotecas y una silla componen el mobiliario. Una biblioteca guarda los textos de las viejas literaturas escandinava y anglosajona; la colección más completa de toda América y que es mostrada con gusto a los visitantes selectos. Sobre la otra biblioteca, un retrato de Susana Bombal y una réplica pequeña en bronce del Collione y, colgados de la pared, *El caballero y la muerte* de Durero, y un plato de madera en que están pintados todos los escudos de los distintos cantones de Suiza.

Viejos muebles rodean la cama en que, obligadamente, Leonor Acevedo espera «con gran curiosidad averiguar pronto cómo es el más allá». Profusas fotografías se alinean sobre la cómoda gigantesca. A veces, hay flores en un vaso veneciano que ella compró, antes de la primera guerra mundial, en Murano y que era una de las copas de agua sobrantes del juego del rey de Italia. (Curiosamente, a los pocos días de la muerte de la madre de Borges, el vaso se quebró en forma espontánea.) Una ramita seca de olivo asoma en la pila de un crucifijo al lado de un icono. En este cuarto muy luminoso es donde la pequeña señora Leonor afirma, no sin razón, que ella es casi la historia del país. Ha conocido a todas las figuras descollantes de cualquier orden en los últimos cien años y su prodigiosa lucidez las recuerda con precisión. Una tarde, evocando su niñez, me contaba lo peligroso que era el puente que había entre las dos aceras de Florida a la altura de la calle Córdoba, porque, cuando llovía, el arroyito que corría habitualmente debajo —se llamaba el Tercero del Norte y correspondía a un Tercero del Sur, ubicado en la calle Chile— crecía demasiado. Recuerda poemas que le han gustado y lee todavía con gusto a los nuevos poetas. Siempre al alcance de su mano ha estado el puñado de cartas que su marido le escribió durante el noviazgo de un año que mantuvieron en la remota juventud.

Leonor Acevedo de Borges murió el 8 de julio de 1975. Sus hijos, sus nietos y unos pocos amigos la velaron. Borges reanudó enseguida sus actividades habituales. Casi febrilmente quiso llenar su tiempo para no sentir demasiado la ausencia. Pero no hay tal ausencia. El gran retrato al óleo, desde la entrada, preside la casa. Sus ojos escrutan al visitante. Su cuarto está intacto. La colcha de alegres dibujos azules y amarillos cubre la inmensa cama y las almohadas. En los jarrones hay flores. Por las mañanas, Borges entra en la soleada habitación vacía y saluda, sin voz, a la invisible presencia. El aire de la mañana mueve las cortinas y las hojas de las plantas del balcón. No es un lugar tétrico ni triste; siempre hay luz, como antes.

Mucho se ha hablado de la influencia que tuvo la madre de Borges sobre el escritor. Su carácter fuerte y, en cierta forma, autoritario, le creó fama de absorbente y se llegó a decir que dominaba a Borges. Esta afirmación es errónea. Borges siempre ha hecho y ha dicho lo que ha querido, aun las veces que estaba en abierta oposición con su madre. Timidez no quiere decir debilidad y Borges no es un hombre débil. Su madre desaprobó siempre su amistad con Macedonio Fernández. No creía que este hombre que debía abandonar una pensión tras otra, dejando sus pertenencias en ella porque no podía pagar el alquiler, fuera un buen ejemplo para el joven que era, en ese momento, Borges. Hoy, tantos años después de la muerte de Macedonio, Borges sigue exaltando su memoria y la amistad que los unió. Con la misma firmeza mantiene sus opiniones sobre temas políticos e históricos. Son, generalmente, convicciones nacidas de un profundo sentimiento ético, ya que confiesa entender muy poco de política. Si su voz se elevó permanentemente contra el peronismo, por ejemplo, no fue porque deseara incursionar en este campo; eran la corrupción moral, la degradación y el avasallamiento de las conciencias lo que él fustigaba en Perón y en su movimiento.

Los libros y los amigos llenan las aparentemente apacibles horas de este frágil hombre indestructible que, sin embargo, no ha dejado nunca de pensar en el destino de su país. En un poema que prologa una edición de *Canto a Buenos Aires*, de Manuel Mujica Lainez, escrito en 1979, dice: «Manuel Mujica Lainez, alguna vez / tuvimos una patria —¿recuerdas?— / Y los dos la perdimos».

A Gabriela Massuh, que en 1976 partió a Alemania, becada para realizar una tesis sobre el mismo Borges (que luego se convirtió en un admirable libro), la despidió con las palabras de Heine: «*Ich hatte eins, ein schönes Vaterlands...*» (Yo tuve una vez, una hermosa patria...)

Reducido cada vez más por las paredes que le impone su ceguera, este hombre solitario vive en un mundo cerrado, físicamente estrecho, mínimo y, sin embargo, tan infinitamente rico, que por sí solo constituye otro universo, cuyas verdaderas dimensiones nos está vedado conocer.

III

Borges a los ochenta y cinco años
(1984)

Ya no sale solo, camina más lentamente y no le alcanza el apoyo del bastón; necesita ahora el brazo de alguien, hasta para ir de un cuarto a otro. Sin embargo, cada día que pasa el mundo se achica para él; sube y baja de aviones casi constantemente. Ha recorrido desde templos japoneses hasta las pirámides de Egipto. «Pero viajar en avión no es viajar, la sensación del viaje se tiene cuando uno sube a un globo, la barquilla se balancea y el aire roza, acaricia la cara, uno percibe el infinito alrededor y uno se mueve dentro de ese infinito.»

Físicamente se ha afinado, se ha ennoblecido, ha adelgazado y su rostro antes muy pálido ha tomado el dorado suave de los que caminan mucho bajo el sol. Tiene la cabeza toda blanca y, sin embargo, la piel es sorprendentemente fresca para su edad.

Hace bromas amables sobre sí mismo: «Sería tan raro que yo me muriera. No por el hecho de morirme en sí, que sería de lo más común, a todos les ocurre, sobre todo a mi edad; sino que sería raro que yo, tan rutinario, hiciera algo fuera de mis hábitos».

Recibe, como siempre, a todo el mundo; trabaja, cuando está en Buenos Aires, todas las mañanas. Vive en la misma casa de la calle Maipú, cuyas paredes pinta cada año la diligente Fani, que está con él desde hace tres o cuatro décadas. Duerme en la misma angosta cama de hierro. Nada ha cambiado. Quizás haya más libros, se han agregado bibliotecas para albergar nuevas enciclopedias.

La casa, por otra parte, está exactamente igual que cuando la visité la primera vez con un grupo de estudiantes; yo tenía diecisiete años y cursaba el primer año de la Facultad de Filosofía y Letras.

Desde 1959, en que empecé a trabajar con él, he tenido oportunidad de acompañarlo en algunos de sus viajes, de tratarlo y de verlo actuar. Borges es, según dijo alguna vez Anderson Imbert, un *raro*, un hombre en cuyas manos la literatura es un juego que le ha permitido transitar los más encontrados caminos filosóficos, las más disparatadas teorías e hipótesis, que luego ha reelaborado a través de páginas perfectas, dándole a su obra la relativa importancia que un artesano, un relojero, por ejemplo, puede sentir hacia un cronómetro que ha armado y que funciona bien. Por otra parte, su excepcional memoria y su extrema agudeza —no tan comunes en las grandes inteligencias— hacen que su conversación, libre de convencionalismos, de preconceptos, sea un verdadero juego de ingenio, un regalo espiritual para el interlocutor.

IV

Borges por dentro

*El coraje, el humor, el amor y la amistad, la memoria,
el carácter, método de trabajo.*

El coraje fue una de las constantes en la vida
de Borges. En la década de los sesenta lo llamaban
por teléfono a menudo y voces anónimas lo ame-
nazaban de muerte. Un día, harto de esas amenazas, contestó: «Mire, yo vivo en tal calle, en tal número, en el sexto piso y en la puerta hay una
chapa que dice *Borges:* usted no se puede equivo-
car. Casi siempre estoy en casa y cuando tocan
el timbre suelo abrir yo mismo la puerta; matar-
me es bastante fácil. Si usted lo hace, me favo-
rece. Nada hay que favorezca más a un escritor
o a un artista que una muerte violenta; Lugones
y Gardel son una prueba de lo que digo. Venga
nomás, no pierda más tiempo, lo estoy esperando». Los llamados se interrumpieron definitivamente.

Cuando era todavía profesor en la Facultad
de Filosofía y Letras de la Universidad de Buenos
Aires, una mañana irrumpió un muchacho en su
aula y lo interpeló:

—Profesor, tiene que interrumpir la clase.

—¿Por qué? —preguntó Borges.

—Porque una asamblea estudiantil ha decidido

que no se dicten más clases hoy para rendir homenaje al Che Ghevara.

—Ríndanle homenaje después de la clase —agregó Borges.

—No. Tiene que ser ahora y usted se va.

—Yo no me voy, y si usted es tan guapo, venga a sacarme del escritorio.

—Vamos a cortar la luz —prosiguió el otro.

—Yo he tomado la precaución de ser ciego. Corte la luz, nomás.

Borges se quedó, habló a oscuras, fue el único profesor que dictó su clase hasta el final y sus alumnos, impresionados, no se movieron del aula.

En otra oportunidad desafió en los Estados Unidos a un portorriqueño que intentó agredirlo.

Posiblemente algunos, pocos recuerden que hace bastantes años (antes de 1973, por supuesto) fue a verlo a su casa un grupo de jóvenes nacionalistas que reunían firmas para pedir la repatriación de los restos de Juan Manuel de Rosas. Se negó. Lo acusaron de retrógrado e intransigente. Borges les dijo: «Hay otra repatriación más urgente, la de los restos de Perón. Esa adhesión la firmaré con gusto». Perón, en esa época, todavía vivía en Madrid y los jóvenes, obviamente, eran peronistas.

El coraje y el amor a la patria iban juntos en Borges. Un poeta le mandó su libro con esta dedicatoria: «A Borges, en cuyos labios sigue siendo limpia la palabra Argentina». Cuando se la leí, Borges se conmovió y dijo: «¡La Patria! ¡Ésa es la Patria!». Yo recordé entonces algo que ocurrió hace más de cincuenta años y que me contó uno de los protagonistas. Borges se encontraba en un boliche de Boedo y San Juan con Néstor Ibarra y Drieu La Rochelle. Al salir, se largaron a caminar y llegaron a Puente Alsina. Del otro lado, los descampados preanunciaban la pampa. Amanecía. Por la margen opuesta pasaba una caballada arriada por un tropero y Borges, en voz baja, más para sí mismo que para los otros, susurró: «¡La patria, carajo!». Curiosamente, en ese mismo lugar, se había batido Isidoro Acevedo, el abuelo materno de Borges en el año ochenta a las órdenes de Tejedor.

He contado ya, en el número de homenaje que le dedicó, en diciembre de 1973, el Suplemento Literario del diario *La Nación*, el episodio Borges-Flemming, ocurrido en Londres en 1964. Borges me reprochó después haberlo contado y hasta llegó a decirme que no lo recordaba y que bien podía parecer apócrifo. Pero, en verdad, las cosas ocurrieron así: Borges quiso probar hidromiel *(Old English Mead)*, la bebida de los hombres y de los dioses anglosajones. Él y mister Flemming, el acompañante que le había asignado el Consejo Británico, compraron una botella y ya en el hotel se tomaron más de la mitad. Excitado por el alcohol, al que ya no estaba acostumbrado, Borges olvidó su habitual cortesía y comenzó a reprocharle a mister Flemming las invasiones inglesas a Buenos Aires en 1806 y 1807. Ante la mirada azorada del joven representante de su Majestad Británica, terminó casi amenazador: «Pero nosotros los echamos a puntapiés, tirándoles agua y aceite hirviendo desde las azoteas». Mister Flemming, que no tenía la menor idea de tales invasiones, se limitó a asentir, atónito: «*Of course, of course...*». Mister Flemming era un profesional, un hombre culto y refinado que en sus años de universitario se había desempeñado como guía de visitantes. Al enterarse de la llegada de Borges, solicitó especialmente que le permitiesen acompañarlo.

El último día de su estadía en Londres, Borges le pidió que lo llevara a una de las casas más elegantes de artículos de hombres y le eligiera la mejor corbata para un amigo muy querido. Mister Flemming compró una corbata excepcional y carísima, que quedó en su poder, ya que Borges para retribuir gentilezas y quizá secretamente para ayudar al piadoso entierro del asunto de las invasiones se la regaló.

De ese mismo mes de octubre recuerdo un mediodía en que llegamos a Buckingham Palace en el momento del cambio de guardia. La banda tocaba marchas militares y, de pronto, se oyeron los primeros acordes de la Marcha de San Lorenzo. Borges se estremeció y comenzó a decir casi a gritos los primeros versos de nuestra marcha patriótica: «Febo asoma, María Esther, Febo asoma», en un rapto emotivo.

El humor fue otra de las constantes en la vida de Borges. Cuando visitó St. Andrews, en Escocia, conoció entre los profesores a un hispanista especializado en la lengua quechua. Borges quedó asombrado de la materia y del vigoroso entusiasmo que su enseñanza provocaba en el profesor. Le preguntó si tenía muchos alumnos y el otro confesó que solamente uno. Entonces, palmeándolo en el hombro y demostrándole gran simpatía, le dijo: «No se desespere, querido señor, en cualquier momento puede quedarse sin ninguno».

Ese mismo año fue invitado a Amsterdam a una recepción por la reina Juliana y estaba contento, no sólo por la invitación, sino por la pompa que, al parecer, la precedía. Decidimos, entonces, hacerle unas preguntas a nuestro cónsul respecto de la ceremonia. Al llegar al consulado argentino, el cónsul no estaba y nos atendió un empleado que no tenía la menor idea de quién era Borges. Cuando éste, después de deletrear su apellido, agregó que era escritor, la actitud del empleado fue ya realmente desdeñosa. Nos indicó que esperáramos por si, a lo mejor, el cónsul llegaba. Borges fue a sentarse en el oscuro e incómodo rincón señalado y me susurró sonriente: «Caramba, me parece que no se oyen *los claros clarines triunfales*».

Si bien es sabido que Borges vivió en función de la literatura, la amistad y el amor tuvieron para él capital importancia. Variadas y tenues presencias femeninas acompañaron sus pensamientos, como una especie de telón de fondo, durante muchos días y muchas noches insomnes a lo largo de su vida. Era la imperiosa necesidad de un hombre tímido y vuelto sobre sí mismo que buscaba la belleza, la dulzura, la inteligencia, la comprensión, la mano en que apoyarse. No la halló y sufrió su soledad.

Supo encontrar el afecto con fidelidad inalterable en ciertos amigos a través del tiempo: Adolfo Bioy Casares, Silvina Ocampo, Susana Bombal, Alicia Jurado, Manuel Peyrou, de quien siempre guardó un recuerdo entrañable. Pienso que una profunda identidad intelectual, hecha de secretas predilecciones literarias, de compartidas ironías y afines sutilezas han coincidido para que esas reacciones perduren por encima de las variables alternativas que puede registrar una amistad normal basada, generalmente, en puros registros emotivos.

Uno de los atributos más envidiables de Borges era su memoria, fundamento de su notable erudición, que le permitió acumular conocimientos que parecen infinitos.

Alguien ha dicho alguna vez que la obra de Borges está plagada de citas falsas. Ésta es una afirmación malintencionada; si existen, están inventadas en función de un especial sentido del humor y pueden hallarse en la literatura humorística que escribió con Bioy Casares. Pero es notable comprobar, a quien haya trabajado con él, cómo podía citar de memoria con absoluta seguridad. A menudo, para asegurarse de un dato, me indicaba que consultara tal tomo de su biblioteca, citaba el número de la página en que se encontraba y si había una ilustración la describía, y allí estaba la frase o el pasaje que necesitaba y la ilustración que él recordaba. Eduardo Mallea me dijo cierta vez, con una expresión feliz, que la memoria de Borges era simultánea, y esto es exacto. Una palabra, un recuerdo, desencadenaban en él una serie de relaciones inesperadas: todo parecía simultánea y mágicamente convocarse a través de su recuerdo para llegar a la comprobación o al fin deseado. Años atrás, al leerle un poema de Montale en que este autor nombraba al sabiá*, le pregunté qué significaba esa palabra para mí desconocida. Me contestó citándome unos versos en portugués que había oído cantar en 1914, cuando el barco que lo llevaba a Europa hizo escala en Río de Janeiro y donde se nombraba a este pájaro.

Sería ocioso continuar enumerando el registro de las virtudes de la inteligencia borgeana; su obra, más de lo que pudieran notar quienes lo conocieron, es el reflejo vivo de aquéllas. Más útil, tratándose de esbozar una imagen, sería abarcar algunas de las peculiaridades de su carácter, que tanto tema han dado a esos comentarios del ambiente intelectual, que los porteños denominamos «chismorreo». No será una novedad señalar que fue indeciso, caviloso y terco. De pronto lo asaltaban muchas dudas, bien sobre la conducta de las gentes, que en ese momento lo rodeaban, o sobre decisiones que debía tomar, y esas dudas lo desvelaban y lo acompañaban días enteros. Comenzaba entonces una suerte de peregrinación, preguntan-

* Pequeño pájaro oriundo del Brasil.

do a todos sus amigos qué pensaban de tal o cual persona o qué actitud debía tomar frente a determinada alternativa. Todos opinaban, pero lo curioso era que Borges no solía tomar en cuenta estos juicios y, como si nunca hubiera consultado con nadie, resolvía según su parecer original, que, generalmente, tenía pocos puntos comunes con los resultados de su pequeña encuesta. Apartaba de su lado a quienes se abusaban de él o lo utilizaban a sus espaldas, sin ira, sin explicaciones, los excluía definitivamente y era como si nunca hubieran existido. Pero su memoria fotográfica registraba hechos mínimos capaces de destruir por su ridiculez o torpeza a cualquier adversario. Siempre encontraba la contestación exacta a la pregunta más inoportuna. Cuando estaba contento recuperaba una sonrisa increíblemente joven e ingenua. Incapaz de mentir o de adular, si debía hacerlo, llevado por las circunstancias, había tal ironía en su voz, que ésta descubría la secreta burla. Odiaba las discusiones; sin embargo, podía llegar a enojarse con breves y violentos estallidos. Él reconoció a menudo que era celoso. Rechazaba por instinto la vulgaridad y la grosería. Se enamoraba de los países por su literatura y hasta sus pesadillas eran literarias. Una vez, mientras recorríamos juntos el Museo Británico, yo iba detallándole cada cuadro que me impresionaba y él, para cada descripción mía, tenía una referencia literaria; a veces sobre el paisaje, otras sobre las ropas o sobre la época, o el tema o los personajes o el pintor mismo. Pocas veces lo vi más feliz que cuando visitó el castillo de Elsinor, en Dinamarca. Recorría las vastas estancias en una tarde helada de noviembre, repitiendo a media voz versos de Hamlet y reconstruyendo a través de ellos las paredes que no veía. Por el contrario, nunca lo observé más cortésmente aburrido que cuando visitó Macchu Picchu; las para él invisibles terrazas del pasado precolombino no despertaban su pasión estética.

De él se ha dicho a menudo que no vacilaba en sacrificar a un amigo, por una frase ingeniosa. Estos juegos podían ser una tentación demasiado fuerte; sin embargo, no había en ellos malevolencia, era casi como una travesura. Pero, por cruel que parezca, en la mayoría de los casos tales juicios eran merecidos.

Borges tenía un insólito modo de trabajar: dictaba cinco o seis palabras, que iniciaban una prosa o el primer verso de un poema e inmediatamente se las hacía leer. El índice de su mano derecha seguía sobre el dorso de su mano izquierda la lectura como si recorriera una página invisible. La frase se releía una, dos, tres, cuatro, muchas veces hasta que encontraba la continuación y dictaba otras cinco o seis palabras. Enseguida se hacía leer todo lo escrito. Como dictaba con puntuación había que leer diciéndosela. Se releía ese fragmento, que acompañaba el movimiento de sus manos, hasta que él hallaba la frase siguiente. He llegado a leer una docena de veces un trozo de cinco líneas. Cada una de esas repeticiones iba precedida de las disculpas de Borges que, en cierto modo, se atormentaba bastante con esas supuestas molestias que hacían sufrir a su escriba. Sucedía así que después de dos o tres horas de trabajo se lograba media carilla que ya no necesitaba correcciones. Pero podía ocurrir, cuando se trataba de notas críticas o prólogos, que advirtiera antes de empezar: «vamos a escribir de cualquier modo y luego corregimos». En ese caso ya había pensado y repensado la forma que daría a los tres o cuatro conceptos que iría a expresar. Generalmente ese «escribir de cualquier modo» era releído y corregido pero no con la minucia que indicábamos más arriba, porque, en realidad, tenía casi todo memorizado antes de dictar.

Cuando en abril de 1964 se festejó el cuarto centenario del nacimiento de Shakespeare fue invitado a hablar en la UNESCO con Ungaretti y Roger Caillois. Borges preparó su conferencia, titulada «Shakespeare et nous», de este modo: primero pensó y dictó todo el texto en español, luego lo tradujo al francés. Después yo lo grabé y luego, durante dos días, él oyó esa grabación con reiterada frecuencia. Cuando llegó el momento de hablar ante la Asamblea de la UNESCO, no sólo no cambió ni una sola palabra, sino que se expresó con tanta naturalidad y soltura que, según la opinión general, fue la más brillante improvisación que se escuchó ese día. Nunca nadie imaginó las angustias que debió dominar este hombre timidísimo para hablar en francés frente a tan numeroso y calificado público.

Es bien sabido que la primera conferencia que dio en su vida la leyó en su lugar uno de sus amigos, porque él no tenía suficiente valor para hacerlo. Luego las circunstancias económicas lo empujaron a dar ciclos y cursos enteros. Al principio se animaba, antes de entrar en el salón, con una ginebra, hábito que debió abandonar acosado por una úlcera. Casi hasta el final de su vida, cuando concurría a un congreso, no era improbable que le preguntara a su vecino de mesa: «Usted, ¿no tiene miedo?».

CONVERSACIONES

I

La vida

*Primeros años, literatura alemana. Examen de la
obra. Temas borgeanos. Política. Honores y aficiones.
Lenguas nórdicas. Defectos, virtudes. La música.
La pintura. La muerte.*
(1973)

—¿Cuál fue tu primer contacto con la literatura?

—Creo que mi primera lectura fueron los cuentos de Grimm en una versión inglesa. Me parece recordar el volumen, pero es probable que hayan sido otros, porque yo me he educado menos en colegios y universidades que en la biblioteca de mi padre. Podría decir como Bernard Shaw: «Mi educación fue interrumpida por mi formación escolar». También debo recordar a mi abuela, que era inglesa y sabía de memoria la Biblia, de modo que incluso puedo haber entrado en la literatura por el camino del Espíritu Santo o posiblemente de versos oídos en mi casa. Mi madre sabía (y creo que aún lo recuerda) de memoria el *Fausto*, de Estanislao del Campo.

—¿A qué edad ocurrió ese conocimiento de Grimm?

—Debo haber sido muy chico. Yo no recuerdo una época en la que no supiera leer ni escribir. Pero como la memoria, según el consenso de los psicólogos —que son falibles— se remonta hasta los cuatro años y sé que a esa edad yo sabía leer y escribir, no puedo precisar fechas.

—¿*Eras bilingüe?*

—Sí. En casa se hablaba inglés por mi abuela inglesa y español por todo el resto de la familia. Yo sabía que tenía que hablar con mi abuela materna, Leonor Acevedo Suárez, de un modo; con mi abuela paterna, Frances Haslam Arnett, que era protestante, de otro y que esos dos modos no se parecían. Con el tiempo descubrí que esas dos maneras de hablar de un nieto se llamaban la lengua castellana y la lengua inglesa. De igual modo, un niño usa verbos, los conjuga, conoce los géneros gramaticales, utiliza diversas partes de la oración y la gramática le es revelada mucho después. Yo leía en los dos idiomas, pero posiblemente más en inglés, porque la biblioteca de mi padre era inglesa. Recuerdo que en mi casa había una edición de *El Quijote*, de la casa Garnier. Después el volumen se perdió en el curso de nuestros viajes y en 1927 logré tener otro ejemplar, por esa superstición que uno tiene de que la edición en la cual se ha leído un libro es la verdadera, aunque no sea la primera. Era un libro encuadernado, con letras de oro, láminas en acero: un lindo tomo que conservo todavía, porque me parece que los demás *Quijotes* son apócrifos.

En cuanto a mis primeras lecturas, yo leí muchas obras de una colección muy benemérita y bastante curiosa por su material: la Biblioteca de *La Nación*, que publicaba este diario fundado por Mitre. Tenían unas encuadernaciones estilo *art nouveau*. El primer volumen editado fue, previsiblemente, la *Historia de San Martín*, de Mitre; después aparecieron *El Quijote* y una obra casi contemporánea: *Los primeros hombres en la Luna*, de Wells. En aquel tiempo no existían los derechos de autor, lo cual contribuía a la mayor difusión de los escritores, porque al aparecer un libro lo traducían, lo publicaban y el autor no recibía un centavo. Y a veces, para hacer mejor las cosas, si el libro tenía, por ejemplo, veinte capítulos, contrataban a veinte traductores. Cada uno traducía su parte (con el fin de publicar la obra con mayor rapidez), de modo que el personaje que se llamaba Guillermo en un capítulo, se denominaba en otros William o Wilheim. Esta colección publicó también obras de Quevedo; *La bolsa*, de Martel; *Amalia*, de Mármol; *Facundo*, de Sarmiento; *El misterio del cuarto amarillo* y las novelas y cuentos policiales de Conan Doyle, que se leía mucho entonces y era un autor contemporáneo. De todos modos, recuerdo haber leído de chico, no sé si en inglés, o en español, los cuentos de Poe, novelas de Dumas, de Walter Scott; *María*, de Jorge Isaacs y obras clásicas españolas. Algunas las leíamos con mi hermana Norah.

—*¿Cuáles son tus primeros recuerdos de Norah?*

—No sé a qué margen del gran río barroso, que un excelente escritor a quien todos queremos ha bautizado con el nombre de *río inmóvil*, puedo atribuir mis primeros recuerdos de mi hermana. Si corresponden a la margen derecha, que es la de Buenos Aires, debo pensar en unos patios de baldosa colorada, en un jardín con una palmera y con ceibos y en un barrio modesto; si pertenecen a la margen izquierda, la de Montevideo, en la gran quinta de mi tío, Francisco Haedo, inagotable y honda, con un mirador de cristales de diversos colores, con muchos árboles, con una pileta sombreada, con un arroyo, casi secreto, con dos glorietas y dos bancos de mampostería en la acera. Estos lugares nos servían para fines escénicos.

—*¿Cómo para fines escénicos?*

—Sí. Allí representábamos las ficciones de Wells, de Verne, de *Las mil y una noches*, de Poe. Como sólo éramos dos (salvo en Montevideo, donde nos acompañaba mi prima Esther) multiplicábamos los roles y éramos, de un momento a otro, los cambiantes personajes de la fábula. Habíamos inventado dos amigos inseparables que se llamaban Quilos y el Molino.

—*¡Qué nombres tan raros!*

—No sé de dónde los sacamos. Un día dejamos de hablar de ellos y explicamos que se habían muerto, sin saber muy bien qué cosa era la muerte. Recuerdo que compartíamos largas playas, tardes de andar a caballo por el campo y el descubrimiento de arroyos tortuosos. Qué suerte que me hayas preguntado por Norah; yo le debo mucho a ella, más de lo que pueden decir las palabras.

—*¿Fueron muy unidos?*

—Sí. Nuestras infancias, como es natural, se confunden, pero siempre fuimos distintos. Nunca dejamos, sin embargo, de entendernos; a veces, bastaba una mirada; otras, ni eso siquiera. Durante toda la adolescencia la envidié porque se encontró envuelta en un tiroteo electoral y atravesó la plaza de Adrogué corriendo entre las balas.

—*¿Era lindo Adrogué, no es cierto?*

—Muy lindo. Era un pueblo laberíntico. Había *breaks* en la estación. A veces, en algunas noches de verano (ya Norah se había casado) salíamos mi padre, mi madre y yo a perdernos. Al principio nos costaba un poco de trabajo, pero luego nos perfeccionamos tanto que nos perdíamos enseguida.

—*¿Cómo era la Norah de aquellos años de infancia?*

—Ella era siempre el caudillo en nuestros juegos; yo, el rezagado y el tímido. Ella subía a las azoteas, se trepaba a los árboles, a los cerros; yo la seguía con más miedo que entusiasmo. En la escuela el contraste se repitió. A mí me intimidaban los chicos pobres, que me enseñaban con desdén el lunfardo básico de la época. No dejaba de sorprendernos que en casa no me hubieran instruido en las voces más comunes del idioma. Mi hermana, en cambio, dirigía a sus compañeras. A las más tontas les contaba historias disparatadas que ellas no terminaban de entender. En realidad, nuestro breve universo era cerrado.

—*Ustedes gozaban de una gran libertad.*

—Ah sí. Nunca fuimos asediados con restricciones. Mi padre, profesor de psicología, creía que son los chicos los que educan a los mayores. Me acuerdo que teniendo yo cuatro o cinco años vino a casa un señor de nariz muy grande. De pronto, interrumpiendo la conversación de los mayores, dije: «¡Qué nariz tan grande tiene usted, señor!». Fui sacado de la sala inmediatamente por mi madre casi a empujones y amenazado con inenarrables castigos si no me callaba la boca, mientras yo, a gritos, repetía: «Siempre hay que decir la verdad y esa nariz es muy grande».

Norah era muy generosa; nunca aceptaba una golosina si no me daban la mitad.

—*Hoy lo sigue siendo.*

—Sí, es cierto. Por ejemplo, yo juzgo a la gente por la inteligencia y el valor. Norah por su bondad y, lo que es más raro, por el parentesco. A mí me atrae la gente de mi sangre, pero prefiero a los que han muerto; los puedo imaginar a mi modo. A mi hermana le encantan esos primos segundos y terceros, aun cuando vienen de visita. Siempre pensó en la estupidez de la gente como en una suerte de inocencia; de una amiga suya, de notoria simplicidad, dijo que era «como una rosa blanca». Desde la infancia, sin embargo, supo juzgar. Una vez, en Suiza, durante la primera guerra mundial, llegamos a un hotel y Norah bajó al vestíbulo. Al rato volvió muy excitada para decirnos que había visto abajo a un señor muy importante; «un señor que debe haber sido en su tiempo una gran nulidad».

—*¿Todo tu bachillerato lo hiciste en Suiza?*

—Sí, y eso fue ventajoso para mí, porque yo era

un buen latinista y llegué a componer versos latinos con la ayuda de *Gradus ad Parnassus*, de Guicherat. Yo tenía el esquema que marcaba las sílabas breves y las largas, aunque nunca pude leer un verso latino porque no he sabido acentuar las sílabas breves y largas.

—¿*Escandir*?

—Sí, y todavía no lo sé, pero podía hacerlo con ese sistema mecánico. Era como si escribiera versos rimados y no oyera las rimas. En latín leía a Séneca y a Tácito.

—*Además, tengo entendido que diste exámenes en latín.*

— ¡No, caramba! Estás confundiéndome con un bisabuelo mío, inglés, que se recibió de doctor en letras en la Universidad de Heidelberg sin saber una palabra de alemán, dando todos los exámenes en latín. Sospecho que ahora los profesores no podrían tomar esos exámenes; quizás aprobaran a todos los alumnos para no demostrar su ignorancia. En aquel tiempo, la gente hablaba todavía en latín. El padre de un amigo mío, Ibarra, hacía que su hijo, durante el almuerzo y la comida, hablara en latín.

—*Pero me has contado que tus condiscípulos te libraron de dar un examen de una materia que no sabías.*

—No sé si se trataba de zoología o botánica, que nunca me interesaron. Yo había dado todas las materias y había tenido que aprender el idioma en que se daban, porque no sabía francés. Mi madre lo conocía, pero en casa había primado el inglés porque en aquel entonces tenía un interés que ahora ha perdido, con su vulgarización. Aunque no sé si ahora la gente sabe realmente inglés...

Volviendo al tema, yo había dado todos los exámenes y me habían aplazado en una materia. Los demás alumnos le pidieron al profesor que tuviera en cuenta que yo había tenido que aprender no sólo las materias, sino también el idioma. Entonces me hicieron pasar a segundo año.

—*¿Qué edad tenías entonces?*

—Doce o trece años. Y cuando quise agradecerles, pues yo había visto la carta firmada por todos, me dijeron que no, que era una decisión tomada por los profesores, que ellos no tenían nada que ver. Lo hicieron para evitar la incomodidad de la gratitud y posiblemente, como los suizos son gente de pocas palabras, para abreviar u omitir el diálogo. Conservo muy gratos recuerdos de Suiza.

—*¿Cuántos años viviste allí?*

—Lo que duró la primera guerra europea. Recuerdo que Suiza movilizó en una semana unos doscientos cincuenta o trescientos mil hombres para defender la frontera. He visto a los soldados que iban a los cuarteles, abrochándose la chaqueta y con el rifle en la mano porque tenían el uniforme y las armas en su casa. El ejército suizo contaba con sólo tres coroneles y decidieron nombrar general a uno de ellos durante el tiempo que durara la guerra. Un vecino nuestro, el coronel Odeou, aceptó ser nombrado general pero con la condición de que no le aumentaran el sueldo.

—*¿En aquella época ya te manejabas con el alemán?*
—No. Este idioma lo estudié en el último o penúltimo año de la guerra, por propia voluntad. Tendría diecisiete años. El culto de Alemania se lo debo a Carlyle, y también al deseo de leer *El mundo como voluntad y representación*, de Schopenhauer, en su texto original. Como no se podía salir de noche, pues durante el último año la vigilancia policial debido al espionaje era muy severa, me compré el *Libro de las canciones*, de Heine, y ayudándome con un diccionario alemán-inglés comencé a leerlo en alemán.

El vocabulario de Heine en sus obras iniciales es deliberadamente sencillo; una vez que conocí las palabras *Nachtigall, Herz, Liebe, Nacht, trauer, geliebte*... me di cuenta de que podía prescindir del diccionario y seguí leyendo, de modo que llegué por esa vía a dominar la lengua espléndida de la música de los versos de Heine. Y al cabo de pocos meses pude prescindir del diccionario.

—*¿Y entonces leíste a Schopenhauer?*
—No inmediatamente, porque cometí el error de las personas que estudian alemán para leer filosofía y fue continuar con *Crítica de la razón pura*, obra que no entienden los mismos alemanes y que quizás hubiera dejado perplejo al mismo Kant en

muchos casos... salvo que recordara lo que había querido decir. De Quincey decía que los alemanes consideraban una frase como un baúl, un gran baúl que una persona tiene que llevar para un largo viaje. Entonces, se pone en el baúl (o en la frase) todo lo que se puede, y uno se las arregla con paréntesis y con guiones y luego surge una especie de monstruo informe. Pero, felizmente, eso corresponde a la prosa de Kant y no a la de otros autores alemanes, pues si no serían ilegibles. He leído mucho en alemán; sobre todo poesía expresionista, porque durante la primera guerra europea el expresionismo alemán fue el más importante de todos los «ismos» de aquella época, mucho más que el imaginismo de Pound o que el futurismo italiano o el cubismo francés o el ulterior ultraísmo español e hispanoamericano. Fue el movimiento más rico, porque no era solamente técnico; a los expresionistas les interesaba además la fraternidad entre los hombres, la desaparición de las fronteras y la mística, la transmisión del pensamiento, toda esa magia que ahora divulga la revista *Planète*: dobles personalidades, cuarta dimensión... El idioma alemán es ideal para la poesía. Yo diría que es el más hermoso, salvo el escandinavo antiguo, que ahora me interesa mucho. Pero el escandinavo antiguo no se ha desarrollado como el alemán. Quizás el anglosajón hubiera podido desarrollarse así, pero la invasión normanda cambió el carácter del idioma, aunque ha quedado esa capacidad para construir palabras compuestas. Con la diferencia de que en inglés las palabras compuestas —si bien pueden construirse y Joyce lo ha hecho espléndidamente— siempre resultan un poco artificiales. En cambio, cualquier alemán puede acuñar una palabra compuesta que no ha sido usada nunca y es una palabra espontánea. En inglés resulta algo pedantesca y «literaria», en el mal sentido de la palabra. Muchos años después, en Buenos Aires, estudié el italiano, que no sé hablar y no entiendo cuando lo hablan, pero que sabía leer, cuando tenía vista, de la misma manera. Lo hice mediante la *Divina Comedia*, que comencé a leer en una traducción bilingüe y cuando llegué al Purgatorio, cuando me despedí de Virgilio, me di cuenta de que podía seguir leyendo, y aunque no entendiese cada palabra, entendía cada frase. Por otra parte, los italianos tienen ediciones de sus clásicos muy superiores a las de cualquier idioma. He tenido ocasión, como profesor de literatura inglesa, de manejarme con ediciones de Shakespeare, por ejemplo, y los comentarios son muy pobres comparados con los de Momigliano o con los más antiguos de Scartazzini, de Casini o de Barbi, porque en las ediciones italianas de la *Comedia* está comentado cada verso, y en las últimas, no sólo está comentado histórica o teológicamente, sino que hay un comentario literario. En la de Attilio Momigliano se analiza el sonido de los versos, las repeticiones de ciertas sílabas, la colocación de los acentos. De modo que si uno no entiende el italiano (lo cual es raro, porque al fin y al cabo italiano y español son dialectos del latín) lo comprende por medio del comentario. Creo que es el mejor modo de estudiar un idioma:

a través de los textos. Spencer decía que la gramática es lo último que debía enseñarse, porque es la filosofía del idioma, y un niño no aprende su lengua materna por la definición de un adjetivo, del sustantivo y del pronombre, como no aprendemos a respirar estudiando grabados de los pulmones. He llegado a leer la obra de Dante, la de Ariosto, y luego la de los modernos.

—*¿Cuáles?*

—Croce, Gentile (que siempre me dio algún trabajo) y luego poetas como Ungaretti, para citar un ejemplo. Yo diría que, en general —y aquí estoy hablando contra mis propios intereses—, tratándose de idiomas afines, no deberían traducirse los textos. Por ejemplo, yo no sé portugués y he leído a Eça de Queiroz. Cuando no entendía una frase la leía en voz alta y el sonido me revelaba su sentido.

—*Pero no todo el mundo tiene esa aptitud...*

—De Quincey decía, exageradamente, que como todos conocen la Biblia, sobre todo en un país protestante, la mejor manera de estudiar un idioma es mediante ese libro. Él hizo un viaje en diligencia —serían muy lentas las diligencias— de Londres a Edimburgo llevando una Biblia sueca y al llegar a la ciudad escocesa ya tenía un buen conocimiento del idioma sueco. Pero supongo que eso se debería más al abuso del opio que a un recuerdo real... Claro que era un hombre extraordinario, pero, con todo, me parece...

—*Hace poco leí* La monja alférez...

—¡Ah! ¡Qué raro! Allí se habla de Tucumán.

—*Y además, convirtió a una especie de marimacho en una heroína...*

—Es que él tomaba los hechos históricos como punto de partida. No era realmente un historiador. Soñaba con todas las cosas. Sospecho que se documentaba poco; tiene una página espléndida sobre los tártaros de Siberia. Parece que eso está basado en una versión alemana de un texto ruso de diez líneas, donde no se dice todo lo que De Quincey ha dicho en setenta estupendas páginas, en que vuelve a recrear todo. Es mejor tener memoria inventiva. Los historiadores no tienen ni una cosa ni otra: lo que tienen son papeles.

—*Fichas. Bueno, pero se es historiador o se hace una obra de creación.*

—Yo, precisamente, estoy haciendo un prólogo a *Facundo*, y digo que Facundo es realmente un personaje creado o soñado por Sarmiento. Por eso, después de leer *Facundo*, las otras biografías de Quiroga, sin duda más auténticas y hechas por historiadores, no interesan. Sin duda, ¿qué puede importarnos el Hamlet de Saxo Grammaticus comparado con el de Shakespeare? Posiblemente los dos sean igualmente irreales, salvo que uno es irreal de un modo más vívido y más complejo.

—*¿A qué edad volviste a Buenos Aires?*

—Tenía alrededor de veinte o veintiún años.

Estuve antes tres años en España; fui después a Portugal y uno de mis propósitos era encontrar a mis parientes. Entonces buscamos la guía de teléfono y había tantos Borges que era como si no hubiera ninguno. Tenía cinco páginas de parientes. El infinito y el cero se parecen. No podía llamar a cinco páginas de personas y preguntar: «Dígame: ¿en su familia hubo un capitán llamado Borges de Ramallo que se embarcó para el Brasil a fines del siglo XVIII o principios del XIX?...». Sin embargo, descubrí con tristeza que un enemigo de Camoens se llamaba Borges y tuvieron un duelo.

—*Esperemos que no haya sido pariente tuyo...*

—Haré lo posible para que no lo sea, ya que es tan fácil modificar el pasado.

—*¿Cómo ves ahora, en 1973, al Borges que tenía veinte años en España?*

—Yo admiraba a Rafael Cansinos Assens, que es un escritor español casi totalmente olvidado. Y tenía, como ahora, un gran fervor literario y una creencia en la metáfora que ya no tengo. No sé por qué se me había ocurrido (ya le había sucedido antes a Lugones) que la metáfora es el elemento esencial de la poesía. En buena lógica, bastaría un solo verso bueno sin metáfora —y es fácil encontrarlo—, fuera de las metáforas inevitables que forman el idioma, para probar que esa teoría es falsa. Además, tenemos el ejemplo de la poesía popular de todos los países, en la que casi no hay metáforas. Como elemento esencial de la poesía, es algo que se da perdidamente y en literaturas cultas. Ciertamente, la poesía no empieza con la metáfora y hasta sospecho que entre gente primitiva no se ve la diferencia entre el sentido recto y el sentido figurado. Yo escribí alguna vez que cuando se pensaba que Thor era el dios del trueno, la idea es ya bastante complicada. Posiblemente Thor era estruendo y divinidad, y no distinguieran bien una cosa de la otra. Imagino que la gente primitiva es como los niños y posiblemente no diferencia bien entre el sueño y la vigilia. Un sobrino mío (es achaque de gente vieja pensar en los sobrinos) me contó que había soñado, hace muchos años, que iba por un bosque, que se perdía y llegaba por fin a una casa blanca de madera, que se abría la puerta y por ella salía yo. Entonces, el chico me preguntó: «Decíme, ¿qué hacías allí, en esa casa?». Se ve que no distinguía la realidad de los sueños.*

—¿*Cuál de tus tres primeros libros* (Fervor de Buenos Aires, Cuaderno San Martín y Luna de enfrente) *te deparó mayores satisfacciones?*

—El primero, *Fervor de Buenos Aires*, porque todavía me reconozco en él, aunque sea entre líneas. En cambio, los otros dos libros los veo ahora como ajenos, excepto alguna composición de *Cuaderno San Martín*, como «La noche que en el Sur lo

* En *Libro de sueños* (Torres Agüero Editor, Buenos Aires, 1976), Borges cuenta este sueño con el título «Der Traum ein Leben», adjudicándoselo al imaginario Francisco Acevedo, autor del no menos irreal *Memorias de un bibliotecario* (1975).

velaron», un poema que yo firmaría ahora con alguna ligera modificación o atenuación. En cambio, *Luna de enfrente* fue un libro que se escribió para escribir un libro, lo cual es el peor motivo. Los libros deben escribirse solos, por medio del autor o a pesar de él. Pero ocurrió que Evar Méndez me dijo que él quería publicar un libro mío, que conocía a un impresor llamado Piantanida, que iba a ser un libro muy lindo y tenía que estar de acuerdo con esa teoría de que la esencia de la poesía es la metáfora, etc. Escribí ese libro e incluso cometí un error capital, que fue el de «hacerme» el argentino, siendo que soy argentino y no tenía por qué disfrazarme. En aquel libro me disfracé de argentino del mismo modo que en *Inquisiciones* me disfracé de gran escritor clásico español, latinizante, del siglo XVII, y ambas imposturas fracasaron. De modo que de esos tres libros míos sólo hay uno que yo veo todavía con cariño, aunque lo he modificado mucho, pero no agregándole cosas, sino diciendo de un modo más o menos eficaz lo que mi incompetencia literaria me había impedido decir en la primera edición. Es decir, restituyendo el libro a lo que ese libro estaba tratando de ser.

—*¿Qué opinión te merecen tus libros posteriores?*
    —Mis amigos me dicen que mis cuentos son muy superiores a mis poesías, que soy un intruso en la poesía y no debería escribir versos, pero a mí me gustan los versos que escribo. Hay dos libros que me han granjeado alguna fama: *Ficciones* y *El Aleph*. Es decir, los libros de cuentos fantásticos;

pero yo ahora no escribiría cuentos de ese tipo. Me parece que no están mal, pero es un género que me interesa poco ahora (o del cual me siento incapaz y por eso digo que me interesa poco). A mí me gusta más *El informe de Brodie* y quizás el libro que estoy escribiendo ahora y cuyo título no me ha sido aún revelado, pero nadie comparte mis opiniones. Además, tuve la desgracia de escribir un cuento totalmente falso: «Hombre de la esquina rosada». En el prólogo de *Historia universal de la infamia* advertí que era deliberadamente falso. Yo sabía que el cuento era imposible, más fantástico que cualquier cuento voluntariamente fantástico mío, y sin embargo, debo la poca fama que tengo a ese cuento.

—*Me parece una exageración decir eso.*

—Y aunque después escribí otro cuento. «Historia de Rosendo Juárez», como una suerte de palinodia o de contraveneno, no fue tomado en serio por nadie. No sé si lo leyeron, o simularon no haberlo leído, o si lo tomaron por un mal momento mío. El hecho es que yo quise referir la misma historia tal como pudo haber ocurrido, tal como yo sabía que pudo haber sucedido cuando escribí «Hombre de la esquina rosada» en 1930, en Adrogué. La escena de la provocación es falsa; el hecho de que el interlocutor oculte su identidad de matador hasta el fin del cuento es falso y no está justificado por nada; el lenguaje es, de tan criollo, caricatural. Quizás haya una necesidad de lo falso que fue hallada en ese cuento. Además, el relato se prestaba a las vanidades nacionalistas, a la idea de que éramos muy valientes o de que lo habíamos sido; tal vez por eso gustó. Cuando yo tuve que leer las pruebas para una reedición lo hice bastante abochornado y traté de atenuar las «criolladas» demasiado evidentes o, lo que es lo mismo, demasiado falsas. Lo curioso es que las personas que admiran ese cuento lo llaman «Hombre de la Casa Rosada» y suponen que me refiero al presidente de la República.

—¿Y Ficciones?

—No recuerdo bien los cuentos, porque confundo fácilmente Ficciones y El Aleph. Pero supongo que no está mal. «El Aleph» es un cuento que me gusta. Me acuerdo que mi familia se había ido a Montevideo; yo estaba solo en Buenos Aires y lo escribía riéndome, porque me causaba mucha gracia. Y luego hubo otro cuento, que se llama «Las ruinas circulares», con el que me ocurrió algo que no me ha sucedido nunca. Ocurrió por única vez en la vida, y es que durante la semana que tardé en escribirlo (lo cual en mi caso no significa morosidad, sino rapidez) yo estaba como arrebatado por esa idea del soñador soñado. Es decir, yo cumplía mal con mis modestas funciones en una biblioteca del barrio de Almagro; yo veía a mis amigos, cené un viernes con Haydeé Lange, iba al cinematógrafo, llevaba mi vida corriente y al mismo tiempo sentía que todo era falso, que lo realmente verdadero era el cuento que estaba imaginando y escribiendo, de modo que si puedo hablar de la palabra inspiración, lo hago refiriéndome a aquella semana, porque nunca me ha sucedido algo igual con nada.

—*¿Y con la poesía tampoco?*

—No, con la poesía es distinto. Por ejemplo, las milongas se han escrito solas. Yo he recorrido los corredores de la Biblioteca Nacional, he caminado por las calles del barrio sur, que quiero tanto; por el norte y por el centro, y de pronto he sentido que algo estaba por ocurrir. Entonces he tratado de aguzar el oído, he tratado de no intervenir y luego he comprendido que lo que estaba ocurriendo era una milonga. Y las milongas se han compuesto solas y creo que no he tenido necesidad de escribirlas; habré cambiado una o dos palabras, pero no más. Todo eso ha salido de un viejo fondo criollo que tengo y no ha significado ningún esfuerzo para mí. Al mismo tiempo, no puedo comprometerme a escribir un libro de milongas porque eso depende de que tales momentos, esas visitas del Espíritu Santo, aunque parezca vanidoso (y es vanidoso), ocurran. En cambio, por ejemplo, un soneto es distinto, aun en el caso de las rimas. Uno tiene que elegir una rima, tiene que pensar que las palabras que riman no son totalmente distintas; yo diría que hay rimas naturales y rimas artificiales. *Reflejo* y *espejo* son naturales, porque se refieren a ideas afines; *turbio* y *suburbio*, también. En cambio, en este ejemplo de Lugones: «En inmensas dosis de apoteosis» no sé si la palabra dosis está buscando la palabra apoteosis.

—*De ningún modo.*

—Desde luego, creo que no; claro que lo hizo a

propósito. Quiero decir que en el caso de las sextinas, como en la «Milonga de dos hermanos», todo eso ha nacido solo, he encontrado las rimas necesarias o ellas me han encontrado a mí. Pero un cuento mío que me gusta, aunque no sé si ha gustado a los lectores, es «El Congreso»*, porque es un texto que llevé conmigo sin animarme a intentar su escritura durante muchos años y siempre pensaba en él, hasta que me dije: «Bueno, yo ya he encontrado mi voz, mi voz escrita. Quiero decir que no puedo hacer las cosas ni mucho mejor ni mucho peor; voy simplemente a escribirlo», y lo escribí. Pero es un cuento que no ha agradado a mis amigos.

—*¿Por qué se te ocurre pensar eso?*

—Porque mis amigos dicen que todo lo que yo digo ahí lo he dicho mejor en libros anteriores y que el único valor que tiene es el de ser una especie de resumen de la *opera omnia* mía. Por ejemplo, Néstor Ibarra, un amigo en cuya opinión yo confío mucho, me dijo que era un relato inútil porque ya estaba incluido virtualmente en los anteriores. Pero yo creo que no, porque hay allí una descripción de una experiencia mística que yo no he tenido pero que he tratado de imaginar: la idea de esas personas que emprenden una labor tan infinita que coinciden con el universo y que no sienten eso, como ocurriría en un texto de Kafka, como una defraudación, sino que, al contrario, se sienten satis-

---

* Incluido en *El libro de arena*.

fechos. Esa obra que ellos quieren hacer ya está hecha, no sé si por la Divinidad o por el proceso cósmico, pero ya está, y se sienten felices. Creo que esa parte está bastante bien dada: ese último paseo que hacen recorriendo la ciudad y esa posterior resolución de no verse más porque no van a recuperar la exaltación de ese momento. A mí, personalmente, me emocionó cuando lo escribí y los personajes me gustaron también y los sentí como reales. ¡Pero un escritor puede engañarse tanto! Por ejemplo, yo lo he notado en el caso de los nombres de las calles. En ese libro se nombran, casi exclusivamente, fuera del paredón del cementerio de la Recoleta, lugares del sur y a mí el sur me emociona. Una prueba que uno podría hacer es escribir un cuento con nombres de lugares y luego reemplazar esos lugares por otros que no significan nada para uno. Por ejemplo, trasladar mis cuentos de Palermo al bajo de Flores para ver si me siguen pareciendo buenos, pero no me animo a hacer eso. Ni siquiera los cuentos de Adrogué o de Temperley. Me parece que si los situara en San Isidro o en Martínez me daría cuenta de que no valen nada. Al fin y al cabo, el prestigio de las palabras es importante: ¿por qué no el prestigio de los nombres propios?

—*Pero esos cuentos traducidos tienen éxito y quienes los leen no conocen ninguno de esos lugares.*

—Es cierto. Eso quiere decir que la gente se equivoca fácilmente, o que es generosa.

—*O es que se puede prescindir de los sitios geográficos, porque el ímpetu está puesto en la prosa o en la poesía, que es lo permanente.*

—Me acuerdo que leyendo un cuento muy bueno de Manuel Peyrou, que se llama «La noche repetida», me encontré con una frase que hizo llenar mis ojos de lágrimas. Decía: «Esa percanta de pollera florida que sabía esperarme en una esquina de la calle Nicaragua». Y pensé: soy un tonto, porque la calle Nicaragua significa algo para mí, pero no tiene que significar nada para personas que viven en otro barrio.

—*Eso es sentimentalismo.*

—¡Sí, caramba!

—*¿Por qué esa necesidad de escribir todos los días, aunque sea una línea?*

—Es para sentirme justificado y porque temo que si no dicto algo, voy a olvidarlo. Además, de noche pienso: he escrito tal cosa, he adelantado tal trabajo, y eso me tranquiliza.

—*¿De niño supiste que ibas a ser escritor?*

—Antes de haber escrito una sola línea. Pero eso se debió un poco a una convención tácita que hubo en mi familia, porque mi padre hubiera querido ser escritor y no pudo. Dejó algunos sonetos, una novela, muchos trabajos que destruyó. Entonces se entendía de un modo tácito, que es el modo más eficaz para que se entienda una cosa, que yo iba a cumplir ese destino que le había sido negado a mi padre. Eso lo supe desde chico.

—¿Y si él hubiese sido matemático?

—Las matemáticas me interesan. Me interesa la obra de Bertrand Russell y lo que he podido ver del matemático alemán George Kantor. He leído muchos libros con total incredulidad sobre la cuarta dimensión. Pero no me veo como matemático, porque no tengo ninguna facultad para ello. Entiendo que el ajedrez es una ocupación muy noble y que de todos los juegos que conozco es infinitamente superior, pero al mismo tiempo soy uno de los ajedrecistas más mediocres que existan.

—¿Cuándo, dónde y por qué aparece como tema el laberinto?

—Recuerdo un libro con un grabado en acero de las siete maravillas del mundo; entre ellas estaba el laberinto de Creta. Un edificio parecido a una plaza de toros, con unas ventanas muy exiguas, unas hendijas. Yo, de niño, pensaba que si examinaba bien ese dibujo, ayudándome con una lupa, podría llegar a ver al Minotauro. Además, el laberinto es un símbolo evidente de perplejidad y la perplejidad —el asombro del cual surge la metafísica, según Aristóteles— ha sido una de las emociones más comunes de mi vida, como lo fue de Chesterton, quien dijo: «Todo pasa, pero siempre nos queda el asombro, sobre todo el asombro ante lo cotidiano». Yo, para expresar esa perplejidad, que me ha acompañado a lo largo de la vida y que hace que muchos de mis propios actos me sean inexplicables, elegí el símbolo del laberinto, o, mejor dicho, el laberinto me fue impuesto, porque la idea de un edificio construido para que alguien se pierda es el símbolo inevitable de la perplejidad. He ensayado distintas variaciones sobre ese tema, que me han llevado al Minotauro y a cuentos como «La casa de Asterión». Asterión es uno de los nombres del Minotauro. Luego, el tema del laberinto se encuentra de un modo muy notorio en «La muerte y la brújula», en diversos poemas de los últimos libros míos y en uno que voy a publicar hay también un poema breve sobre Minotauro.

—¿Y los espejos?

—Los espejos corresponden al hecho de que en casa teníamos un gran ropero de tres cuerpos estilo hamburgués. Esos roperos de caoba, que eran comunes en las casas criollas de entonces... Yo me acostaba y me veía triplicado en ese espejo y sentía el temor de que esas imágenes no correspondían exactamente a mí y de lo terrible que sería verme distinto en alguna de ellas. Eso se unió a un poema que leí sobre el Profeta Velado de Jorasán, el hombre que vela su rostro porque es leproso, y al Hombre de la Máscara de Hierro, de una novela de Dumas. Las dos ideas se unieron: la de un posible cambio en el espejo y la idea de verme espantoso en el espejo. Y también, naturalmente, porque el espejo está unido a la idea escocesa del *Fetch* (que se llama así porque viene a buscar a los hombres para llevarlos al otro mundo), a la idea alemana, del *Doppelgänger*, el doble que camina a nuestro lado y que viene a ser la idea de Jeckyll y Hyde y de tantas otras ficciones. Ahora bien, yo sentía el horror de los espejos y tengo un poema en que hablo de ese horror y que uno a la sentencia pitagórica de que un amigo es un otro yo. He pensado que posiblemente a él se le ocurrió la idea de otro yo viendo su reflejo en un espejo o en el agua. Cuando yo era chico nunca me atreví a decirles a mis padres que me dejaran en una habitación totalmente oscura para no tener esa inquietud. Antes de dormir yo abría repetidamente los ojos para ver si las imágenes en los tres espejos seguían siendo fieles a lo que yo creía mi imagen o si habían empezado a modificarse rápidamente y de un modo alarmante. A eso se agregó la idea de la pluralidad del yo, de que el yo es cambiante, de que somos el mismo y somos otros; eso lo he aplicado muchas veces. Y en un libro mío hay un cuento titulado «El otro», donde ensayo una variación de ese tema, ya tratado por tantos autores, por Poe, Dostoievsky, Hoffman, Stevenson.

—*La repetición de los ciclos, todo ese mundo que vuelve sobre sí mismo, ¿de dónde proviene?*

—Mi padre fue el primero que me habló de eso. Creo que él lo había leído en los *Diálogos sobre la religión natural*, del filósofo escocés Hume, del siglo XVIII. Y la idea es que si el mundo consta de un número limitado de elementos y si el tiempo es infinito y si cada momento depende del momento anterior, basta con que se repita un momento en el proceso cósmico para que se repitan los siguientes y entonces tendríamos, como creían los pitagóricos y los estoicos, una historia universal cíclica. Se dice que eso procede de la India, pero en las cosmogonías hindúes, en el budismo, por ejemplo, los ciclos se repiten pero no son idénticos: es decir, una persona no vive su propia vida un número indefinido o infinito de veces, sino que cada ciclo influye en el subsiguiente y así podemos descender a animales, a plantas, a demonios, a fantasmas, o podemos volver a ser otra vez hombres y eventualmente podemos perder nuestra identidad. Eso sería el Nirvana y eso sería la mayor felicidad, caer en la rueda de la vida y vernos libres de la vida. Esa idea me impresionó muchísimo y luego la he aprovechado muchas veces. Personalmente, descreo de ella. No solamente descreo, sino, como dije en un artículo titulado «La doctrina de los cielos», si ésta es la milésima vez que mantenemos esta conversación, es realmente la primera, porque no recuerdo las anteriores. Un argumento que suele emplearse a favor de esa idea, sobre el cual tiene un poema muy lindo el poeta Dante Gabriel Rosetti *(I have been here before; / when, where or how I cannot tell. / I knew the grass beyond the door, / the keen sweet smell, / the sighing sound, the lights around the shore. / You have been mine before...)*, es que si yo creo haber vivido ya este momento, eso introduce una modificación, porque suponiendo que ésta sea la segunda vez que mantengo esta conversación y pienso: «Yo ya he hablado sobre esto con María Esther Vázquez y le he dicho las mismas cosas en esta misma sala de la misma Biblioteca Nacional», entonces esto no habría ocurrido la primera vez, entonces los ciclos no serían idénticos. El hecho de recordar un ciclo anterior sería en realidad un argumento contra la doctrina de los ciclos. Además, si suponemos una sucesión indefinida o infinita de vidas, cada vez recordaremos mejor las cosas y eso nos permitirá modificar quizá nuestra conducta, y entonces se derrumbaría la teoría.

—*Hablemos del tema de los tigres.*

—Ese tema lo he explicado en un poema titulado «El oro de los tigres». Nosotros vivíamos cerca del Jardín Zoológico; yo lo visitaba con frecuencia, pero los animales que realmente me impresionaban de niño, fuera del bisonte, eran los tigres. Sobre todo el gran tigre real de Bengala. Me pasaba horas mirándolo. Me impresionaban el pelaje de oro y, naturalmente, las rayas. También me impresionaban los leopardos, los jaguares, las panteras, animales afines. En ese poema digo que realmente el primer color que vi, no físicamente sino emocionalmente, fue el amarillo del tigre, y ahora que estoy casi ciego el único color que veo sin lugar a error es el amarillo. Así, el amarillo corresponde al principio y al fin de mi vida. Por eso, y no por razones decorativas de tipo modernista, titulé a uno de mis libros *El oro de los tigres*. Además, en el tigre hay la idea de poderío y de belleza. Recuerdo que una vez mi hermana me hizo esta observación curiosa: «Los tigres están hechos para el amor». Esto me recuerda un verso de Cansinos Assens donde le dice a una mujer: «Yo seré como un tigre de ternura». Encontré una frase parecida en Chesterton, refiriéndose al tigre del poema de William Blake, que es un poema sobre el origen del mal (por qué Dios que hizo al cordero creó también al tigre que lo devora) y dice: «El tigre es un símbolo de terrible elegancia». Ahí están unidas la idea de la belleza y de la crueldad que se atribuye a los tigres. Posiblemente no sean más crueles que otros animales. De la misma forma, se atribuye astucia al zorro, majestad al león; son convenciones de las fábulas, posiblemente convenciones esópicas.

—¿*Y la secta del cuchillo y el coraje, es decir, todo lo que eso implica?*

—Yo encontraría dos raíces: una, en el hecho de que muchos de mis mayores fueron militares y algunos murieron en batallas, y luego, en que ese destino me había sido negado. La otra es encontrar esa condición del coraje en pobre gente, en los compadritos de las orillas, que si tenían una religión, era ésa: la de que un hombre no debe ser flojo. Además, en el caso del compadrito, ese coraje era desinteresado, a diferencia de lo que ocurre con los gángsters o los criminales en general, porque la gente es violenta por avidez, o movida por razones políticas. Y luego, en una saga escandinava encontré una frase que corresponde exactamente a esa idea. Se trata de unos vikingos que se encuentran con otros y les preguntan si creen en Odín o en el Cristo blanco y uno responde: «Creemos en nuestro coraje». Corresponde a la ética de los cuchilleros.

—*Otro tema importante sería la ciudad de Buenos Aires.*

—En cuanto a Buenos Aires, todos habrán notado que no es el Buenos Aires actual, sino el Buenos Aires de mi niñez y el anterior a mi niñez. Yo nací en 1899 y generalmente mi Buenos Aires es un poco vago y se sitúa alrededor de 1890. Eso lo hago primero por aquello de que «cualquier tiempo pasado fue mejor» y luego porque creo que es un error hacer literatura estrictamente contemporánea; por lo menos ese concepto es contrario a toda la tradición. No sé cuántos siglos después de la guerra de Troya escribió Homero. Además, hay una desventaja de orden práctico; si yo escribo sobre un hecho contemporáneo convierto al lector en una suerte de espía porque estará buscando errores. En cambio, si digo que tales hechos ocurrieron en Turdera o en las orillas de Palermo hacia mil ochocientos noventa y tantos, nadie puede saber exactamente cómo se hablaba en esos suburbios, o cómo eran, y eso deja una mayor libertad e impunidad al escritor. Y como la memoria es selectiva (según dijo Bergson), parece que uno puede trabajar mejor con memorias que con el presente, que está oprimiéndonos y molestándonos. Además, si escribimos sobre el presente, corremos el albur de parecer menos escritores que periodistas.

—*Falta el tema de la espada...*

—Este tema se vincula con el del coraje y se origina en dos espadas que había en casa de mi abuelo Borges. Una de ellas era del general Mansilla. Ambos eran amigos y antes de una de sus batallas, en la guerra del Paraguay, con un gesto romántico plagiado de alguna novela francesa, los dos cambiaron espadas en la víspera de la batalla. Una de ellas está en el museo histórico del Parque Lezama. Y luego de la espada del soldado pasé al cuchillo del cuchillero (esto me hace recordar dos versos de un romance de Lugones: «Con el patriótico sable / ya rebajado a cuchillo...») La espada es el signo del coraje más que otras armas. Las armas de fuego no presuponen valentía, sino puntería. Milton, en el *Paraíso perdido*, atribuye la invención de la artillería al demonio.

—*Me gustaría que me hablaras de tu amor por las lenguas escandinavas.*

—Llegué a ellas por el camino del anglosajón, porque pensé que había sido el idioma de muchos antepasados míos hace muchos siglos. Pero la literatura anglosajona, aunque es rica, lo es mucho menos que la escandinava, y eso podría explicarse por una razón cronológica. La literatura anglosajona data de los siglos VII, VIII, IX y se acabó, en tanto que la escandinava llega a su apoteosis en los siglos XIII y XIV. Pero hay otra razón. Los sajones salieron de Alemania del Norte, de los Países Bajos, de Dinamarca, y conquistaron Inglaterra. Sin duda, esa conquista los enriqueció. Pero eso, si se compara con lo que hicieron los vikingos es poco. Pensemos en países pobres como los escandinavos y pensemos que gente de esos países descubrió

América, llegó a Bizancio, fundó reinos en Inglaterra, en Irlanda, en Normandía y escribió en Islandia una gran literatura. Es decir, la cultura germánica llegó a su culminación en Islandia y produjo una literatura muy rica. En las sagas uno encuentra todo lo que se encuentra en la novela actual y dicho de un modo más reticente, más pudoroso y eficaz. De modo que como la cultura germánica me interesa y como en su forma más pura llegó a su culminación en Islandia, es natural que me interese ese idioma. Al principio, cuando comencé a estudiarlo, me ocurría lo mismo que con el inglés antiguo: me parecía una forma torpe del inglés o del alemán. En cambio, ahora veo al anglosajón como un idioma propio y ya estoy sintiendo como propia la lengua escandinava que todavía se habla en Islandia. Los islandeses pueden leer a sus clásicos sin necesidad de explicaciones. Tengo ediciones de las *Sagas*, de la *Heimskringla*, de la *Edda Menor* de Snorri Sturluson, y esos libros no tienen notas, porque puede leerlos un islandés cualquiera. El mismo hecho de que haya quedado atrasado incidió para que se conserve el idioma. Es como si ahora existiera un país donde la gente hablara latín y no un dialecto del latín; donde el hombre de la calle pudiera leer la *Eneida* y a Tácito. Además, hay una belleza especial en ese idioma que se da en los sonidos y en la facilidad que todavía guardan otras lenguas germánicas de formar palabras compuestas sin que esas palabras resulten artificiales o pedantescas. Cuando uno estudia un idioma, ve más de cerca las palabras. Si estoy hablando español o inglés, oigo toda la frase; en cambio, en un idioma nuevo...

—... *se oye palabra por palabra.*

—Sí. Es como una lectura con lupa. Siento más la palabra que aquellos que hablan ese idioma. Por eso, hay un prestigio en las lenguas extranjeras; hay, también, el prestigio de lo antiguo, que es formar parte de una pequeña sociedad secreta...

—*¿Cuántas horas te roba esa «sociedad secreta»?*

—Solamente los sábados y los domingos. Somos unas siete personas; nos reunimos unas tres o cuatro horas y prescindimos de la gramática. Tomamos un texto del siglo XIII, por ejemplo, y empezamos a descifrarlo; sólo en último caso recurrimos al diccionario o a la versión inglesa o alemana. Tratamos de entenderlo y discutimos, y luego vemos quién tiene razón. De modo que eso tiene algo de aventura, aventura filológica. Pero, sin duda, uno exagera las cosas. Si yo digo: «Un barco que se hace con las uñas de los muertos», en islandés lo siento más hermoso: posiblemente no lo sea. Quizá para un islandés tenga más prestigio la versión española.

—*Una vez me dijiste que te considerabas anarquista. ¿Qué quiere decir eso? ¿Cuál es tu anarquismo?*

—Que tendría que haber un mínimo de gobierno, que no se notara, que no influyera. Se trata de un anarquismo a lo Spencer.

—*¿Tu padre era anarquista?*

—Sí. Él me dijo que me fijara en las banderas, en las fronteras, en los distintos colores de los diversos países en los mapas, en los uniformes, en las iglesias, porque todo eso iba a desaparecer cuando el planeta fuera uno y hubiera simplemente gobierno municipal o policial, o quizá ninguno si la gente fuera suficientemente civilizada. Él creía que esa utopía estaba esperándonos; ahora no se nota ningún síntoma, pero quizás a la larga tenga razón. Por de pronto, los países tienden a agrandarse. Quizá cuando todo el mundo sea Rusia, o China, o los Estados Unidos, no se necesitarán pasaportes. Hoy la burocracia molesta bastante. Esta mañana tuve que firmar para el Ministerio unos papeles por sextuplicado. Eso es para dar trabajo a la enorme cantidad de empleados públicos que tienen. En este país, dentro de poco no va a haber más que empleados públicos, empezando por el ejército. Un barrendero es un empleado público; el presidente es un empleado público. Todos son empleados públicos.

—*El director de la Biblioteca Nacional también es empleado público.*

—Yo también lo soy, desde luego.

—*¿Qué cosas te interesan más en este momento en la vida, en el mundo?*

—Me interesaría encontrar una suerte de serenidad que no tengo. Y en estos momentos, me interesa la suerte de la patria, que es muy importante. Y luego, me preocupa la salud de mi madre. Y además, aún a la edad de setenta y tres años, uno vive esperando a otra persona, aún a esa edad en que uno sabe que esa esperanza es ridícula y que no podrá cumplirse. Pero en cuanto al hecho de ser conocido o desconocido, eso no me ha interesado nunca; ¡se parecen tanto las dos cosas! Sin embargo, entiendo (tengo amigos que son escritores franca e incurablemente fracasados), entiendo que se sientan desdichados por ello. Ya dijo Schopenhauer que lo que tenemos puede no hacernos felices, pero lo que nos falta nos hace ciertamente desdichados. El caso de la salud, por ejemplo; o el caso de los órganos del cuerpo: se sienten cuando duelen. Creo que con la fortuna ocurre siempre lo mismo; la gente rica se siente naturalmente feliz y hasta puede pensar que no les importa el dinero, pero si les falta notan que es muy importante. Como en aquella broma de Macedonio Fernández, quien dijo: «¡Qué raro! A mí no me había interesado nunca la respiración, pero cuando estuve en la playa de Capurro, en Montevideo, y me cubrió una ola, de pronto me sentí muy interesado en ella. Y el interés —decía— desapareció, lo que es más raro aún, cuando me encontré a salvo». También Bernard Shaw dijo que toda persona que sufre de dolor de muelas comete el error de pensar que los que no tienen dolor de muelas son felices. El no ser querido, el estar enfermo, son otras formas del dolor de muelas.

—*¿Y en cuanto a los premios que obtuviste?*

    —Hubo uno que me dio mucha alegría, que

fue el segundo Premio Municipal de prosa que me dieron en 1928 o 1929. Me alegró mucho más que otros posteriores, porque era el primero que recibía. Además, ¡tres mil pesos entonces eran una suma!

—*¿Te compraste libros?*

—Gasté trescientos pesos en una edición un poco antigua de la *Enciclopedia Británica*, que conservo todavía: la undécima, que es muy superior a las actuales. Porque antes la hacía la Universidad de Oxford y ahora está a cargo de no sé qué editorial norteamericana que se interesa por las cosas más tristes del mundo: la estadística, por ejemplo. Es un libro lleno de fechas y de cifras. En cambio, la edición vieja tiene artículos de Macaulay, de De Quincey, de Swinburne, que eran realmente ensayos. Ahora los artículos están hechos de abreviaturas: nació en tal fecha, una crucecita y la fecha en que murió; publicó tales libros, con las fechas entre paréntesis; el juicio en tres líneas, y se acabó. Eso no es un estudio sobre un escritor: se parece más al censo o a la guía de teléfonos que a un trabajo literario.

—*Volviendo al tema de los honores: cada vez que te nombran doctor honoris causa de una universidad, ¿te gusta, te emociona?*

—Sí, es raro. Me siento muy incómodo la víspera, muy incómodo...

—*... tres minutos antes.*

—... tres minutos antes. Me siento muy incómodo cuando estoy hablando y en el momento en que ocurre me siento misteriosamente emocionado, y luego me digo que eso es una puerilidad. Es raro que a un hombre grande le ocurran esas cosas, pero eso depara una satisfacción momentánea... Es el hecho de ser reconocido, de ser saludado...

—*¿Cuáles son los escritores que te interesan mucho todavía?*

—Creo que Shaw, Chesterton, Emerson y, como libro, *El Quijote*. Entre los argentinos, hay uno capital; si lo hubiéramos elegido como libro nacional, hubiera sido otro y mejor nuestro destino: es *Facundo*, de Sarmiento. Y admiro al *Martín Fierro* como obra literaria, pero no como personaje; como tal, me parece espantoso y sobre todo muy triste que un país tome por ideal a un desertor, a un asesino, a un prófugo, a un borracho, a un soldado que se pasa al enemigo. Eso debe haber sido muy raro en aquella época. Creo que Hernández se anticipó, porque Martín Fierro es un malevo sentimental, que se apiada de su propia desdicha. Los gauchos deben haber sido gente mucho más dura, debían parecerse más a los gauchos de Ascasubi o de Estanislao del Campo. Ese tipo de gaucho quejoso, que compuso Hernández adelantándose a Carlos Gardel, es una desdicha. No puedo imaginarme a un gaucho diciendo:

> Bala el tierno corderito
> al lao de la blanca oveja
> y a la vaca que se aleja

llama el ternero amarrao,
pero el gaucho desgraciao
no tiene a quién dar su queja.

Si un payador hubiera dicho eso, habrían pensado que era un marica. ¡Hubiera sido despreciado por todos!

—*Si hicieras un repaso a toda tu vida, ¿cuáles te parecerían los momentos más importantes?*

—Mi primer regreso a Buenos Aires. Y luego, momentos muy íntimos, que fueron felices, y aquellos en que escribo, en que siento cierta satisfacción, aunque no me guste lo que escriba. He llegado a comprobar que la satisfacción que uno siente al escribir tiene poco que ver con el mérito de lo que escribe, lo cual concuerda con aquella sentencia de Carlyle: «Toda obra humana es deleznable, pero la ejecución de esta obra es importante». Una vez hecho algo, no puede valer mucho; es una obra humana con todas las imperfecciones de lo humano, pero el hecho de ejecutarla sí es interesante. Luego, tengo recuerdos de infancia, de alguna jineteada, de haberme sentido muy feliz nadando y recuerdos de lugares... Pero Marcel Proust decía que cuando uno extraña un lugar, lo que realmente extraña es la época que corresponde a ese lugar; que no se extrañan los sitios, sino los tiempos. Es decir, que cuando pienso que a veces me sentía feliz en Texas es porque me sentía feliz en aquel momento, pero si volviera a Texas ahora no hay ninguna razón para que pueda sentirme feliz allí. O cuando yo sabía que sólo faltaban tantos días para volver a Buenos Aires. Pero entonces había algo de angustioso, porque siempre existía el temor de que ocurriera algo que entorpeciera la vuelta.

—*¿Siempre te importa mucho volver a Buenos Aires?*
—Sí, me importa mucho volver, y aun en algún viaje último, en que yo sabía que no volvía a algo especialmente grato, que volvía a una rutina no demasiado deliciosa. Pero siempre he sentido que hay algo en Buenos Aires que me gusta. Me gusta tanto que no me gusta que le guste a otras personas. Es un amor así, celoso. Cuando yo he estado fuera del país, por ejemplo en los Estados Unidos, y alguien dijo de visitar América del Sur, le he incitado a conocer Colombia, por ejemplo, o le recomiendo Montevideo. Buenos Aires, no. Es una ciudad demasiado gris, demasiado grande, triste —les digo—, pero eso lo hago porque me parece que los otros no tienen derecho de que les guste. Además, generalmente lo que les agrada a los extranjeros es lo que nunca le importa a uno. La idea de encantarse con el estanque de Palermo, con el Obelisco o con la calle Florida es bastante triste. El hecho de extasiarse ante el rascacielos de Cavanagh es una cosa de locos. O con lugares del sur de la ciudad, que son totalmente apócrifos. Un porteño siente que los han edificado la semana que viene, digamos.

—*¿Te considerás celoso?*

—Sí, trato de no serlo, pero lo soy. Comprendo que es un defecto.

—*¿Cuáles son tus defectos?*

—Creo que una vanidad desmedida.

—*No lo parece.*

—Sí, soy vanidoso con cierta astucia.

—*Pero si no te importa nada el éxito...*

—El éxito es algo tan efímero... Y además, cuando se llega a la edad mía uno ha visto tantos éxitos que se han convertido en olvido... Voy a citarte un caso notorio. En 1910 se creía que el mejor escritor de la literatura francesa, es decir de la universal (porque así se media entonces), era Anatole France. Actualmente eso parecería una ironía un poco burda, pero en aquella época se lo creía un escritor tan grande como Voltaire. Claro que Anatole France había llegado a Buenos Aires, nos había descubierto; todos nos sentíamos un poco más reales porque Anatole France sabía que existíamos. E incluso le perdonamos alguna *gaffe*. Cuando llegó a Montevideo dijo que él siempre había querido al Uruguay porque le gustaba mucho el café uruguayo. Se está por descubrir todavía, ¿no?... Claro que se trató de un error de información del secretario, que le dijo: «En Uruguay hay que hablar del café».

—*De modo que te considerás vanidoso.*

—Sí, creo que lo soy y sin embargo me parece

raro que la gente me tome en serio. Creo también que tiendo fácilmente a ser dogmático. A pensar que los demás deben pensar como yo.

—*Eso lo pensamos todos.*

—Me acuerdo de una frase de Swift que decía: «¡Qué inteligente es este escritor cuando dice lo que yo había pensado toda mi vida!» (ríe).

—*¿Y cuáles creés que son tus virtudes?*

—La modestia (ríe a carcajadas). Creo que yo tengo un sentido de las palabras, de la literatura, un sentido del verso —no cuando lo ejecuto, sino cuando lo leo— que otras personas no tienen. Creo que puedo emocionarme con una palabra. Además, contrariamente a lo que generalmente se supone, creo que la belleza no es una cosa rara, sino muy común. Por ejemplo, yo no sé nada de literatura húngara, y sin embargo, estoy seguro de que si supiera encontraría en esa literatura lo que encuentro en otras. No sé nada de la poesía de los afganos, y creo que puede darme lo que me dan las otras. Desde luego, confieso que no he encontrado ningún escritor australiano que me haya llamado la atención, pero es justo decir que no he leído a ninguno, lo que es un argumento en contra. ¿Por qué no se habla de ellos nunca? ¿O de los canadienses? Cuando estuve en Canadá pregunté: ¿Qué poeta tienen ustedes? Me dijeron: tenemos al poeta Pratt. El nombre no parecía prometer mucho. Hay dos poemas suyos: uno al ferrocarril que va de Toronto a no sé dónde... (De una oda ferroviaria,

¿qué puede esperarse?) Y el otro es un poema extraordinario en donde habla de un bloque, de un pedazo de hielo. Yo dije: ¿Y? «Y bueno —me dijeron—, otros poetas hubieran hablado de los bosques nevados del Canadá, pero él se dirige concretamente a un bloque de hielo, y eso ya es mucho.» Después de eso pensé que debía contentarme con la idea de que haber escrito un poema concreto ya bastara. Pero me llama la atención de que los Estados Unidos, en New England, cerca de la frontera con el Canadá, hayan producido gente como Emerson, como Melville, como Henry James, y que al lado Canadá no haya producido nada, salvo, como dijo Kipling, que hayan producido un país de mayor orden y quizás esencialmente más culto que los Estados Unidos. Desde luego, haber producido una civilización es mucho, pero no emocionante. Un país civilizado es superior a un país bárbaro, pero puede no ser muy interesante.

—*¿Te gustaría ser o realizar alguna cosa que no hayas hecho hasta ahora?*

—Me hubiera gustado ser un hombre de acción como lo fueron mis mayores. Desgraciadamente, confieso que yo no he muerto en 1874, en el combate de La Verde, y tampoco derroté a los montoneros de Rosas, como mi bisabuelo Suárez. La verdad es que no he hecho ninguna de esas cosas; la verdad es que tampoco participé en la Revolución del noventa, porque nací nueve años después...

—*Recuerdo que una vez te pregunté, si hubieras podido elegir tu destino, qué hubieras preferido ser entre san Isidoro de Sevilla y Harold...*

—Si hubiera sido Harold Hardrada hubiera sido otra persona; en cambio, aunque no soy san Isidoro, soy, digamos, de la familia... Quiero decir que soy una persona que me intereso por las etimologías, por el lenguaje, es decir, pertenezco a esa parroquia. En cambio, si hubiera sido un hombre de acción, como lo fueron algunos mayores míos, sería interesante. Pero desear eso es como decir: ¡Qué lástima haber nacido hombre y no tigre! Me imagino que la vida de un hombre de acción es tal vez más interesante para el que la estudia que para quien la vive. Un hombre de acción debe vivir...

—*... la rutina de la acción.*

—Y además vive de presentes muy efímeros, como todo presente. Tendrá que tomar decisiones, ejecutarlas. Quizás un historiador comprenda mejor la vida de Harold que el mismo Harold, que vivía, simplemente. Quizá nosotros, los que somos inactivos, y que vivimos vicariamente las vidas ajenas, las sentimos más que los mismos que las vivieron. Para ellos tiene que haber sido una especie de vértigo de momentos presentes; quizá nunca vieron el dibujo que forma esa vida.

—*No lo pudieron saborear.*

—Creo que no. Claro que sería bueno pensar: yo comandé una carga de caballería, como mi bisabuelo, aunque quizá para él ese momento fue como cuando uno atraviesa rápidamente una calle para que no lo atropelle el tráfico, o el momento en que una persona enojada da una bofetada. Aunque quizás en el recuerdo fue magnificándolo y pensó: «Yo fui el héroe de esa jornada». Pero no lo pensó mientras ocurría y ya después posiblemente fuera tan ajeno a él como a mí.

—*¿Qué músico te interesa?*
    —No sé si tengo derecho a nombrarlo, porque no lo entiendo: Brahms. Creo que es la única música fuera de las milongas o los *spirituals* o el cante jondo que me emociona. Al mismo tiempo, me doy cuenta de que no tengo derecho a admirarla.

—*¿Por qué?*
    —Porque si me preguntaran en qué difiere de otras o en qué consiste o en qué teorías está basada, no sabría decirlo. La siento de un modo físico, pero tal vez lo importante sea eso, y quizá sea la definición de la poesía también, lo que uno siente como poesía inmediatamente, cuando lo oye. Yo estoy oyendo continuamente rachas así de poesía por la calle. Oigo que la gente más cotidiana y más vulgar dice frases muy lindas y que las dice sin darse cuenta, con inocencia.

—*¿Y nunca te interesó la pintura?*
    —Sí; me han impresionado mucho Rembrandt,

Turner, Velázquez, Tiziano; me han impresionado algunos pintores expresionistas. En cambio, otros a los que es ritual admirar, como el Greco, nada. El concepto del cielo que él tenía, lleno de obispos, arzobispos, de mitras, se parecería al concepto que yo tendría del infierno... La idea de un cielo eclesiástico me parece espantosa, un cielo parecido al Vaticano. Posiblemente te desagrado al decirte esto, ¿no? Pero si el cielo del Greco era eso, estaría deseando ir a otro lugar. Lo habría hecho por sentir nostalgia del Purgatorio o del Infierno. Pero en el caso del Greco, esto se debe a que él no creía en esas cosas y se nota esa indiferencia en los cuadros. Él estaba seguro de que no había otra vida; entonces, «para quedar bien con el comisario», como diría Macedonio Fernández, pintaba todos esos obispos.

—¿*Creés que hay otra vida?*

—No. Tengo la confianza de que no haya ninguna otra y no me gustaría que la hubiera. Yo quiero morir entero. Ni siquiera me gusta la idea de que me recuerden después de muerto. Espero morir, olvidarme y ser olvidado.

II

Recuerdos y literatura
Ginebra. Shakespeare, Kipling, Henry James,
Virginia Woolf. El idioma. La inmortalidad. (1963)

—*Has dado varias conferencias invitado por distintas instituciones europeas. ¿Cuáles fueron los temas y dónde hablaste?*

—He hablado en diversas instituciones españolas y en universidades de Inglaterra y Escocia. Los temas, en general, han sido tres: la obra de Lugones, la poesía gauchesca (en especial Ascasubi y José Hernández) y el porvenir de la lengua española. Sobre este tema y acerca de la mejor política para que el español llegue a ser lo que ya parcialmente es, una de las lenguas universales, hablé en la Canning House, de Londres, y luego en Birmingham.

—*¿Cuáles son tus más gratos recuerdos?*

—De España, mi diálogo con mi maestro, el gran escritor judeo-andaluz Rafael Cansinos Assens, a quien vi después de cuarenta años. Quiero recordar también una inolvidable noche de cante jondo con el escritor Quiñones y el poeta Rosales. Pero son tan numerosos y gratos los recuerdos que tengo de la hospitalidad y de la efusión españolas que realmente me parece injusto destacar un momento en especial.

—*¿Y de Ginebra?*

—En Ginebra, además de la emoción que significó para mí el volver a esa ciudad al cabo de cuarenta años, hice dos comprobaciones que pueden tener algún interés psicológico. Me habían dicho, y yo había leído, que uno tiende a magnificar los recuerdos, a imaginarse todas las cosas mucho más grandes de lo que realmente son. Y yo, durante cuarenta años, había querido corregir ese error achicando las imágenes que tenía de esa ciudad. Entonces me ocurrió lo que sucede cuando se adelantan los relojes: que uno pierde la noción del tiempo verdadero. Yo había achicado de tal modo mis imágenes ginebrinas, que cuando llegué a Ginebra, todo me pareció desaforado y gigantesco. Otro dato de tipo psicológico que quiero recordar es que me encontré con amigos de hace mucho tiempo. Uno de ellos es un abogado, Maître Maurice Abramovitz, concejal comunista; el otro, Simón Jichlinski, es médico de un barrio pobre. Son, como yo, hombres de cabeza gris que han envejecido, y sin embargo, como las imágenes de hace muchos años son más intensas que las de los tres días que pasé en Ginebra, imágenes vistas a través de mi escasa fuerza visual, cuando pienso en el médico y en el abogado los veo como cuando los vi por primera vez: es decir, como chicos, y hasta recuerdo detalles anacrónicos de sus indumentarias.

De aquellos años de adolescencia recuerdo una especie de taberna llamada Du Crocodile, en la calle del Ródano, donde se tocaban tangos. Entre éstos estaba *El irresistible*, cuya traducción sería

L'irresistible, pero por razones eufónicas lo anunciaban como *Lit resistible*, cama resistente...

—*¿Cómo son los suizos?*

—Gente muy reservada, como todo país que es de turismo, cosa muy desagradable.

—*Cuando llegaste a Gran Bretaña, cruzando el Mar del Norte, ¿no te acordaste de Tallefer, aquel juglar de Guillermo el Conquistador, que admirás tanto?*

—Donde sentí más el pasado germánico de Inglaterra fue en una pequeña iglesia sajona, cerca de Lichfield. Era una mañana muy fría. Tuve que atravesar el pequeño cementerio de la aldea cubierto por la nieve. Pensé en la elegía de Gray, inevitablemente, y luego llegué a la iglesia, que es un edificio de piedra gris, con ventanas pequeñas y dos puertas. Sobre cada puerta hay una cabeza de serpiente de piedra, acaso de origen escandinavo. Entré y en la penumbra del templo cumplí un voto que yo había hecho muchos años antes en Buenos Aires, sin esperanza de poder realmente cumplirlo: dije el Padre Nuestro en inglés antiguo, en esa vieja iglesia sajona y logré al cabo de diez siglos, digamos, que volviera a resonar en esa iglesita olvidada el

> *Faether ure, thu eart on heovenum,*
> *sie thin namá gehalgot...*

Creo que lo hice para darle una pequeña sorpresa a Dios.

Otro de mis mejores recuerdos es haber recorrido ese laberinto de la otra ciudad del calvinismo, la ciudad vieja de Edimburgo, uno de los laberintos más agradables y amenos del mundo, santificado para·mí por tantas memorias de Stevenson y de Thomas de Quincey.

—*¿Y qué te pareció la casa de Shakespeare?*

—No me impresionó tanto como yo esperaba, quizá porque todo el pueblo de Stratford tiene demasiada conciencia de que Shakespeare ha vivido allí. En cambio, llegué al pueblecito de Lichfield, en Staffordshire, donde nació Samuel Johnson. Tuve la impresión de que la gente del pueblo no se acordaba demasiado de que Johnson hubiera nacido allí, por lo que mi visita a su casa natal resultó mucho más patética que la realizada a la casa de Shakespeare, que es demasiado museo, un lugar excesivamente destinado...

—*... al turismo.*

—Claro. Cosa que no ocurre, por ejemplo, con la casa de Keats, en Londres, a la que no va nadie, o con una casa que descubrí casualmente a la vuelta de mi hotel en Kensington, en la que durante muchos años vivió el gran poeta enigmático Robert Browning.

—*¿Y ese itinerario poético no te llevó a la casa de Kipling?*

—Desdichadamente no pude llegar porque los caminos estaban bloqueados por la nieve. En cambio estuve en la casa de Wells, una casa muy pensada por él y muy curiosa, dada la fecha en que se edificó a principios de siglo; una casa, por ejemplo, en que todos los ángulos de las habitaciones son redondeados. Luego vi también la casa de Henry James, en la aldea de Rye, que no tiene absolutamente nada que ver con Henry James, una vieja casa inglesa de aldea. Se ve que James, al vivir allí, ya había tomado la decisión de no ser americano; había querido identificarse plenamente con el pasado inglés y eligió esa casa noble, aldeana y sencilla que tan poco tiene que ver con los escrúpulos y los problemas de su estilo y de su vida.

—*Ahora que has regresado, ¿qué te gustaría escribir?*
    —Querría escribir, por lo menos, dos libros más: uno, sobre los orígenes de la poesía en Inglaterra, sobre esa curiosa aventura mental que significa la exploración de una lengua primitiva y de la poesía épica y elegíaca inglesa; y otro, que sería una especie de testamento literario. Me explico: yo casi no he pensado en otra cosa que en libros durante toda mi vida, y ahora que estoy acercándome al fin querría razonar, querría explicar a qué conclusiones o a qué incredulidades o escepticismos he llegado al cabo de tantos años de comercio con la literatura. A lo largo de mi carrera literaria he cometido no todos los errores posibles, porque el número de errores es infinito, pero sí los más torpes y groseros, y me alegra haberlos cometido porque sé que no volveré a incurrir en ellos (aunque acaso incurra en otros tan imperdonables como los primeros).

—*¿Cómo has encarado el problema de la traducción; por ejemplo, el* Orlando *de Virginia Woolf?*

—He sentido lo que siempre siento cuando tengo que traducir o escribir. He tenido la convicción de mi incompetencia y, al mismo tiempo, he sentido que de algún modo podría resolver esas dificultades aparentemente insolubles. En cuanto a la traducción de ese libro de Virginia Woolf, yo pensé al principio en simplificar el estilo. Pero luego me di cuenta de que eso sería falsearlo y opté por una traducción casi literal. Claro está que, a veces, por razones de eufonía, tuve que invertir el orden de las palabras o cambiar una palabra por otra. Pero en general creo que esa traducción es bastante fiel, en cuanto puede ser fiel una versión del inglés al español, ya que los dos idiomas difieren profundamente y tienen distintas virtudes y defectos.

—*¿En qué consisten esas virtudes y esos defectos?*

—El idioma español tiende a lo abstracto; el inglés a lo físico, y abunda en locuciones comunes de tipo físico que suelen ser intraducibles. En español existe la diferencia entre *ser* y *estar* que no se observa en otros idiomas, salvo en el italiano.

—*¿Cuál es tu opinión sobre la literatura actual?*

—Puedo hablar con escasa autoridad sobre estas cosas. Hace once años que he perdido la vista y me he dedicado a la «literatura actual» de los siglos octavo y noveno. A priori, diría que la literatura no puede ser muy buena, porque suele hacer juego con la época, y esta época —a juzgar por la política y otras manifestaciones— me parece más bien melancólica. Pero tengo la esperanza de estar plenamente equivocado. Recuerdo, además, aquello de Macedonio Fernández en que habló de los historiadores, «tan sabedores del pasado como ignorantes nosotros del presente». Espero ser uno de esos ignorantes. Ahora bien, lo más verosímil me parece el hecho de que quizá ninguno de nosotros conozca a los escritores realmente importantes de esta época, que no sepamos quiénes son los buenos escritores contemporáneos, así como Cervantes y Shakespeare, que fueron contemporáneos —lo son ahora para nosotros—, seguramente nunca oyeron hablar el uno del otro.

—*Se gozaba en aquella época de las ventajas de un mundo menos «comunicado» y más difuso.*

—Y quizá fuera una suerte. Un crítico amigo mío me decía que recibe de las editoriales dos libros diarios. En el transcurso de las semanas eso se transforma en una cantidad inaccesible. Inaccesible a la lectura, que es lo mejor que puede ocurrir en muchos casos.

—*¿Cómo será la literatura del futuro?*

—Si yo quisiera conocer la literatura del futuro o una de las literaturas futuras, ya que hay una sucesión interminable de porvenires, me bastaría con poder leer mágicamente la más modesta de las páginas actuales, digamos una página mía, tal como la leería un lector del año 2100. Sin duda, esa página habría variado mucho. Otros serían los énfasis, otras las fealdades, otros los méritos. El tiempo va modificando lo que escribimos, suele ser un colaborador que puede ser generoso. Posiblemente cuando Cervantes escribió: «¡Vive Dios!, que me espanta esta grandeza», este «Vive Dios» (si es que mi cita no es incorrecta) sería más o menos como decir ¡caramba! En cambio, actualmente *Vive Dios* tiene cierta prestancia que quizás entonces no tuvo. El mundo de los libros no es un mundo estático sino creciente, que se está moviendo y que puede hacer que se modifiquen totalmente las cosas.

—También se pueden modificar con un sentido negativo.

—Claro. Los otros días, revisando con Adolfito (Bioy Casares) la poesía española con el propósito de compilar una antología llegamos al Duque de Rivas y en toda su obra no encontramos un momento de ternura, de emoción, ni siquiera de arrogancia. No hallamos nada; sólo una acumulación de palabras inexplicables...

—¿Y Rosalía de Castro se salvó?

—Seguro. Eso no nos pasó ni con Rosalía, ni con los orígenes, ni con el Siglo de Oro, ni con los barrocos... Pero los siglos XVIII y XIX fueron bastante pobres, pese a algunos nombres honrosos. ¿Te diste cuenta de que a la gente, en general, no le interesa la idea de libros o de obras inmortales, sino que prefiere la idea de seres humanos inmortales?

—¿*La idea de personas que viven a lo largo de la historia?*

—Pensemos en el Judío Errante, en el viejo marinero de Coleridge, en aquel capitán holandés que siempre está dando vueltas en su nave, cerca del Cabo de Buena Esperanza. En el siglo XVIII aparece el Conde de Saint-Germain, que viene a ser otra forma de ese deseo de que haya hombres que sean contemporáneos a todos los hombres.

—¿*Y si hubiera habido algún hombre inmortal, que todavía existe y que existirá, el que ha traído esa tradición a los hombres?*

—Alguien que haya sido infiel a la tradición de morir... Puede ser. Cuando yo pienso en mí mismo, me siento inmortal, porque me digo: si al cabo de sesenta y cinco años no me he muerto, ¿por qué voy a ejecutar, de pronto, un acto tan inusitado como ése? Ya es demasiado tarde para que me ponga a innovar e intentar acciones nuevas...

—*Supongamos que serás inmortal a través de tu literatura.*

—Aceptemos esa hipótesis.

—*Hablando del Conde de Saint-Germain; parece que hay testimonios de principios del siglo XVIII (1704 o 1705) y otros de la segunda mitad (1765 o 1770) en los que se señala que en tales épocas este señor aparentaba unos cuarenta años.*

—Aquí, en Buenos Aires, ocurrió algo parecido con Xul Solar, hasta los dos últimos años de su vida. Gente que lo trató en distintas épocas —y yo mismo, que fui su amigo durante largo tiempo, pues lo conocí en 1923 o 1924— nunca notamos en él ningún cambio físico. Él mismo hablaba de ser inmortal. Una persona que lo quería mucho, cuando Xul Solar murió, dijo: «¡Él, que había dicho que era inmortal! Ahora se ha muerto. ¡Qué papelón!». Fue la primera vez que oí la palabra papelón aplicada a la muerte.

—*Esa persona no se dio cuenta del reverso burlesco que había en esa frase.*

—No, claro que no, porque realmente había creído en su inmortalidad. Lo que ocurre es que Xul Solar creía en la transmigración, que asegura la inmortalidad, sin excluir la muerte corporal. Hace un momento mencionaste al siglo XVIII, ese siglo del misticismo y a la vez de la razón. Recuerdo a otra especie de mago y charlatán que, como Saint-Germain, apareció en esa época: Cagliostro. Hay una pieza teatral de Goethe sobre él, acaso inconclusa, y un trabajo de Arturo Capdevila.

—*¿La magia es un tema que te interesa mucho?*

—Sí, siento por ella una gran curiosidad y al mismo tiempo un gran escepticismo.

—*¿La inmortalidad entra en los límites de la magia?*

—Sí, puesto que creo que hay elixires con los que se pretende conferir la inmortalidad. La idea de la piedra filosofal también está vinculada a la inmortalidad. Hay una fábula china, de la cual ya hemos hablado alguna vez, de un taoísta, que busca el elixir de la inmortalidad y luego vuelca el recipiente que lo contenía en el fondo de su casa, que estaba lleno de gallinas.

—*Y hace a esas pobres gallinas inmortales.*

 —Sí. Las gallinas beben el licor, inmediatamente alzan el vuelo y se pierden en el cielo; el mago pierde también para siempre el fruto de sus afanes. La idea de las gallinas inmortales tiene algo de ridículo, ¿no?

—*Pero, además de hacerlas inmortales, el elixir les dio un vigor extraordinario, porque una gallina común nunca vuela hasta perderse en el cielo.*

 —Un vigor extraordinario y, agregaría Schopenhauer, un don que ellas no comprendieron, porque los animales viven el presente. De modo que esas gallinas ahora andan volando, no sabemos por qué cielos, sin saber que son inmortales.

—*Bastante triste.*

 —Para ellas, no.

—*Triste para el sabio taoísta.*

 —Ah, para él sí. Es cierto.

III

Tradiciones
Tradiciones familiares. Los esclavos. El general Soler.
La caballería. Coplas de Buenos Aires.(1968)

—*¿En qué lugar de la ciudad naciste?*

—Yo nací en la calle Tucumán, entre Suipacha y Esmeralda.

—*En pleno centro de Buenos Aires.*

—Sí. Todas las casas de la manzana eran bajas, salvo el Almacén de la Figura, de dos pisos, que incluí en un cuento. Debía su nombre a una figura de mampostería que coronaba el piso alto y que, estéticamente, debía ser una miseria. Según los recuerdos de mi madre, la derribó un cañonazo en la revolución del ochenta, mientras mi abuelo se batía en Puente Alsina. Esa casa había sido de una de mis bisabuelas, que tenía seis esclavos a su servicio.

—*¿Eso significaba que era muy rica?*

—No, no. Tenía una situación holgada, pero las ricas dispondrían de treinta o cuarenta. No; seis no significaban una gran fortuna. El mercado de esclavos estaba en la plaza del Retiro y los Llavallol, que eran parientes nuestros, se hicieron ricos vendiendo esclavos. Alrededor de 1840 Rosas les dio la libertad...

—*Pero, cómo, ¿no los había liberado la Asamblea del año 1813?*

—Teóricamente, sí. Pero era bastante común que los negros puestos en libertad volvieran a casa de sus amos, porque no sabían qué hacer. Bien; Rosas les dio la libertad y se los llevó a su quinta de Palermo, donde les aseguró que habría comida para todos. A los dos o tres días volvieron hechos unos monstruos, según contaba mi abuela. Me dijo que el capataz de Rosas les había dado unos cartuchos a cada uno, que debían llenar con las hormigas que había en la quinta; si no, no les daban de comer. Tenían la cara, las manos y los brazos hinchados por las picaduras. Mi abuela, muy enojada, no los quería recibir, pero después de algunos llantos y lamentos los aceptó. Se quedaron en la casa hasta su muerte.

—*¿Y pudieron escaparse de la quinta de Rosas?*

—Sí; lo hicieron de noche. Cerca de la quinta estaban los cuarteles de Palermo, que era un barrio de negros, así que les era fácil lograr ayuda y de ahí llegar al centro de la ciudad.

—*¿Esos barrios de negros eran de esclavos liberados?*

—Puede ser. En fin, lograron pasar, y como eran negros tampoco había mucho interés en buscarlos. Tenían fama de ser muy haraganes. Mi tío solía decirme: «¡Vos sos peor que negro después de las doce!». Se entendía que después del mediodía sólo servían para dormir la siesta. Contaban en casa que tenían una negra medio costurera que prendía las agujas y los alfileres en el pelo mota de su hija. Cuando necesitaba coser, la llamaba; la chica se arrodillaba delante de la madre y ella sacaba de su cabeza lo que necesitaba. Ésa era Haedo de apellido, porque tomaban el apellido de la familia que los tenía.

—*Hablando de apellidos: la calle Soler, en Palermo, lleva el nombre de un bisabuelo tuyo. ¿No es así?*

—De un tío bisabuelo mío. Era el general Miguel Estanislao Soler. Además de esa calle tiene un monumento en la Recoleta. Era caudillo en los barrios de Concepción y de Monserrat, que eran barrios de negros. Allí se formó el Regimiento 6 de Pardos y Morenos, integrados por mulatos y negros, pero se lo llamó así para no ofenderlos. Eran tan valientes que se decía: «El regimiento 6, más bravo que gallo inglés». Soler comandaba un ala. Ganaron a carga de bayoneta la batalla del Cerrito en 1812. Cuenta Ascasubi que Soler estaba con una mujer que se había agenciado y que lo despertaron bruscamente diciéndole que habían atacado los españoles. Entonces él saltó de la cama, salió a medio vestir, tomó una bayoneta y llevó la carga. Parece ser que rodó, abrazado a un godo, por el Cerrito y cuando llegó abajo lo mató. Fue una victoria de los patriotas.

—*Soler pasó del amor a la batalla. ¿No merece un poema?*

—El tema es lindo. Yo creo que él mandaba el ala izquierda, por lo menos en las batallas de Ituzaingó y de Chacabuco. Pero en casa nunca se hablaba de él.

—*¿Por qué?*

—Un día, cuando yo era niño, estaba volviendo las páginas de un libro de historia ilustrado con retratos. Mi madre me señaló uno y me dijo: «¿Ves éste? Es tu tío bisabuelo, el general Soler». «Pero ¿cómo es que nunca he oído hablar de él?», pregunté. Y mi madre contestó: «Porque al final fue un sinvergüenza que se quedó con Rosas». Por eso es que en la familia no se hablaba del general Soler.

—*En la guerra de la Independencia murieron muchos negros, ¿no?*

—En la de la Independencia, en la del Brasil, en la del Paraguay y en las guerras civiles. Aquí y en la República Oriental se usaron mucho para la infantería, porque el gaucho prefería la caballería.

—*La infantería es la que sufre más.*

—Sí. Lo que ocurría es que no sabían montar, no eran hombres de campo. Eran gente de ciudad; trabajaban, por ejemplo, como cocheros, mucamos, cocineros. Pero ahora un hombre de ciudad puede ser mejor jinete que un gaucho. Porque el gaucho cree que sabe andar a caballo, pero lo cansa mucho, según me han dicho algunos oficiales de caballería.

—*Así que el general Soler era de Monserrat... Recuerdo que sabías una copla graciosa sobre ese barrio.*

—Soy del barrio 'e Monserrate,
donde relumbra el acero,
lo que digo con el pico
lo sostengo con el cuero.

Cada barrio tenía una copla que, por lo general, era un alarde de coraje. Por ejemplo, hay una del barrio del Alto, que corresponde a los alrededores de la Biblioteca Nacional, y que dice:

Yo soy del barrio del Alto,
donde llueve y no gotea.
A mí no me asustan sombras
ni bultos que se menean.

O si no, esta otra, de Palermo, cuando en aquella zona se levantó la Penitenciaría y los alrededores estaban llenos de «conventillos», donde vivía la gente de avería:

Hágase a un lao, se lo ruego,
que soy de la Tierra 'el Fuego.

—*A todo el barrio se lo conocía como la Tierra del Fuego.*
—Sí. Las Heras, Canning —a la que llamaban la calle del ministro inglés—, Coronel Díaz, rebautizada como la calle del Coronel... En fin, toda la zona.

—*Lo gracioso es ese «se lo ruego», cuando en realidad es una amenaza.*

—Es más compadre. Recuerdo una más pen-
denciera:

Parado en las Cinco Esquinas,
con toda mi contingencia,
pa' ver si te rompo el alma
ando haciendo diligencia.

Después, había otras que al coraje unían el gusto del baile. Por ejemplo:

Soy del barrio del Retiro;
yo soy aquel que no miro
con quién tengo que pelear,
y a quien en milonguear
ninguno se puso a tiro.

Y otras alardeaban sólo de esta última parte:

Barracas al sur,
Barracas al norte,
a mí me gusta
bailar con corte.

O si no, ésta más insinuante:

Yo no soy de este pueblo:
soy de Balcarce.
La que quiera venirse
puede aprontarse.

Y ésta, más pacífica:

Mañana por la mañana
me voy a las Cinco Esquinas
a tomar un mate amargo
de la mano de mi china.

Mi madre recuerda una que es casi lamentable:

Ánima que andás penando
por el Arroyo del Medio,
derramando cada lágrima
como una clara de huevo.

—*Tu madre también recuerda la de aquel hombre que
tenía dos probables domicilios...*
     —Ah, sí. Pero creo que era una milonga-can-
ción:

Señores, yo soy del centro,
del centro de la ciudad.
Vivo en la calle Corrientes
casi esquina Paraná,
donde tengo establecido
mi domicilio legal.

Una que nunca entendí es ésta:

Yo no soy de este pueblo,
soy de Navarro:
yo no pico en carreta,
yo pico en carro.

—*¿Y hay alguna de la Recoleta?*
     —Sí, bastante triste:

Andáte a la Recoleta,
decíle al recoletero
que vaya abriendo una fosa
para este pobre cochero.

Hay otra muy rara, donde se unen el alarde del coraje y la coquetería. Dice:

A mí me llaman Pie Chico
y soy de Montevideo.
Conmigo se purriá minga:
soy del barrio del Cordón.

—*Conmigo se purriá minga quiere decir: conmigo ninguno puede. Y aquella de Pehuajó que inventaste, ¿cómo era?*

—Un poco escandalosa. Había una persona de Pehuajó que me tenía harto. Entonces yo le pregunté si él conocía aquella famosa copla de Pehuajó y se la recité mientras la inventaba:

En el medio de la plaza
del pueblo de Pehuajó...

(observá la aliteración: plaza, pueblo, Pehuajó, que se repite en el último verso)

En el medio de la plaza
del pueblo de Pehuajó
hay un letrero que dice:
la puta que te parió.

¿Y sabés qué me contestó el hombre en cuestión?:

«Sí, Borges, ya la conocía...»

IV

El escritor
Faulkner y las dotes del escritor. La inspiración.
El escritor y el dinero. La épica. (1970)

—*Faulkner dijo, alguna vez, que el escritor necesita para ser tal, experiencia, observación e imaginación. Y agregó que, sin embargo, dos de ellas y a veces una pueden suplir la carencia de las otras. ¿Te parece que tenía razón?*

—Creo que lo principal es la imaginación. En cuanto a la experiencia, importa menos la de hechos o de cosas que la de emociones y de sentimientos. Eso sí me parece importante. Y hasta llegaría a decir que no puedo concebir una obra literaria que no presuponga experiencias sobre todo de desdicha, de zozobra, de desventura, aunque también puede surgir de la felicidad. Pero eso es más raro, porque, generalmente, cuando se habla de felicidad se piensa más bien en una felicidad perdida, es decir que ya ha existido, o en una felicidad que uno ha creído posible y que luego no se ha realizado. No estoy seguro de que se necesiten esas tres cosas de las que habla Faulkner. Además de la imaginación, supongo que es imprescindible alguna destreza técnica, pero esa se obtiene en el ejercicio...

—... *de la imaginación, precisamente.*

—Sí, de la imaginación y en el de un arte cualquiera. Ocurre que si una persona no tiene oído, por ejemplo, no puede escribir versos y no sé si puede escribir prosa tampoco (yo diría que no). De modo que se necesitan muchas cosas. Desde luego, la imaginación es la más importante. En cuanto a la experiencia, no importa tanto que sea amplia; no creo que sea indispensable que una persona haya viajado mucho, pero es indispensable que haya sentido el lugar en que está o que se haya imaginado otros lugares.

—*Más adelante, Faulkner afirma que no sabe nada sobre eso que se llama inspiración (el giro de la frase parece un poco despectivo), que la ha oído mencionar pero que nunca la ha visto.*

—Yo creo en la inspiración. Desde luego que esa inspiración puede darse de diversos modos. En mi caso se da de un modo muy lento y muy perezoso, salvo cuando escribí un cuento que posiblemente no sea el mejor mío, «Las ruinas circulares»; entonces sí me sentí arrebatado por el tema, como ya te lo he narrado. Pero esa fue la única vez que me sucedió en la vida. En todos los otros casos he tenido como una lenta visión de algo. Y luego esa visión ha ido concretándose. Por ejemplo, eso que te he dicho muchas veces, que yo siempre al escribir he sabido el principio y el fin de un cuento, pero no lo que sucedía entre esos dos extremos. A veces me he equivocado y he imaginado cosas, y luego me he dado cuenta de que son erróneas o arbitrarias. Es decir que no han sido realmente imaginadas, sino fabricadas como eslabones, como nexos.

—*El escritor, ¿debe tener contracción al trabajo, escribir todos los días?*

—Ah, sí. Creo que eso conviene. Yo mismo no cumplo con ese precepto. Soy muy haragán, pero creo que uno debe hacerlo. Además, Eliot decía que un poeta debe escribir muchas páginas que sólo sean de versos, y no de poemas, porque tiene que estar listo para la eventual llegada de la musa o de la inspiración. En cambio, si no está entrenado, digamos, cuando llega el momento puede ser indigno de esa alta visita.

—*Sin embargo, muchas veces te he oído decir que hay poemas que se escriben solos.*

—En el caso de poemas muy sencillos, sí. Por ejemplo, mi libro de milongas *Para las seis cuerdas* se escribió solo; no recuerdo haber corregido una sola línea. Pero se trata de una poesía muy elemental, que uno ha llevado en la sangre de algún modo y que tenía simplemente que oírla. Se me ocurría caminando por la calle y luego la dictaba. Pero es una obra menor.

—*¿El escritor necesita libertad económica?*

—Creo que conviene. Pero posiblemente la necesidad de escribir lo lleve a uno a escribir cosas buenas y en ese caso quizá también convengan la pobreza, la cárcel (es el caso de Cervantes). Quizá la indigencia pueda convenir... Yo diría que todo lo que le pasa a un escritor debe ser considerado por él como instrumento o como material para la obra. Goethe pensaba que la fortuna era importante y Jean-Paul Richter opinaba que no conviene, porque puede llevar al ocio y a no sacar de uno mismo todo lo que uno tiene. Pero también está el caso de Ruskin, que fue un hombre rico, con una extraordinaria conciencia. Él publicaba todos los años en el *Times* una especie de informe sobre todos sus gastos; cuadros que había comprado, escuelas que había ayudado y demás, porque pensaba que su fortuna era parte de la fortuna pública y que entonces él no podía malgastarla y tenía que justificarse. Pero en general la gente rica no tiene esa conciencia.

—*¿Y el caso de Silvina Ocampo y Bioy Casares?*

—Ellos han sido lo bastante inteligentes como para no gastar su dinero en frivolidades y construir una obra seria.

—*Como Victoria Ocampo, cuando funda* Sur.

—Todo lo que ella ha hecho, la revista, la editorial, las invitaciones a personas notables, me parece muy noble. La gente, hace muchos años, decía: «Bueno, lo hace porque es rica». «Sí —decía yo—, pero hay muchas mujeres ricas que gastan ese dinero en tonterías, en dejarse estafar por hoteleros, por modistas, por peluqueros, o peor aún... El caso de Victoria ha sido noble e inteligente.»

—*Con la excepción de la compra de libros, ¿en qué has gastado tu dinero?*

—Tengo la impresión de haberme pasado la vida gastando dinero en tacitas de café o en vasos de leche... pero posiblemente sea una impresión falsa.

—*Y en ir al cine.*

—No, ya no voy más. La última vez que fui daban *West Side Story*. Me entristeció tanto no saber si una calle del West Side o un rostro llenaban la pantalla, que resolví no ir más.

—*¿Cuáles son las películas que más te han impresionado en la vida?*

—Las de Joseph von Sternberg. Pero no las tonterías que hizo con Marlene Dietrich, cuando ya se abandonó exclusivamente al arte fotográfico y se olvidó del cinematógrafo, sino las películas que hizo con Bancroft, con Kohler. También me han gustado las películas de gángsters, que eran, sin embargo, épicas, como las películas del Oeste.

—*¿Te interesaban sólo por el elemento épico?*

—Sí. Lo épico siempre me ha emocionado más que cualquier cosa a lo largo de toda mi vida. Intelectualmente me ha gustado el género lírico... pero cuando he leído el fragmento de Finsburh, en anglosajón, o la balada de Maldon, o Kipling, o Conrad, o *La Chanson de Roland*, o las Sagas, entonces...

—*Se te han llenado los ojos de lágrimas.*

—Sí, es verdad. Cosa que no me sucede leyendo libros patéticos.

—*Pero el otro día, cuando citabas aquel verso de Heine: «Ich hatte eins schönes Vaterland...», me parece que estabas bastante emocionado.*

—Sí, pero menos que si hubiera estado recitando, por ejemplo, el poema del *Slachtfield bei Hastings* (La batalla de Hastings)... María Esther: una frase de los Salmos, «Doy gracias a Dios que le ha enseñado a pelear a mis manos», me emociona más que «Amaos los unos a los otros». Aunque me doy cuenta de que este último es mejor consejo.

—*Quizás emociona menos porque es más difícil de llevar a la práctica.*

—Nunca se me había ocurrido, pero es cierto.

—*Las películas de suspense también te gustan mucho. ¿Cuántas veces viste* Psicosis?

—Muchas, en verdad. He sentido el enfermizo placer del horror, como lo siente todo el mundo, y me doy cuenta de que es una debilidad mía. Pero, en el caso de *Psicosis* me interesa la ingeniosa y a la vez patética idea de alguien que cree ser la persona que él ha matado. Es otra variación sobre el tema del doble, que es tan atractivo.

V

La religión
Cristo y el cristianismo.
El país. Byron. Defectos y virtudes.
(1972)

—Me doy cuenta de que estimo los grandes hechos por su valor estético.

—*¿Exclusivamente estético y no práctico o real?*
—Sí, creo que sí.

—*Por ejemplo, los bonzos que se queman vivos, ¿no tienen un valor real?*
—Para ellos, sí; para nosotros, creo que no. Pero busquemos un ejemplo más cercano: la Revolución de Mayo de 1810 fue una obra admirable; la guerra de la Independencia también lo fue para quienes la hicieron, pero no sé si las consecuencias han sido buenas, porque hemos tenido la anarquía, el gobierno de Rosas... la dictadura. Todo eso han sido consecuencias.

—*Han sido las fases necesarias para formar un país.*
—Pero como actualmente ese país no existe, o casi no existe, es una especie de ilusión compartida imperfectamente.

—*Según eso, ¿el advenimiento de Cristo y su cruci-*

fixión no tienen ningún valor más que para Cristo en sí mismo?

—No, puesto que modificó toda la historia, pero no sé si la modificó para el Bien. Posiblemente, si no hubiera habido Cristianismo, desde luego no tendríamos la cultura actual, que es una fusión de Israel y de Grecia, pero quizás a la larga hubiera convenido. Las guerras religiosas son algo espantoso; pensemos en la Irlanda de hoy, y todo eso proviene del Cristianismo y del Islam, y los dos provienen de Israel. En cambio, en los otros países orientales, que no son Israel, digamos, por ejemplo China o el Japón o donde sea, no ha habido guerras religiosas. Una persona ha podido profesar varias religiones a un tiempo o ninguna y no le ha pasado nada. Pensemos que han ocurrido cosas horribles, como son las Cruzadas, que al fin y al cabo se redujeron a atacar gente simplemente porque eran de otra religión.

—Todo ese sentido del amor, a Dios, al prójimo, que dejó Cristo, ¿no tiene ningún valor?

—Sí, pero no creo que él fuera su inventor.

—No fue el inventor, pero sí un divulgador y, para utilizar una expresión de moda, lo publicitó muy bien.

—Ah, eso sí. Convendría que no existiera el odio. Yo nunca he sentido odio en mi vida, pero veo que hay gente que lo siente y eso no lo entiendo.

—Tampoco has sentido una inclinación favorable hacia Rosas o hacia Perón, por ejemplo...

—Sí. Consideraba que eran personas equivocadas y que carecían totalmente de sentido moral y yo tengo sentido ético. Ahora bien, no sé si la ética necesita de la religión. Ha habido tantos griegos, tantos romanos, incluso tantos judíos... (excluyamos a los judíos, porque tenían religión)... ha habido tantos hombres justos. Pensemos en el caso de Sócrates, uno de los tipos más perfectos que hay de humanidad; no creo que él creyera personalmente en los dioses. Los vería como una posibilidad intelectual, nada más; sin embargo, es una de las personas más justas que ha habido en el mundo.

—*Jesucristo fue justo.*

—Y además, tiene que haber sido un hombre extraordinario. Al mismo tiempo, si una persona cree que es Hijo de Dios, si confiesa opiniones tan extraordinarias como ésa, no sé hasta dónde podemos juzgarlo. Indudablemente, es una de las personas más raras y más admirables con que ha contado el mundo. Pero no sé si los cristianos se parecen a Cristo.

—*Creo que no.*

—Por ejemplo, esa idea de Cristo de que no se debía ahorrar, de que no hay que pensar en el mañana...

—«*Mirad los lirios del campo*», o «*El pan nuestro de cada día, dánoslo hoy*»...

—¡Es una idea espléndida! Y otra idea espléndida es que no hay que interesarse en lo político.

Cuando dijo: «Dad al César lo que es del César...» (es decir, den al gobierno lo que pide, lo que es propio del gobierno y no piensen más en eso) tenía mucha razón. La gente se interesa demasiado en la política ahora. A mí me cuesta interesarme en la política.

—*¿Y en el dinero?*

—Prefiero tenerlo, pero no pensar en él. En cambio, yo noto que la gente rica piensa mucho en el dinero.

—*¿En qué sentido?*

—Si el dinero les sirviera para desentenderse del dinero, me parecería bien, pero noto que, al contrario, el dinero les sirve para pensar en obtener más dinero o en invertirlo mejor.

—*¿Cuáles son las cosas que deseás que te ocurran en el transcurso del día?*

—Me gustaría que se me ocurrieran ideas para cuentos o para poemas. Me gusta la felicidad de los cuatro o cinco amigos que tengo. Me gustaría no vivir en un país anárquico como éste, sino en un país tranquilo y civilizado.

—*Hace un momento mencionaste a Sócrates. ¿Qué otros hombres admirás? Por supuesto, no desde el punto de vista estético.*

—Es difícil... tendría que nombrar personas, digamos, que no son especialmente célebres, como Macedonio Fernández o Xul Solar o el filósofo inglés Bradley, gentes que viven exclusivamente para pensar. Lograron que no les importara su destino individual sino el pensamiento, el Universo. Eso me parece admirable, pero no puede recomendarse, porque depende de cómo está constituido cada uno. Yo trato de ser una de esas personas, pero no lo soy. Mi padre lo era. Quería ser como él, pero la verdad es que no puedo.

—*¿Él vivía exclusivamente para eso?*

—Sí, y además tenía el deseo de pasar inadvertido. Una de las razones que tuvo para irse a Europa es que no conocía a nadie allá y, para perderse más aún, muchas veces decía que venía de otro país. Este «perderse» le gustaba.

—*¿Qué es lo mejor que has recibido de tu padre?*

—El hábito, que no siempre observo, de no recibir las cosas sin examinarlas. Veo que la mayoría de la gente tiende a aceptar la realidad sin detenerse a observarla, sin pensar que puede ser cuestionada. Todo es admitido como real, y en especial lo que sucede el día de hoy. Se entiende que lo actual tiene una gran fuerza. Claro que el único tiempo que conocemos es el actual, pero como va renovándose, no sé si tiene un valor para el porvenir.

—*¿Y de tu madre, qué es lo mejor que has recibido?*

—Es algo moral, algo muy sutil... Cuando veo a mi madre, que siempre ha vivido pensando en otras personas, en la felicidad de otras personas y no interesándose demasiado en la suya propia sino hallándola en la de los otros... Dirás que eso es ser cristiano. Pero, quién sabe, porque si Cristo dice: «Ama a los otros como a ti mismo» supone que una persona se ama a sí misma, lo cual ya es anti-cristiano.

—*¿Qué diferencias fundamentales hay entre aquel joven que hacía su bachillerato en Suiza y este hombre que pronto cumplirá cincuenta años con la literatura?*

—Pensamos de distinto modo en materia estética, ¿no? Pero posiblemente no haya cambiado mucho. Seguramente —Dios no me oiga— si vivo cincuenta años más también cambiaré de gustos literarios...

—*Rara expresión: «Dios no me oiga». Creo haber entendido que no creés en el sentido religioso ni en la religión.*

—Quiero decir que no me gustaría vivir mucho. He pasado tres veces por circunstancias en que yo pensé que estaba a punto de morir.

—*Una, cuando te heriste la cabeza...*

—Y luego otras dos veces en que yo estaba seguro de que el avión en que viajaba se caía y que iba a perecer. Y, con gran asombro mío, porque soy muy cobarde, no he sentido ningún terror.

—*No creo en tal cobardía. Yo te he visto sacar a un muchacho con cajas destempladas porque quería interrumpir tu clase y sé que enfrentaste a un portorriqueño en los Estados Unidos...*

—Sí, pero estaba obligado a hacerlo, ante todo porque había público. Posiblemente si eso me hubiera ocurrido en la calle no hubiese reaccionado de ese modo.

—*¿Y cuando te han amenazado de muerte por teléfono?*
—Eso no tiene valor, porque yo más bien deseo la muerte. De modo que amenazarme es una promesa que me hacen —y que después no cumplen— de algo que puede interesarme...

—*¿Qué te da miedo?*
—Ah, si pudieras conversar con mi dentista...

—*Todo el mundo le teme al dentista.*
—No; conozco gente que se ha hecho sacar muelas sin anestesia diciendo que el dolor no es importante. Hay personas que no le dan importancia al dolor físico.

—*Pero si es una de las cosas que más aterran...*
—A mí también me parece imposible. Y lo raro es cuando la gente dice que es más fácil aguantar el dolor físico que el dolor moral. No, no lo es. Del dolor moral poco a poco uno se sobrepone. El dolor físico, mientras dura, es intolerable. Claro que, generalmente, no dura mucho, porque si durara en exceso lo mataría a uno.

—*Ésta es la base sobre la que descansan todos los métodos antiguos y modernos de tortura: hasta dónde soportará el dolor el torturado.*

—Sí, es verdad. Cualquier dolor físico es intolerable; un dolor leve, si dura mucho tiempo, es tan intolerable como un dolor agudo que dura un segundo.

—*El dolor es sentir reales las diversas partes del cuerpo. Hasta que a uno no le duelen los oídos no se acuerda de su existencia.*

—Cuando duelen las muelas, uno llega a pensar que el dolor es casi como la forma de la muela, que es un atributo de ella, indispensable, inevitable.

—*De todos los países que has conocido, ¿cuál te ha gustado más?*

—No sé. Estaría entre Escocia, Islandia —que sólo conozco muy poco—, Suiza... La Argentina no sé si me gusta. La quiero, pero eso es distinto. Me doy cuenta de que no puedo recomendarla a nadie, no hay nada que ver...

—*Pero ¿cómo? ¿Y los lagos del sur, y el hielo continental, y el noroeste, y las cataratas del Iguazú, y las islas del Tigre?...*

—Yo no conozco ninguno de esos lugares... Las islas del Tigre, sí; me han servido como paisaje para leer a Conrad, pero si no, creo que podría prescindir de ellas.

—*¿Y la pampa?*

—Bueno, pero es que la llanura es igual en todas partes.

—*¿Y las montañas?*

—Es que uno no las siente como argentinas. Yo, por ejemplo, que soy porteño, siento que...

—*... que la cordillera de los Andes no existe.*

—No... Pienso que existe porque mis abuelos anduvieron por allí guerreando, pero si no... Los otros días me asombré cuando un amigo me habló del lado brasileño y del lado argentino de las cataratas, señalando las diferencias. Me parece muy raro. Seguramente el agua cae porque hay un declive, pero eso lo hace sin libreta de enrolamiento, sin adhesión a una bandera o a un escudo.

—*Lo que quiso decir, quizás, es que vistas desde Brasil las cataratas presentan un aspecto panorámico más grande.*

—Eso entendí. Pero, con todo, me parecía tan raro que uno quiera a un país por ello o lo considere superior a otro...

—*¿Y cómo explicás entonces que te hayas emocionado con el paisaje de Escocia?*

—Me emocioné por estar en Escocia, por la literatura, por la poesía de Escocia. Si no, posiblemente, si ese pasado no hubiera existido, habría visto montañas no muy distintas de las que vi en otros lados. Aunque no sé, porque el hecho de que sea un país del norte me emociona. Pero me doy cuenta de que a la gente que vive en el norte la emociona más bien el sur. Sobre todo Italia, con su sol. Yo, como tengo que padecer el sol de un país meridional, más bien sufro con todo eso.

—*¿No será que te falta sentido de la naturaleza?*

—El sentido de la naturaleza es algo nuevo, que no existió antes de los románticos. Los antiguos no lo tenían. Pensemos en las siete maravillas del mundo. Para un griego, para un romano, por ejemplo, los Alpes eran horribles. A Dante una selva le parecía espantosa. En cambio, qué raro es pensar que todos los hoteleros de Suiza deben su fortuna a Byron... y a los otros románticos.

—*¿Qué pensás de Byron?*

—Creo que tiene algunos versos buenos, pero, en general, es un poeta de segundo orden. Byron ha hecho algo más importante: ha dejado una figura de sí mismo. Como Wilde, que quizá sea más importante que su obra. Pero no sé si es muy atractiva esa vanidosa figura de *dandy*.

—*No hay que olvidar que Byron se sacrificó por la libertad de otro país.*

—Eso es también parte de la leyenda. De todos modos, como figura me gusta, pero como poeta, creo que fuera del *Don Juan*... Aunque el *Don Juan* es muy curioso porque es un libro antirromántico, un libro más bien satírico.

—*¿Y «Childe Harold»?*

—No, no me gusta nada. Me doy cuenta de que esos poemas tienen importancia para la historia de la literatura, pero nada más. Goethe dijo de Byron: «Cuando canta es un hombre, cuando reflexiona es un niño».

Y admiraba mucho a Byron. Pero era porque Byron representaba ese tipo de vida de *dandy*, caprichoso, muy rico, que desdeñaba a todo el mundo, y Goethe era más bien una persona respetuosa de las autoridades, de las de Weimar, de Napoleón... Y esa admiración por Napoleón no tiene ninguna justificación patriótica, porque cuando invadió a su país, fue a visitarlo... Desde luego, el sentimiento de Alemania como conjunto no existía entonces, o casi no existía.

—*¿Qué pensás de los nacionalistas?*

—Pienso mal, pero sobre todo de los nacionalistas argentinos. Yo entiendo que puede haber nacionalismo —que puede haber; no digo que deba haber— en países con vasta cultura, como Italia, Alemania... Pero en un país que ha festejado su sesquicentenario, yo no sé hasta dónde tenemos una tradición.

—*¿No será precisamente eso un fenómeno de un país con corta historia?*

—No, porque también se da en los países de vieja historia. Pero, en nuestro caso, todos sabemos que lo que hemos dado al mundo hasta ahora es muy poco.

—*¿Qué pensás del revisionismo histórico?*

—Si fuera realmente una revisión de la historia me parecería bien. Pero no lo es, puesto que está hecha por personas que conocen que el resultado de esa revisión va a ser el culto de una persona abominable como Rosas, de modo que no sé por qué la inician cuando ya saben a dónde van a llegar. ¿Por qué no declaran directamente: «los unitarios no tenían razón»; «los federales tenían razón»; «los caudillos tenían razón»; «Artigas tenía razón»; «Hormiga Negra tenía razón»...? Si ya saben que van a llegar a esa conclusión, que el personaje principal de la Argentina tiene que ser Martín Fierro... ¿Por qué simulan el proceso de revisar la historia, cuando sabemos que empiezan con las conclusiones y luego inventan las premisas? Yo se lo dije a Ernesto Palacio, casado con una prima mía, cuando me propuso entrar en una sociedad que se llamaba Juan Manuel de Rosas. Le dije: «Ustedes no están revisando, porque ya empiezan por ese nombre. Y si llegan a la conclusión de que el personaje más importante de la historia argentina es el negro Falucho... Mientras dura la revisión, pónganle cualquier nombre, pero si comienzan llamándola Rosas, es que han empezado por la meta». Quizá siempre se empiece por la meta. Quizá se empiece por la emoción y luego se encuentran las razones. Bernard Shaw decía que la función de la inteligencia era justificar lo que quería la voluntad, y creo que Schopenhauer dijo lo mismo.

—*¿Estás de acuerdo con esa premisa?*

—Sí, quizá, desgraciadamente, tenga razón. Quizá la inteligencia sólo sirve de instrumento para la voluntad.

—*¿Cuál es la virtud que más apreciás en un hombre?*

—Antes hubiera dicho el valor, pero creo que la probidad es lo más importante. Y la probidad es también una forma del valor. Ahora bien, si yo tengo que conversar con ese hombre, lo que más aprecio es la inteligencia, porque la probidad y el valor en una persona... a veces no sirven para el diálogo. Posiblemente yo prefiera conversar con un canalla inteligente... Pero eso es para mis fines particulares.

—*¿Cuáles son las virtudes que más apreciás en una mujer?*
—Yo creo que uno busca en ella la indulgencia, la ternura; pero sobre todo la indulgencia.

—*Pero no conversarías con una indulgente que sea tonta.*
—No. En cambio, a mi hermana, por ejemplo, le gusta mucho la gente estúpida. Quizá sea porque ve a todas las personas como niños; entonces todos los rasgos de la estupidez son rasgos adorables, de puerilidad. Pero yo, realmente, no alcanzo a comprender ese encanto.

VI

Escritores
Obras completas. Adolfo Bioy Casares. Séneca. Silvina Bullrich. Enrique Anderson Imbert. Julio Cortázar.
(1974)

—*La semana pasada se presentó el volumen de tus* Obras completas, *que reúne cincuenta años de labor literaria.*

—Sí, había tanta gente que uno se ahogaba de calor. Aunque quizá son siempre los mismos veinte amigos apretujados para darme esa impresión.

—*¿Te parece que la generosidad de unos pocos simulaba una multitud y te hacía firmar una y otra vez el mismo ejemplar?*

—¿Y quién va a comprar un libro tan caro? Hubiera tenido que sentirme emocionado, pero tratándose de un libro mío, no puedo estarlo. Lo que uno escribe lo emociona mientras lo hace. Con todo, me doy cuenta de que tiene el valor de un símbolo. Y estoy vivamente agradecido a la editorial, pero, la verdad es que casi nunca pienso en ese libro.

—*¿Hablaste en el acto?*

—Sí. Dije que era una fecha importante en mi destino literario. No dije carrera literaria, porque no creo que la haya, salvo para quienes no son escritores. Pero, en mi destino literario, el hecho de que la obra de medio siglo hubiera sido reunida en un volumen era un regalo que me hacía la editorial. Agregué que me maravillaba el hecho de haber llegado a ese volumen tan compacto y con un aire tan importante, a fuerza de negligencias, de postergaciones, de no hacer nada. Es raro que toda esa clase de inactividades hubiera podido producir ese libro; pero el destino del escritor, precisamente, es lo contrario del trabajo, ya que, fuera de los preliminares agradables que son la lectura y el escribir libros y romperlos, lo demás se hace más bien distrayéndose, dejándose llevar por ideas que pueden ser cuentos o poemas o, en la mayoría de los casos —de mi caso— no son nada, porque se disuelven antes.

—*¿Por qué esa distinción entre la carrera y el destino del escritor?*

—Porque la carrera parece que es algo que está hecho en vista del éxito y del fracaso; entonces cité esa frase de Kipling: «Cuando sepas encontrarte con el fracaso y el éxito y tratar del mismo modo a esos dos impostores...». Es decir, que ninguno de los dos tiene importancia. Hay mucha gente que «hace» la carrera del escritor nada más que para lograr éxito o dinero... Y existen personas que viajan para redactar un libro, que buscan determinadas experiencias para escribirlas. Me acuerdo que Emilio Zola le dijo a Henry James que iba a pasar tres meses en Roma porque pensaba escribir una novela sobre esa ciudad. James pensó que él la conocía bastante, que se había criado en Italia y que no se había decidido a escribir sobre los romanos porque no estaba seguro de conocerlos bastante. No se lo dijo a Zola, porque era muy cortés, pero se lo escribió a un amigo.

—*¿Qué pensás de la gente que escribe para ganar dinero?*

—Que también pueden hacerlo bien. Mark Twain fue un gran escritor; tiene algunos libros muy buenos y otros, malos. Pero él veía todo lo que hacía como algo comercial.

—*Ese aspecto no va con tu manera de vivir.*

—Claro que, cuando yo era chico, mis padres estaban en una situación económica buena. Mi padre me aconsejó que leyera, escribiera y rompiera mucho y que no tuviera ninguna prisa en publicar. Cuando escribí mi primer libro le dije: «Me gustaría mucho que lo leyeras, porque creo que este libro puede publicarse». Y él me contestó: «*No. You must make your own mistakes and find that out when it is too late*» (Tienes que cometer tus propios errores y descubrirlos después, cuando es demasiado tarde). «*Besides nobody can help anybody else*» (Además, nadie puede ayudar a nadie). Eso estaba unido a la idea que él tenía de que son los hijos los que educan a los padres.

—*¿Es cierta esa idea de que nadie puede ayudar a nadie?*

—No. Creo que es una idea falsa.

—*Recuerdo haberte oído decir que le debés mucho a la amistad de Adolfo Bioy Casares.*

—Es verdad. En todos los aspectos. En primer lugar, como escritor. Yo me doy cuenta que propendo a la retórica. Me gusta —como le gustaba a Séneca, o a Quevedo, o a Snorri Sturluson o a Shakespeare— lo sentencioso. En cambio, a Adolfito le desagrada. Cuando a mí se me ha ocurrido una frase sentenciosa, él ha propuesto dividirla para que no se notara. Le parecía un rasgo vanidoso del autor, y siempre tenía razón. Pero yo confieso que, por ejemplo, esa frase que he repetido mil veces: «Le ofrece, ya que es tan alto, seis pies de tierra inglesa», me conmueve muchísimo. Y a Adolfito lo deja impávido. También aquella otra historia, cuando los moros le dicen a Gonzalo el Bueno que van a matar a su hijo si él no se rinde y les entrega el castillo, y Gonzalo el Bueno les arroja el cuchillo sobre las almenas para que lo maten y el hijo —que comprende— se deja matar. ¡Caramba! Eso me toca profundamente y a Adolfito, no. Quizás, en ese sentido, él sea una persona más civilizada que yo y ve en eso un rasgo de mal gusto.

—*Será, más bien, una cuestión de gusto personal.*

—Claro está que todo depende de cómo se digan las cosas. Por ejemplo, esa frase de Séneca que yo he citado tanto: «*Fuge multitudines, fuge paucitatem, fuge unum*» («Huye de muchos, huye de pocos, huye de uno»). Esa frase me gusta mucho, pero fijate cómo la tradujo un escritor francés: «*Fuis le grand concours, fuis le petit comité, fuis même le tête-*

à-tête». No creo que eso lo haya hecho por odio a Séneca; más bien lo tradujo diciéndose a sí mismo: «¡A mí me van a embromar con frases!».

—*Es extraordinario cómo una traducción puede echar a perder una expresión feliz.*

—Hablando de frases, ¿te conté la anécdota del duque de... (creo que era el duque de Clairmont Tonnerre, no recuerdo bien...) que encontró a su mujer en brazos de un amante?

—*No.*

—Era una situación difícil. Y no se trataba de la idea de Carriego, de celos que preceden a la puñalada. Además, el duque no quería malquistarse con el otro, porque era natural que hubiera aceptado esa *bonne fortune* que la duquesa le ofrecía. Entonces, Clairmont Tonnerre le dijo: «*Mais, comment, Monsieur, sans y être obligé?*». El otro contestó «Disculpe», y se fue. El humor francés es sentencioso.

—*No sé, pero es divertido. Cuando me contabas la historia de Gonzalo el Bueno, me acordé de un general que defendía el Alcázar de Toledo en la Guerra Civil Española, que repitió el episodio —permitir que mataran a su hijo— en idéntica circunstancia.*

—¡Cómo son iguales las situaciones! Siempre he pensado que hay como dibujos que se repiten en el tiempo; César le dice a Bruto: «Tú también, hijo mío», y aquel gaucho de la Provincia de Buenos Aires, atacado por muchos, ve que entre ellos está su amigo y le dice: «Pero che...». Y lo matan.

—*Es muy lindo ese cuento tuyo.*

—Sí, plagiado, como todos los míos.

—*¿Cómo plagiado?*

—Plagiado de la realidad, que, a su vez, ha plagiado a un cuento. Uno vive robando. Robando aire para respirar... Todo el tiempo uno está recibiendo cosas ajenas... No se podría vivir un minuto si uno no estuviera recibiendo. Pero también se da algo, o uno tratar de dar algo.

—*En este intercambio de dar y recibir, así como aceptás cuánto le debés intelectualmente a la amistad con Bioy Casares, ¿a él le ha pasado lo mismo?*

—El caso de Adolfito es muy misterioso. Él empezó publicando libros disparatados. Cuando en su casa había gente que estaba un poco aburrida, él traía un libro sin decir de quién era, lo leía en voz alta, todo el mundo se reía y luego resultaba que era un antiguo libro suyo. Es extraordinario haber llegado a eso, porque yo he escrito muchas cosas de las que después me he avergonzado, pero también me avergüenza confesarlo. Hay algo de abnegación en Adolfito.

—*De renunciamiento de sí mismo...*

—Luego, de pronto, publicó *La estatua casera*, en que ya hay cosas buenas, y después ese libro espléndido, que tuve el honor de prologar, *La invención de Morel*. Ahora, todos sus libros son buenos.

—*A mí me gustó mucho* Diario de la guerra del cerdo.

—A mí también, salvo el título, que me parece feo.

—*La fealdad es deliberada.*

—Sin embargo, la idea de llamar cerdos a los viejos no me parece natural, sobre todo si sucede en un barrio de Buenos Aires, donde la palabra cerdo no se usa.

—*Adolfito es una persona extraña y compleja. Es de una gran bondad y cortesía, no contradice nunca a nadie y, al mismo tiempo, hace absolutamente lo que se le da la gana. Pero lo conozco poco, en cambio en tu caso...*

—No. No sé si lo conozco. Es una persona tan reservada como mi hermana Norah.

—*Todo el mundo es reservado. Pero en Bioy hay una gran cortesía. Silvina Ocampo también es cortés, pero más que cortés es cariñosa.*

—Ella tiene libros espléndidos y, sin embargo, no es conocida. Silvina Bullrich es más conocida que ella y es infinitamente inferior.

—*Lo que pasa es que Silvina Bullrich ha escrito una literatura testimonial de cierta clase social elevada.*

—En el caso de Silvina Bullrich creo que hay dos cosas: el hecho de que este país es muy esnob y el hecho de que, por obra del peronismo, éste es ahora un país de rencorosos. Ella, entonces, les da las dos cosas: les permite participar en la mejor sociedad y, al mismo tiempo, les muestra esa sociedad como algo deleznable. Bernard Shaw ha dicho que en sus comedias siempre había gente tomando té, porque al público le gustaba ver gente tomando té. No era necesario para la acción, pero como gustaba y era un recurso lícito, él lo usaba. Silvina Bullrich hace eso: muestra gente elegante tomando té y, al mismo tiempo, la muestra como una serie de crápulas o de tilingos. Y como a ella no le importa mucho el estilo... Por otra parte, Silvina Ocampo tuvo la desgracia de llamarse Ocampo; la gente la ve como hermana de Victoria, no como a otra persona.

—*He recibido una carta de una amiga que vive en los Estados Unidos donde me habla del «culto de Borges» y afirma que en Norteamérica, en Inglaterra y en Francia la juventud te siente como a un revolucionario.*

—No sé hasta qué punto un escritor puede ser revolucionario. Por lo pronto, está trabajando con el idioma, que es una tradición. En cuanto al entusiasmo con que me reciben, la verdad es que no me importa, pero la explicación es sencilla: se debe al hecho de que soy sudamericano, de que soy viejo y de que estoy ciego. Entonces, todo esto constituye una fuerza. Ante todo, a un extranjero nadie puede sentirlo como un rival; además, nadie ve un rival en una persona de otra época. Por último, la idea de un viejo poeta ciego hace que me tomen por Milton o por Homero (ríe). Creo que hay una fuerte coalición de circunstancias favorables. Por otra parte, en los Estados Unidos hay una especie de fascinación por Sudamérica.

—¿*Te sentís un escritor sudamericano?*

—¡Qué duda cabe!

—*Te lo pregunto porque recuerdo una apreciación de Cortázar que afirma que escritores como Borges y Bioy Casares han escrito con los ojos puestos en Europa, y que los de su generación, él mismo u otros como García Márquez, Vargas Llosa, han escrito con los ojos puestos en América.*

—No sé si ellos han puesto los ojos en América. Sé que yo los he puesto, y demasiado... ¿Y dónde los he puesto? En las orillas de Buenos Aires, o en el pasado histórico argentino. No sé si Cortázar habrá escrito milongas o letras de tangos, pero lo que yo he leído suyo no es esencialmente criollo. La técnica sí, es americana, en el sentido de que está, en cierto modo, imitada de Faulkner. Hace un momento me dijiste que me consideraban revolucionario. ¿En qué se basa esa afirmación?

—*Anderson Imbert tiene una teoría que lo explica. Asegura que Borges es en el fondo un nihilista con vastísimos conocimientos de todas las escuelas filosóficas. Ahora bien, en cada uno de sus cuentos ha ensayado una dirección filosófica distinta, sin participar vitalmente en ninguna de ellas.*

—Considero muy justo lo de Anderson Imbert. Sí, es verdad. No soy ni filósofo ni metafísico; lo que he hecho es explotar, o explorar —es una palabra más noble— las posibilidades literarias de la filosofía. Creo que eso es lícito.

—Anderson asegura que cada uno de esos jóvenes es como un abanderado de su causa, sea ésta idealista, estructuralista, materialista, estoica... y te aplauden, considerándote cada uno su líder particular porque es el hombre que ha llevado a la literatura a su propia posición.

—Están equivocados. Si fuera idealista, por ejemplo, esto sería una certidumbre y yo no tengo certidumbres; más bien tengo dudas. Ahora bien, si estuviera convencido de que Berkeley tiene razón, de que el universo es un sueño de Dios o, como decían los hindúes, un sueño de Brahma, entonces ya sería una certidumbre y no la tengo. Ni siquiera estoy seguro de que todo sea un sueño. Lo veo como una posibilidad o como una esperanza, quizá. Si he participado de esa filosofía, ha sido para los propósitos particulares del cuento y mientras lo escribía. Bueno, Hume, que fue el que despertó a Kant de su sueño dogmático, decía: «Soy filósofo cuando escribo». Yo, por ejemplo, niego la exterioridad de los sentidos, pero vivo como todo el mundo porque no se puede vivir de otra manera.

—Anderson Imbert lo ve con tu mismo enfoque y amplía aún más su teoría, diciendo que los jóvenes observan que Borges, que ha escrito analizando distintas tendencias, lo ha hecho porque estaba descontento con el mundo y que incluso esa literatura puede ser de protesta.

—Si una persona es pesimista, no sé hasta dónde puede creer en las protestas, o si esa persona es nihilista cree que las desdichas tienen raíces íntimas y es ingenuo suponer que todo puede arreglarse mediante leyes u ordenanzas: los que así creen son demasiado optimistas. Pienso que puede haber personas felices y personas desdichadas en distintos tipos de sociedad.

—¿*Creés que la literatura de protesta no tiene ningún valor efectivo?*

—Puede tenerlo, si es sincera... Puede llevar a consecuencias estéticas. Por ejemplo, la doctrina de la democracia lo llevó a Whitman a una obra admirable; yo, personalmente, no creo en la democracia, pero creo en la poesía de Whitman. El fervor religioso ha llevado a mucha gente, por ejemplo a Dante, a una obra admirable, pero eso no quiere decir que uno necesite creer en el catolicismo para gustar de la *Divina Comedia*. Indudablemente, Anderson Imbert tiene razón y esos jóvenes están equivocados. Pero yo siempre he advertido a la gente que lo que yo escribo no tiene mayor importancia... Todo esto proviene de un gran equívoco. Y espero que ese equívoco se resuelva pronto. Es decir, preferiría que se resolviera después de mi muerte, porque mientras tanto vivo de ese equívoco (ríe). Pero sé que va a ocurrir, que la gente va a despertar de su sueño dogmático, como Kant cuando leyó a Hume...

VII

Los reportajes
Los sueños. Premio Nobel. Polansky.
Capdevila. Perón. El tango.
(1975)

—*Hace un momento alguien te pidió que le dijeras la*
frase que considerabas más importante, y le diste el títu-
lo de la obra de Schopenhauer El mundo como voluntad y representación.

—Ah, esa periodista. Le dije eso porque era
precisamente lo que no esperaba. También hubiera podido darle la frase que Bernard Shaw
dijo cuando fue a verlo una delegación irlandesa para contarle lo mucho que ellos habían sufrido. Él les contestó: «Ser maltratado no es un
mérito».

—*¿Pero ésa es realmente la frase más importante?*

—Ah, no; es ingeniosa, sobre todo porque mucha gente cree que ser maltratado es un mérito y se
jacta de las desdichas que ha sufrido. Pero hay muchas frases ingeniosas. Oscar Wilde, que no era un
gran escritor, dio mejores frases que uno superior a
él como Schopenhauer, quien dijo: «Las mujeres
son animales de pelo largo e ideas cortas». Como
frase es una miseria. No basta raparse para ser inteligente... Y si se raparan, quién sabe si no serían
más encantadoras. Oíste cuando esa misma perso-

na me preguntó: «Si usted no hubiera nacido aquí, ¿dónde le hubiera gustado nacer?».

—*Le contestaste: «En la calle Tucumán y Suipacha, en Buenos Aires».*

—Se lo dije porque la pregunta fue hecha con mala intención. Ella quería que yo quedara como un traidor y dijera: «Hubiera querido nacer en Escocia o en Noruega». O mejor todavía: «En Texas». Pues no: yo hubiera querido nacer en Buenos Aires; lo siento mucho.

—*Y en el fondo, ¿hubieras querido nacer en Buenos Aires?*

—Sí; me he acostumbrado a ser el que soy. Si hubiera nacido en cualquier parte... En Yorkshire —un lugar más lindo que éste—, no sería yo el que hubiera nacido allí, sino otra persona...

—*El otro día una amiga tuya te preguntó si soñabas mucho.*

—Mucha gente me lo pregunta. Parece que hay personas que no sueñan. Una persona que decía que no soñaba, pero creo que mentía y se jactaba de no hacerlo para mostrar que era una persona práctica, era Elsa.* Quizá fuera porque aquí, en casa, tenemos la costumbre de contarnos los sueños por la mañana. Ella veía eso como algo hecho contra ella.

* Elsa Astete, casada con Borges en 1967 (21/9/67) y separada legalmente en 1970.

—*Soñar y contar los sueños es algo natural. ¿Por qué creés que todo el mundo te pregunta por tus sueños?*

—Porque suponen que todo lo que escribo es como un sueño, que todo lo que escribo es irreal... Entonces, durante la vigilia, sigo soñando. No creo que lo que yo escribo sea irreal, aunque no sé qué es la realidad y qué la irrealidad. Si yo pensara que todo es vano, que todo es un sueño en ese sentido... no escribiría tampoco.

—*Quizá los que preguntan piensan que los sueños tienen que ver con la literatura.*

—Es una idea mejor. Podría ser. Pero no creo que sea eso. La idea habrá sido que lo que yo escribo son fruslerías, trivialidades.

—*O piensan en tu fantasía.*

—Yo no tengo mucha fantasía, fantasía tienen los libros que he leído. Bueno, algunos... Cuando no son *La gloria de don Ramiro*... Ayer decíamos con Bioy: «¡Qué olvidado está Larreta ahora!». En general, no es un autor que se discuta y en España lo ignoran totalmente. El poeta español Luis Rosales me preguntó: «Y en la Argentina, ¿se acuerdan de Larreta?». «No», le dije. «Ah, bueno, es como aquí», me contestó. Era tan profesionalmente español que ya resultaba falso hasta para los españoles. Como Capdevila, que cuando estaba en España decía: «Vive Dios.» La gente estaba azorada, porque ya nadie usa esa expresión en España. Una vez fui a tomar el té a la casa de Capdevila, en la calle Charcas. Estábamos en la biblioteca y, de pronto, miró hacia el vestíbulo y dijo: «¡Vive Dios, pronta está la merienda!».

—*¿Y por qué hablaba así?*

—Porque pensaba que hay que escribir así; entonces, para estar siempre adiestrado, hablaba de un modo rarísimo. Guillermo, mi cuñado, me contaba que a Capdevila nadie lo entendía en España, pero debía ser una exageración.

—*¿Qué pensás de los reportajes que te hacen? Las preguntas ¿son raras o comunes?*

—No son raras. Generalmente siempre son las mismas. La primera es si soy argentino.

—*Si te sentís argentino, será.*

—No. Si soy... Les digo que sí, que al fin y al cabo no es tan raro ser argentino, puesto que estamos en Buenos Aires y en esa ciudad habrá seis o siete millones de argentinos y que en el país habrá veinte o veinticinco millones. Raro sería ser argentino en Groenlandia o en Pakistán. Otra pregunta repetida es si todo lo que escribo lo hago primero en inglés y luego lo traduzco al español.

—*¡Qué disparate! ¿A quién se le ocurrió eso?*

—A varios periodistas. Yo les digo que sí, que, por ejemplo, los versos: «siempre el coraje es mejor, / nunca la esperanza es vana, / vaya pues esta milonga, / para Jacinto Chiclana» se ve enseguida que han sido pensados en inglés; se notan, inclusive, las vacilaciones del traductor. Pensemos que si escribir es difícil, mucho más difícil es escribir primero en un idioma extranjero y luego traducirlo. No creo que nadie haga eso. Creo que yo sería en la historia de la literatura el primer caso si procediera de una manera tan tortuosa. Otra pregunta es: «¿Cuál ha sido el momento más importante de su vida?». Son preguntas que no tienen contestación, porque los momentos más importantes... uno generalmente se da cuenta de cuáles son mucho tiempo después (si es que se da cuenta). Además, ¿qué quiere decir más importante? ¿Más importante emocionalmente? ¿Intelectualmente?

—*Ahora veo que yo también cometí ese pecado...*

—Una cosa es que sea un amigo quien lo pregunte y otra un desconocido que llega de la calle dispuesto a obtener la gran «primicia». Luego tratan de que yo hable mal de los demás escritores argentinos y del mundo. Hay dos que se mencionan siempre: Cortázar y Neruda. Son dos ideas fijas. Como yo no hablo mal se desilusionan. Otra cosa que se supone, es que me paso la vida pensando en recibir el Premio Nobel. Cada año, cuando dejo de recibirlo —cosa que estoy previendo y que estoy deseando—, creen que es una especie de golpe espantoso, que apenas puedo sobrevivir a ese hecho que se repite periódicamente desde el año 1899, en que nací. Se supone que es una catástrofe, una nueva muela que me sacan. Otra pregunta es: «¿Qué impresión le causó Ortega y Gasset?». No me causó ninguna impresión; hablé con él una sola vez, diez o quince minutos, y creo que nos aburrimos mutuamente. Yo le hablé de Cansinos Assens y él, por cortesía, para no decirme que no le gustaba, me dijo que no lo había leído nunca y esa fue toda la conversación. Además, lo conocí en lo de Victoria Ocampo, que tenía un modo de imponer a sus amigos que los hacía desagradables.

Volviendo al tema de los reportajes, en general suelen ser aburridos... o si no, aparecen personas estúpidas. Por ejemplo, el otro día un señor me para en la calle y me dice: «Créame, para mí ha sido un golpe que usted no recibiera el Premio Nobel». «¿Por qué? —le digo yo—: ¿A usted le gusta lo que yo escribo?» «Bueno —me contesta—, yo no he leído una sola línea suya, pero hubiera querido un premio argentino.» Entonces, hubiera sido lo mismo darle un premio al vigilante de la esquina...

—*¿No te alegra el éxito? ¿No te gusta que te asedien, que te saluden desconocidos ansiosos de estrecharte la mano?*

—En estos momentos lo siento como una seguridad... Hace años recibía constantes amenazas telefónicas de muerte. Vivía en un ambiente hostil. Ahora no. Claro que los peronistas se odian tanto entre ellos que ya no tienen odio para los demás... Están aborreciéndose y asesinándose unos a otros. En cuanto a la simpatía que me tiene la gente, que me ve como a una especie de Gardel, también cuenta aquello que hemos dicho muchas veces: un viejo poeta ciego despierta simpatías. A los sordos no les ocurre lo mismo. Mi cuñado, que era una persona muy, muy simpática, no despertaba simpatía por ser sordo.

—*Días pasados una persona se vanagloriaba de haber-te presentado a Roman Polanski. ¿Qué pensás de Polanski?*

—Nada. Supongo que es una de las personas más grises que he conocido en mi vida. Pero eso no quiere decir nada; puede ser un gran director. Al fin y al cabo, el primer ajedrecista del mundo no es más que el primer ajedrecista del mundo. No hay que suponer que sea especialmente brillante en otras cosas. Es como aquel peón tigrero que conocía mi padre: mataba pumas, pero era lo único que sabía hacer. Hay una frase de Bernard Shaw sobre un profesor alemán que había escrito el libro más extenso y documentado sobre él: «El doctor Fulano de Tal lo sabe todo, pero es lo único que sabe...». Es decir, sabe muchas cosas, pero no las sabe de un modo especialmente interesante.

—*Los escritores se quejan de que en los reportajes les preguntan qué piensan de la política, de la posibilidad de una guerra nuclear. Es decir, se sienten asediados por temas que no son de su especialidad.*

—Tienen razón. Eliot dijo que era muy común preguntar a un gran físico o a un matemático su opinión sobre la otra vida, o sobre religión o filosofía. Las respuestas son siempre banales. Pero, ¿por qué no? Si una persona se especializa en algo no tiene por qué ser particularmente inteligente en otras cosas. A mí a cada rato me preguntan sobre política y entiendo tan poco. Sin embargo, siempre me preguntan: «¿Qué haría para salvar al país?». Otra cosa que me parece muy estúpida en esta época son las clases de literatura dadas por personas que, además, no ejercen esa disciplina.

—*A veces los escritores no son buenos profesores; no saben enseñar.*

—Bernard Shaw decía (hoy tengo una fijación con Shaw): «El que sabe, obra; el que no sabe, enseña». Lo cual parece cierto. Además, he asistido a clases en las cuales he oído una serie de divagaciones donde se hablaba de todo y nunca se llegaba al tema. Me acuerdo de una frase de Luis XIV, que asistía a un sermón de no sé qué famoso padre francés sobre la caridad. El sermón fue muy brillante. Todo el mundo salió deslumbrado y Luis XIV dijo: «Si nos hubiera hablado de la caridad, nos hubiera hablado de todas las cosas», porque era el único tema que no había tocado.

—*¿Qué pensás de esa gente que te hace reportajes?*

—En general, sospecho que estoy dejándome estafar por ellos. Ellos cobran por los reportajes; no me pagan un centavo... Pero la televisión es lo peor. Lo someten a uno a incomodidades basadas en la idea de que uno desea ser visto y yo no me considero especialmente lindo... No tengo ganas de que me vean.

—*¿Por qué contestás a todos los que se te acercan si estás disconforme?*

—Porque no puedo decir que no; es un defecto mío. Pero si me piden un reportaje para un diario del interior, entonces pienso que puedo ayudarlos y lo hago contento. Voy a ver si me desligo totalmente de la televisión. Esa gente está cobrando sumas enormes, usándolo a uno y pagándole con incomodidad; es una especie de soborno a la vanidad y yo no tengo esa vanidad.

—*¿Qué clase de vanidad es la tuya?*

—En todo caso, no me creo especialmente lindo ni decorativo. Me acuerdo del consejo que Macedonio Fernández le dio a una amiga mía, muy hermosa, decorativa, coqueta, vanidosa. Ella había publicado su primer libro, y él le dijo: «Usted tiene que buscar una amiga que tenga una cara interesante, inteligente, y colocar su fotografía en el libro. Así la gente asocia su obra a una cara inteligente. Total, a usted nadie la conoce».

—*Pero eso, ¿era una broma o una maldad? Le estaba diciendo que tenía un rostro estúpido.*

—Él se lo repitió muchas veces, con insistencia. Ella, cada tanto, contestaba «gracias» con aire glacial, hasta que se levantó y se fue. Pero Macedonio lo hacía con la mejor buena voluntad. Macedonio tenía algo de inocente, de bondadoso, de candoroso.

—*¿Sí? Puede ser...*

—Y no se puede decir que fuera un sentimental. Yo he notado que, en general, los canallas son sentimentales. Eso está comprobado en el tango, que es música sentimental y canallesca al mismo tiempo. Las letras son las más bajas del mundo.

Por ejemplo, uno de los temas del tango es aquel que se complace en la idea de que la belleza no dura, de que las mujeres lindas llegan a ser horribles. Hay un tango que dice: «Flaca, fané y descangallada». Otro ejemplo: «Qué dirían si te vieran / el Melena y el Campana / que una noche en los Portones / se acuchillaron por vos». Y bueno, ahora... parecen decir: «sos una porquería». La idea de la decadencia física agrada mucho. Es una idea sentimental y es canallesca también. ¿Y el peronismo no es eso? Por un lado es bastante canalla, porque las personas tratan de sacar toda la plata que pueden y, al mismo tiempo, con frases como «sos el primer trabajador» o «qué grande sos» aparece la idea de que la injusticia social puede corregirse si le dan a uno mucho dinero. Se piensa en obtener cargos públicos, que ya sabemos todos para qué sirven... No se piensa en los demás, ni por qué medios se llega a tener ese dinero... En cuanto a la canalla sentimental, recuerdo algo que vi en un film americano que me llamó la atención. Aparecía un gángster, un viejo italiano, de bigote rubio, sonriente, muy simpático, que vuelve a su casa inmediatamente después de ametrallar a un hombre. El asesino llega a su casa, está su mujer esperándolo y hay una gran jaula con un canario. Entonces se pone a jugar con el pájaro, a darle de comer, poniéndole las migas en el piquito. Eso me impresionó mucho: la forma en que se había unido la idea de que era un canalla con la idea de que fuera sentimental también. El éxito de *Martín Fierro* se debe, en buena parte, al hecho de que el personaje es canallesco: es un asesino, un desertor, se pasa a los enemigos, comete crímenes inútiles, está por darle una paliza a la negra, después de haberle asesinado al marido, y al mismo tiempo dice: «Bala el tierno corderito / al lao de la blanca oveja / y a la vaca que se aleja / llama el ternero amarrao / pero el gaucho desgraciao / no tiene a quién dar su queja». Esto, lo he repetido muchas veces, es lo que gusta en *Martín Fierro* más que sus méritos literarios: la idea de un canalla sentimental.

Estoy pensando que entre las buenas frases que podrían citarse hay otra de Bernard Shaw (que parece ser el único autor que he leído en mi vida): «La compasión degrada tanto al compadecido como al compasivo».

—Como muestra de ingenio, podría ser. Creo que una persona compadecida puede sentirse degradada por la lástima que inspira, pero el que compadece, si es sincero y, al mismo tiempo, es discreto y no demuestra sentir lástima, no me parece que se vea degradado. Tratar de alegrar o consolar al desdichado no es degradación.

—¿Entonces la frase de Shaw es totalmente falsa? Sí. Lo muestra, más bien, como una persona muy fría. A él no le gustaba que le tuvieran lástima y era incapaz de sentirla por otros. Una persona inteligente y fría. ¡Qué extraño! Yo soy «asquerosamente» sentimental.

—Y no un canalla.

—Qué raro sería decir: «Como todos los hombres del mundo, Fulano de Tal era la hez de la canalla». Yo, más bien, soy pedante más que canalla. Si sé que una persona ha obrado mal conmigo o habla mal de mí, yo hablo bien de él; ésa viene a ser una forma de venganza y un modo de mostrarse invulnerable. También puede ser soberbia. Blake, a fines del siglo XVIII, decía que si uno ha sido injuriado debe vengarse. Si no se venga, el deseo queda en uno y lo corrompe. Entonces uno debe vengarse no para perjudicar al otro, sino para no perjudicarse a sí mismo por el hecho de reprimir la venganza. Vendría a ser una idea psicoanalítica. Una vez le comenté a Xul Solar que uno de mis defectos era entristecerme cuando me iba mal. «Sí —dijo Xul—, es un defecto. Mejor es enojarse.» Y me citó lo de Blake. ¿Te enojás cuando te hacen una maldad?

—*Unas veces muchísimo; otras, me amargo.*

—Los que generalmente no pueden enojarse demasiado son los padres de familia: deben reprimir la venganza, la ira. Recuerdo el dicho: «*Le père de famille est capable de tout*», porque para mantener a esa familia puede hacer cualquier cosa. Luego Samuel Butler le cambió el sentido y dijo que el padre de familia es capaz de azotar a sus hijos, de echarlos a la calle, de maltratarlos...

—*Quizás a Butler su padre lo haya tratado muy mal...*

—Sí, es cierto. Y Butler odiaba al padre y a la madre. Macedonio Fernández también... Decía que era un error que los padres quisieran a los hijos y viceversa, porque pertenecían a generaciones distintas y no podían entenderse. Sin embargo, él estaba rodeado de gente joven que lo adoraba y a la que él quería.

—*Hace un momento hablabas del peronismo, ¿cómo definirías a Perón?*

—Un dictador, que fue un nuevo rico. Dada su casi omnipotencia hubiera podido instaurar una rebelión de las masas, enseñándoles con el ejemplo ideales distintos; pero se redujo a imitar de manera crasa y grotesca los rasgos menos admirables de la oligarquía ilustrada que simulaba combatir: la ostentación, el lujo, la profusa iconografía, el concepto de que la función política debe ser también una función pública, el amor de los deportes británicos y el culto literario del gaucho. Inundó el país con imágenes suyas y de su mujer, cuyo cadáver y velorio usó para fines publicitarios. Lo anterior es baladí si lo comparamos con la corrupción de las almas, con el robo para el cual se prefiere el nombre eufemístico de negociado, con la picana eléctrica aplicada a los opositores y a toda persona sospechosa de «contrera», con la confiscación de los bienes, con las pobladas cárceles políticas, con la censura indiscriminada, con el incendio de archivos e iglesias, con el fusilamiento de obreros en la secreta soledad de los cementerios y con la abolición de la libertad.

VIII

La novela policial
Nacimiento, temas, autores.
(1963)

—*¿Cuáles son los orígenes de la novela policial?*

—A diferencia de la historia de otros géneros literarios, la del género policial no ofrece ningún misterio. Un astrólogo podría establecer el horóscopo, ya que sabemos exactamente el día en que ese género fue inventado. Se trata de uno de los días del año 1841 y su inventor fue, como es notorio, aquel prodigioso escritor que se llamó Edgar Allan Poe. Poe, en 1841, escribe «The Murders in the Rue Morgue» (esto, traducido literalmente, sería «Los asesinatos en la calle Morgue», pero yo creo que convendría traducirlo por «Los crímenes de la calle Morgue», ya que la palabra *crimen* tiene la misma fuerza que la palabra *murder* en inglés; en cambio, *asesinato* está debilitada por las dos eses). Después de ese primer cuento policial, Poe escribe otros en los que se encuentran todas las características del género.

—*Es decir que los escritores posteriores enriquecieron el género según el camino señalado por Poe.*

—Sí. Así es.

—*Pero se ha dicho, casi como una acusación, que los cuentos de Poe son casi transparentes.*

—Esa observación es injusta. En primer término, conocemos el argumento de esos cuentos antes de leerlos. Todo lector de «Los crímenes de la calle Morgue» sabe que el asesinato fue cometido por un mono y, en segundo lugar (esto es harto más importante) esos cuentos han creado un tipo especial de lector. Es decir: cuando leemos un libro cualquiera, lo leemos sin mayor suspicacia. No pensamos que el autor está tratando de engañarnos.

—*Cuando Cervantes nos dice: «En un lugar de la Mancha (...) vivía un hidalgo» creemos que verdaderamente un hidalgo vivía en un lugar de la Mancha.*

—Claro. En cambio, si esa observación estuviera al principio de un cuento policial, sería sometida a nuestra desconfianza, a nuestra vigilancia, pensaríamos que quizás el hidalgo no vivía en un pueblo de la Mancha o que ese hidalgo no era realmente un hidalgo, sino alguien que se hacía pasar por tal o lo que fuere. De igual manera, los primeros cuentos de Poe fueron leídos con la inocencia y la buena voluntad con que se lee cualquier relato, pero ahora esos cuentos han creado una manera especial de leerlos.

—*En última instancia, nosotros mismos, en cuanto lectores de cuentos policiales, somos personajes creados por Poe.*

—Claro, ésa es la idea.

—*¿Cuáles son los temas de la novela policial?*

—Esos temas se encuentran en los primeros cuentos de Poe. En «The Murders in the Rue Morgue» tenemos el tema del asesinato cometido en un cuarto cerrado, tema que sugiere lo mágico, aunque luego se resuelva lógicamente. El doble asesinato ha sido cometido por un mono que trepa por la cadena de un pararrayos. Luego otros escritores retoman ese tema. Una de las soluciones más brillantes es la del escritor judeo-inglés Israel Zangwill en «The Bigbow Murders». Este autor escribió a fines del siglo XIX, en pleno auge de las admirables ficciones de Conan Doyle, y relataba más bien historias patéticas sobre la vida de las juderías en Europa. Después quiso demostrar que él también podía jugar al juego del cuento policial y escribió «The Bigbow Murders», donde tenemos un truco, un artificio, que luego ha sido repetido por Chesterton y por otros autores. La solución que da para el crimen cometido es que el que descubre, o simula descubrir el crimen, es el que lo comete. En este cuento de Zangwill el detective y la dueña de la casa de pensión en que vive la víctima entran a un tiempo en la pieza donde se comete el crimen; el detective se adelanta unos pasos y dice: «Fulano de Tal ha sido asesinado», y mata en ese momento al hombre que está durmiendo, porque le habían dado un narcótico.

—*Aquí la solución estaría en que el crimen fue cometido un instante después de haber abierto la puerta.*

—Hay otras soluciones en que el crimen se comete cuando la pieza está cerrada. Éstas son en general inferiores, porque se basan en medios mecánicos, pero hay una, en un cuento de Chesterton, donde un individuo muere de un flechazo ante una ventana abierta; se cree, lógicamente, que le han disparado desde afuera y luego resulta (aquí volvemos un poco al artificio de Zangwill) que lo mata el que descubre el crimen. Éste le clava la flecha como quien clava un puñal, pero la flecha sugiere el hecho de haber sido disparada de lejos.

—*Se piensa en la flecha como en un proyectil y no como un arma que puede usarse de muy cerca. ¿Qué otros temas hay?*

—Hay un tema ya clásico en las ficciones policiales, que se encuentra en «La carta robada», de Poe. Se trata de algo invisible precisamente porque es muy visible. Un sujeto ha robado una carta para ejercer una extorsión. La policía registra muchas veces la casa, incluso hace un plano y lo divide y subdivide en varias regiones para el exhaustivo escrutinio. Dispone de vidrios de aumento y de microscopios, se examinan las encuadernaciones de los libros, las junturas de las baldosas, en fin, todos los lugares posibles, y la carta no aparece.

—*Pero luego llega el caballero Auguste Dupin, el detective...*

—Sí, que va a visitar al ladrón y ve encima de la mesa un tarjetero con un sobre que ha sido desgarrado. Eso es casi lo primero que ve. Entonces, adivina que la carta ha sido escondida ahí.

—*No está escondida, sino que está expuesta insolente-mente a la vista.*

—Claro, porque quien busca una cosa cree que tiene que estar en un lugar oculto y no en un sitio expuesto a la visión de todos. Este mismo tema lo encontramos en dos cuentos de Chesterton, el sucesor más ilustre de Poe, en mi modesta opinión. En uno de ellos tenemos a un fabricante de autómatas. Ese hombre ha sido amenazado de muerte muchas veces. Su casa está vigilada por el portero, por un gendarme y por un viejo que vende castañas en la esquina. Es un día en que está nevando. Los amigos lo dejan en la pieza alta de la casa, rodeado de sus autómatas, pero cuando vuelven ven en la nieve pisadas, pisadas que parecen entrar y luego salir de la casa. Interrogan al gendarme, al portero, al vendedor de castañas, y todos dicen que nadie ha entrado. Sin embargo, el hombre amenazado ha desaparecido y se encuentran cenizas en la chimenea. Entonces se sugiere que este hombre ha sido devorado por sus autómatas, por sus muñecos de metal. Luego el padre Brown descubre que ha sido asesinado por el cartero.

—*El cartero es menos que un hombre; es sólo uno de los hábitos de la casa.*

—Y por esta razón quienes vigilaban la casa no pensaban en el cartero que llegaba y salía todos los días; así pudo entrar en la casa, asesinarlo y quemar la correspondencia en la chimenea y luego llevarse el cadáver en su cartera, porque era, como nos dice Chesterton, psicológicamente invisible.

—*¿Cuáles son los autores más importantes de la novela policial?*

—Estos autores son muchas veces escritores ilustres. Tenemos, en primer término, a Poe, que es, según se sabe, uno de los padres del simbolismo: de Poe procede Baudelaire; de Baudelaire, Mallarmé; de Mallarmé, Paul Valéry. La poesía europea no sería hoy lo que es si no hubiera sido por ese extraordinario inventor norteamericano. Luego, en el mismo siglo XIX, tenemos a Wilkie Collins. Según T. S. Eliot, Collins es autor de la más extensa y acaso la mejor de todas las novelas policiales, *The Moonstone*, y también de *The Woman in White* y de *Armadale*. En estas tres novelas juega no sólo el elemento policial sino el psicológico. Sus personajes cuentan historias que no se contradicen en los hechos, pero que se contradicen en el juicio de los caracteres. Por ejemplo, una de esas personas cree haber hablado de un modo muy brillante y luego su interlocutor retoma la historia y nos damos cuenta de que ha hablado de una manera muy tediosa.

—*¿Y Stevenson?*

—Stevenson, en colaboración con su hijastro Lloyd Osbourne, escribió una de las más admirables novelas policiales que se conocen, *The Wrecker*, que es también satírica y psicológica. En general, lo puramente policial se encuentra en los cuentos; en cambio, una novela policial tiene que ser también psicológica, los personajes deben tener vida propia más allá de las necesidades, a veces muy estrictas, del relato. Luego, tenemos a Chesterton.

—*Que no ha escrito ninguna novela policial.*

—No, pero sí un centenar de cuentos policiales que tienen un carácter doble. En cada uno de ellos se sugiere una solución sobrenatural, mágica, y luego el detective (el padre Brown) da con la solución lógica. Entre otros autores, también tendríamos a William Faulkner. En la vasta obra de Faulkner hay un libro de cuentos policiales. Hay también incursiones ocasionales en el género hechas por el gran novelista portugués Eça de Queiroz, que fue, acaso, el mayor novelista de la península ibérica en el siglo XIX. Se podría mencionar algún experimento no demasiado famoso y no muy memorable, fuera del nombre de quien lo ejecutó, del gran escritor Rudyard Kipling y tendríamos también una novela de Eric Linklater, *El señor Byculla*, que fue publicada por El Séptimo Círculo en Buenos Aires.

—*¿Qué influencia ha tenido la novela policial en sus poco más de cien años de vida?*

—Hablar de esa influencia es hablar de los defectos y de los méritos del género. Stevenson dijo que las ficciones policiales corrían el albur de ser meros artificios, de tener algo de mecánico. Por ejemplo, si en un libro cualquiera un personaje sale después de almorzar, da una vuelta y luego vuelve a su casa, esto puede hacerlo simplemente porque tales cosas ocurren en la realidad o porque se nos quiere indicar el estado de ánimo de ese personaje. En cambio, si eso ocurre en una ficción policial, el lector sospecha que ha salido para que alguien pueda entrar en su casa; es decir, que los personajes están supeditados al argumento. Y ahí aparece el artificio ingenioso, pero mecánico, porque tiene que seguir un dibujo, la línea premeditada del argumento En cuanto a los méritos del género policial, creo que serían éstos: en un libro policial pocas cosas pueden estar entregadas al azar: esas ficciones tienen que tener un principio, un medio y un fin (cualidades que Aristóteles admiraba en la *Ilíada* y en la *Odisea*). Aristóteles dijo que un poema sobre las diversas empresas de Hércules no tendría la unidad de la *Ilíada*, ya que su única unidad estaría en el hecho de que un solo protagonista ejecuta las hazañas, un mismo héroe mata a las arpías y al león o libera a Prometeo. En cambio, la novela policial tiene unidad, y ello es fundamentalmente importante en nuestro tiempo.

—*¿Por qué?*

—Porque en nuestro tiempo la literatura es muchas veces un mero ejercicio de la vanidad de los autores, quienes se proponen sólo sorprender. A veces leemos poemas breves que no tienen ninguna unidad; nuestra época cultiva deliberadamente la incoherencia. Los relatos policiales, aunque despreciados por muchos, tienen la virtud de recordar a los autores que la obra de arte debe tener un principio, un medio y un fin. Fenelón, hablando del orden, dijo que era lo más raro en las operaciones del espíritu, y los autores de ficciones policiales, buenas o malas, han recordado a nuestro tiempo la belleza y la necesidad de un orden y de una regularidad en las obras literarias.

—*¿Subsistirá la novela policial?*

—La profecía es el más peligroso de los géneros literarios. Sin embargo, me atrevo a profetizar que cierto género policial clásico —digamos— está a punto de desaparecer. Esto se explica porque en el género policial hay mucho de artificio: interesa saber cómo entró el asesino entre un grupo de personas artificialmente limitado, interesan los medios mecánicos del crimen y estas variaciones no pueden ser infinitas. Una vez agotadas todas las posibilidades, la novela policial tiene que volver al seno común de la novela. Fuera de lo mecánico, volveríamos a lo psicológico, lo cual no está mal, porque volveríamos a Macbeth, a los admirables asesinatos de las novelas de Dostoievsky, al crimen de Raskolnikoff... Pero aunque la novela policial desapareciera como género —todo género muy legislado tiende a desaparecer— siempre quedaría la saludable influencia de que hemos hablado. Desde luego, que esta virtud de la construcción es muy anterior al género policial. La encontramos en la historia del ciego o en la historia de Aladino, de *Las mil y una noches*, y la encontramos en las tragedias griegas. Pero nuestra época tiende a olvidar todo esto, tiende a lo inconexo, que es más fácil. Y en la historia de la literatura la misión de la novela policial puede ser recordar estas virtudes clásicas de la organización y premeditación de todas las obras literarias.

IX

La literatura fantástica
Temas. La Odisea. La Divina Comedia.
Swedenborg. Ciencia ficción.
(1964)

—*¿Siempre te ha interesado la literatura fantástica?*

—Es un tema que ofrece muchas sorpresas a quien lo investiga. Recuerdo que, hace muchos años, me propuse escribir un libro que se titularía *Manual de zoología fantástica*.

—*En el que colaboró Margarita Guerrero.*

—Sí. Al principio, yo creía que, ya que los animales fantásticos se crean combinando animales reales, el jardín zoológico de la imaginación sería mucho más copioso que el de la realidad, pero luego comprobé que el número de animales fantásticos es muy inferior al mundo de animales reales.

—*¡Qué raro! ¿Y a qué se debe?*

—Creo que hay dos causas. En primer término, las especies de la zoología común están obligadas a diferir mucho unas de otras y luego, esto es lo más importante, los animales fantásticos tienen que corresponder a algo, tienen que ser símbolos de algo, aunque no podamos definir bien esos símbolos. Por ejemplo: todos sentimos que el carácter del centauro —combinación de hombre y de caballo— tiene que diferir del carácter del minotauro —confusión de toro y de hombre—, pero no se conoce cuáles son las diferencias. Cuando nos pusimos a investigar las especies fantásticas, cuando recorrimos la *Historia natural* de Plinio; *La tentación de San Antonio*, de Flaubert; *La rama dorada*, de Frazer y otros textos análogos de la Edad Media, comprobamos que los hombres, en diversas épocas y en diversas partes del mundo, habían imaginado los mismos animales. Todos habían imaginado el dragón.

—*Que aunque es benéfico en la China es maléfico en las naciones occidentales.*

—Es cierto. ¿Y no has observado que esto mismo ocurre con la metáfora? La metáfora también se hace combinando elementos reales, pero siempre son los mismos elementos. Tenemos esas eternas e inagotables metáforas de estrellas y ojos, mujeres y flores, tiempo y río, vivir y soñar, dormir y morir, y muy pocas más; las otras metáforas que se han hecho son arbitrarias. Ahora bien, con la literatura fantástica pasa lo mismo. Las literaturas empiezan con la literatura fantástica y no por el realismo; las cosmogonías acaso pertenecen a la literatura fantástica; las mitologías, que corresponden al pensamiento primitivo, también. Pero hay algunos temas que se repiten. Yo compilé con Adolfo Bioy Casares una antología de la literatura fantástica y ahí pudimos verificar que los textos, aunque muy diversos entre sí y aunque procedentes de diferentes épocas y países, volvían a los mismos temas. Tendríamos, por ejemplo, el tema de las metamorfosis, el tema de la identidad personal o, mejor dicho, de las confusiones y zozobras de la identidad. El tema de los talismanes, de la causalidad mágica, que se opone a la causalidad real, y luego las interferencias del sueño y de la vigilia, la confusión del plano onírico con el plano cotidiano y (esto sería acaso lo más rico) los temas con el tiempo. Allí entran las profecías y de nuevo los sueños proféticos. De modo que podría hacerse no ya una breve antología como la que hicimos sino una biblioteca fantástica, ordenada, en la cual cada uno de los textos pertenecería casi con seguridad a uno de los rubros que acabo de señalar.

—*¿Y cuál de esos temas te parece más importante?*
　　—El tema de la causalidad. No el de la causalidad real, sino el de la causalidad fantástica; es decir, cuando a primera vista no se sospecha que haya alguna relación entre la causa y el efecto. Tendríamos que pensar en primer término en aquellas historias de talismanes que abundan en el *Libro de las mil y una noches*. Ahí tenemos el caso, ciertamente paradójico, de genios que están atados a una lámpara o a un anillo. Esos genios son omnipotentes; sin embargo, son esclavos de una lámpara, de un anillo o de su poseedor, y basta frotar la lámpara o el anillo para contar con un esclavo que, a su vez, es omnipotente. Ese sería un ejemplo de la causalidad mágica. En una obra del judeo-alemán Martin Buber, *Historia de los Jasidim*, encontramos otra suerte de causalidad mágica. Se trata de una leyenda de los Jasidim, de la secta de los piadosos, don-

de se cuenta que el emperador de Austria, allá por el siglo XVIII, estaba por firmar un edicto contra los judíos. Esta noticia llega a una aldea perdida en Polonia, en la cual vive un rabino que, en el curso de un día, vuelca un salero, un vaso de agua y un vaso de vino. No se sabe por qué lo hace y él mismo cree que se debió a su propio descuido. Pero luego, al cabo de un tiempo, llega la noticia de que el edicto no ha sido firmado. El emperador estuvo por hacerlo tres veces, y las tres veces, por la torpeza de uno de los secretarios o por la suya propia, se volcó la tinta. Entonces vemos que existía una relación mágica, que bastaba con volcar el agua, el vino y la sal para que se volcara la tinta en el palacio de la lejana Viena.

Hay un libro en el que se reúnen tradiciones y leyendas chinas donde se encuentran ejemplos muy interesantes. Allí se habla de una secta, la secta del loto blanco. El maestro —que es un mago— les avisa a sus discípulos que va a ausentarse durante la noche y les pide que cuiden una vela encendida. Les dice que tengan mucho cuidado de que no se abra una ventana y que el viento la apague. Pero, alta la noche, uno de los discípulos se duerme, la ventana se abre y la vela está a punto de apagarse. A la mañana siguiente aparece el mago y dice que estuvo a punto de ser devorado por monstruos en un desierto de Tartaria porque le faltaba la luz que lo iluminaba. Más adelante hay otro episodio de ese mismo relato, pero ahora el mago les encarga a los discípulos que vigilen un recipiente que está tapado, y sobre todo que no lo destapen. Así lo hacen, pero sienten gran curiosidad y finalmente miran dentro del recipiente. Y ven que está lleno de agua y que hay un barquito de juguete. El barquito zozobra y ellos, aterrados, vuelven a taparlo. En esos momentos aparece el mago empapado, y dice que su nave ha zozobrado en uno de los mares de los confines del mundo y que su vida ha estado en peligro por lo que ellos han hecho.

—¿*Y la historia de la batalla de los dos reyes, no entraría en esta serie?*

—Pero ¡claro! La había olvidado. Y, sin embargo, aquí la causalidad es aun más mágica, si podemos decirlo así... Esa historia está en los *Mabinogion*, que son relatos celtas que fueron descubiertos en galés por Lady Charles Guest y traducidos al inglés por ella. En uno de esos relatos se habla de una batalla entre dos reyes; los ejércitos combaten en el valle, y en la cumbre de una montaña los dos reyes, como ajenos a la batalla que se libra, juegan al ajedrez. Los reyes juegan todo el día, mientras abajo los hombres se matan y fluyen y refluyen las corrientes de la batalla. Finalmente, llega un capitán y anuncia a uno de los reyes que su ejército ha sido derrotado; en ese momento el otro mueve una torre y le dice: «Jaque mate». Entonces comprendemos que la batalla de hombres no ha sido más que un reflejo mágico de la batalla ficticia de las piezas de ajedrez. Los reyes, al jugar al ajedrez, se disputaban el destino de sus reinos y de la batalla final. Este ejemplo es acaso el más hermoso que conozco de causalidad mágica.

—¿Y el tema de la identidad?

—Es otro de los temas esenciales, que comprendería la incertidumbre o las bifurcaciones de la identidad. Es un tema de importancia filosófica. Sabemos que hay una escuela filosófica, una de las más antiguas del mundo, el panteísmo, que tiene adeptos en la India y que fue razonada en el siglo XVII por Spinoza. Según ella, habría un solo individuo en el mundo y ese individuo sería Dios. Dios, en este momento, estaría soñando que es cada uno de nosotros y sería además cada uno de los animales, plantas y piedras y estrellas de este mundo. Cada uno de nosotros sería Dios o sería una faceta de Dios y no lo sabría. Esto, desde luego es grandioso y aquí vemos cómo la literatura fantástica puede confundirse con la filosofía y con la religión, que son acaso otras formas de la literatura fantástica.

—Esto me recuerda el tema del film Psicosis, *de Hitchcock, que muchas veces hemos comentado.*

—En ese film un muchacho mata a su madre. Luego guarda el cadáver y cree a veces ser su propia madre y llega a desdoblarse y a mantener diálogos con ella y, al final, la madre traiciona al hijo, lo acusa de haber cometido los crímenes que ella ha cometido. Pero la madre no sabe que ella es el hijo. Ese tema del desdoblamiento tiene raíces de superstición en muchos países. Tenemos en alemán la palabra *Doppelgänger*, y en Escocia *fetch*, que también es el doble y se dice de las personas que ven el «doble» poco antes de morir.

—*Y el caso de Jeckyll y Hyde, de Robert Louis Stevenson.*

—Cuando esta novela se publicó, hacia 1880, los lectores no sabían que Hyde era una proyección de Jeckyll, creían habérselas con dos personajes. Además, se insiste en la diferencia de edad, de estatura, de modo que al final, cuando se sabe que los dos son uno el lector queda asombrado. Esto hubiera podido lograrse en las diversas versiones cinematográficas, que de esta novela circulan, encomendando el papel de Jeckyll a un actor y el de Hyde a otro, muy distintos entre sí e identificados como dos personas distintas por el auditorio; sin embargo, esto no se ha hecho.

—*Una imitación sería «El retrato de Dorian Gray», de Oscar Wilde, en que Dorian Gray vive como hombre y vive también en la imagen que va envejeciendo y corrompiéndose en una buhardilla de su casa.*

—Es cierto. Pero de todos estos casos, quizás el más hermoso —aunque aquí la identidad no es ignorada por el sujeto y sí por los demás— es el de cierta leyenda noruega donde se cuenta que a la corte del rey Olaf Trigvason —que era cristiano— llega una noche un hombre viejo. Este hombre se apea de su caballo, entra en la sala en que el rey está reunido con sus cortesanos. Tiene el sombrero inclinado sobre los ojos. Está envuelto en una capa (podemos pensar en la imagen de un gaucho pobre). Se presenta tímidamente y hay un momento en que el arpa, tan frecuente en las regiones germánicas, llega a sus manos. Entonces canta historias, historias que no se refieren a santos sino a los casi olvidados dioses. Y habla del dios Odín. Los que están allí se ríen, le dicen que ésos son cuentos de viejas y el hombre empieza a enojarse y dice que lo que él ha cantado es cierto. Cuenta que cuando Odín nació llegaron tres hadas o parcas: dos habían sido invitadas; la tercera, no, y ésta, en lugar de los regalos que trajeron las otras, sacó un candelero con una vela, lo encendió y dijo que la vida del niño duraría lo que durara la vela. Luego las parcas desaparecieron y los padres de Odín apagaron la vela para que el niño no muriera. Olaf Trigvason y los suyos se ríen de la historia, pero el viejo asegura que es verdad y que lleva la vela consigo; la saca de entre su capa, la pone sobre la mesa y la enciende. Todos se quedan mirando la vela. Finalmente ésta se apaga y el rey se da cuenta de que el viejo ha desaparecido. Entonces, sale del recinto y afuera, tendido en la nieve, encuentra a Odín, muerto, tal como profetizó la parca, y cuya identidad es sólo adivinada en ese momento.

—*Y los sueños, ¿no son válidos como tema de la literatura fantástica?*

—Sí, pero generalmente el tema está dado por la interferencia entre los sueños y la realidad. Vamos a empezar por un ejemplo tomado de la literatura china. Se trata de una obra extensa, cuyo protagonista es un mono, que es un símbolo de la humanidad y que viaja al otro mundo para traer escrituras sagradas. En la última página se nos revela que esas escrituras sagradas están en blanco porque no sabrían entenderlas los hombres y esto podría ser un símbolo de la verdad, que es, acaso, inadecuada a la inteligencia humana. En esta obra, que no carece de humorismo, hay un número casi infinito de episodios intercalados. En uno de ellos se habla de un emperador de la China. Este emperador está durmiendo y sueña que sale a caminar por el jardín. En el jardín tropieza con algo enorme, blando y doliente que habla con una voz que no es humana y le dice que es un dragón y pide el amparo del emperador, porque ha tenido un sueño (aquí tenemos un sueño dentro de un sueño: el sueño previo del dragón dentro del sueño del emperador). Ha soñado que el primer ministro le dará muerte al día siguiente y viene a implorar la protección del hijo del Cielo. Entonces el emperador jura que defenderá al dragón, y en ese momento se despierta. Comprende que todo ha sido un sueño, pero piensa que la palabra de un emperador, aun dada en un sueño y a un dragón, tiene que mantenerse. Llama al primer ministro y le dice que tiene ganas de jugar al ajedrez con él. El ministro, naturalmente, se muestra complacido y durante todo el largo día no hacen nada más que jugar al ajedrez. Así, el emperador vigila al ministro y le impide que mate al dragón. Pero al declinar el sol, el ministro se queda dormido sobre el tablero.

—*Seguramente perdió, como corresponde a un súbdito leal.*

—Un ministro no puede ganarle a un emperador. En ese momento se oye un estrépito en el pa-

173

tio del palacio y poco después llegan cuatro capitanes que traen una enorme cabeza ensangrentada que ha caído del cielo. Entonces, el ministro despierta, mira la cabeza, parece reconocerla y dice: «Qué raro; me quedé dormido y soñé que mataba a ese dragón en el cielo». Vemos, entonces, cómo se ha cumplido el sueño.

También tendríamos la historia que está en el *Libro de las mil y una noches*. Ahí el protagonista es un pobre hombre de Alejandría, en Egipto, que sueña que tiene que ir a la ciudad de Ispahan, en Persia, y que allí le será revelado el lugar de un tesoro. El hombre se despierta a la mañana siguiente, recuerda el sueño y emprende sin vacilar el largo y peligroso viaje. Tiene que atravesar selvas, mares, desiertos, ciudades heréticas, ciudades cristianas, pero finalmente llega a la ciudad de Ispahan y se tiende a dormir en el patio de la mezquita. Entran bandoleros en el patio, llegan los soldados y arrestan a todos. El pobre egipcio debe comparecer ante el juez. Éste le pregunta quién es y el hombre le dice que es un egipcio y le cuenta por qué ha dejado su patria. El juez, ante el relato, ríe a carcajadas, ordena que le den azotes y agrega: «Yo he soñado muchas veces con un jardín en Egipto. En ese jardín —dice— hay un reloj de sol y una higuera y debajo de la higuera hay un tesoro, pero nunca he creído en tales supersticiones». El hombre recibe los azotes y emprende el viaje de vuelta a Alejandría y vuelve a su casa; allí hay un jardín con un reloj de sol y una higuera y debajo de la higuera hay un tesoro, pero para que encontrara el teso-

174

ro fue necesario que conversara con el juez que había recibido la noticia. Es decir, que fueron necesarios dos sueños.

—¿Y los juegos con el tiempo?

—Ése es un tema vinculado con el de los sueños, pero que puede excederlo. Pude haber hablado antes de los juegos con el espacio, de las alfombras mágicas, pero todo eso nos impresiona menos ahora porque ha sido superado por la ciencia. Pero quedan los juegos con el tiempo, que está relacionado con los sueños. Voy a tomar un pasaje del gran poeta inglés Coleridge. El texto es muy breve y dice: «Si un hombre soñara que atraviesa el paraíso y si en el paraíso le fuera entregada una rosa y si al despertar se encontrara con esa rosa en la mano, entonces, ¿qué?». Nada más escribió Coleridge, pero H. G. Wells, a fines del siglo XIX, pudo leer este texto de Coleridge y escribió una de las novelas fantásticas más extraordinarias, titulada *La máquina del tiempo*. En ella Wells inventa una máquina que viaja no por el espacio sino por el tiempo y en esa máquina el protagonista llega a un lejano porvenir en que la humanidad está dividida en dos especies: los «morlocos» y los «eloes», y se enamora de una mujer que le da una flor. El viajero debe luego abandonar ese tiempo futuro, vuelve al presente y trae una flor marchita, una flor que no ha florecido aún y que se deshace en sus manos, algo cenicienta. Wells era muy amigo de Henry James. James leyó esta novela y pensó que él podía hacer algo con este tema. James descartó el artificio científico y creo que obró bien.

—*¿Por qué?*

—Porque es más fácil creer en un talismán o en una magia (esto es convencional para nosotros) que en una máquina que pueda andar por el tiempo. Además, Henry James era ante todo un hombre interesado en la psicología, en los caracteres: prefirió que su viajero del tiempo no recurriera a instrumento alguno. El libro de James se llama *El sentido del pasado*. El protagonista es un muchacho norteamericano que vive en una vieja casa que ha pertenecido a sus antepasados en Londres. En la casa hay un cuadro al óleo que representa a un individuo del siglo XVIII exactamente igual a él y que ha quedado inconcluso. Nuestro protagonista vive leyendo libros del siglo XVIII y les dice a sus amigos que se encuentra incómodo en el siglo actual y que desea vivir en aquella época. Nadie le cree. Entonces se encierra en su casa, solo, leyendo, y llega una noche en que, sin demasiada sorpresa, ve que en la pieza contigua hay una gran luz de candelabros, que hay mucha gente y que él mismo está vestido a la moda del siglo XVIII. No por un artificio científico, sino por la tenacidad y voluntad de su imaginación ha llegado al siglo XVIII. Sus antepasados lo reciben afectuosamente, creen que es un primo que ha venido de América y conoce a un famoso pintor que quiere retratarlo. Él le dice que no podrá concluir ese retrato. El artista le asegura que sí, pero a medida que la obra avanza el pintor tiene que desistir de su propósito, ya que hay algo en ese rostro del siglo XX que él, pintor del siglo XVIII, no puede entender. Luego el protagonista

176

conoce, previsiblemente, a una muchacha, se enamora de ella, pero comprende que, como él ha sido un desterrado en el siglo XX, también lo es en el XVIII, es decir: es una persona híbrida, que no pertenece a ningún tiempo; en cada una de esas épocas sentirá nostalgia de la otra. Entonces se despide de su novia, porque tiene otro destino, que es el verdadero. Y es el destino de pensar en ella y de añorarla estando muy lejos. Pasa a la otra habitación y poco a poco se encuentra solo, frente al retrato inconcluso. En la última página, va a buscar la lápida en el cementerio y ve que esta muchacha ha muerto soltera hacia mil setecientos y tantos. Aquí tendríamos, creo, la mejor forma de esta historia que fue entrevista por Coleridge, que fue continuada por Wells y que fue perfeccionada por Henry James. Un ejemplo espléndido del juego con el tiempo.

—*¿Y las relaciones de los hombres con el más allá?*

—Es curioso que no hubiéramos citado hasta ahora, siendo uno de los más importantes, el tema del comercio de los hombres con los muertos y con las diversas versiones del mundo ultraterreno. Pero entonces tendríamos que incluir dentro de la literatura fantástica textos como el undécimo libro de la *Odisea*, el sexto libro de la *Eneida*, las visiones de los místicos musulmanes y también *La Divina Comedia*. Es sabido que en todos estos libros hay invenciones extraordinarias. El mismo Henry James escribió un cuento titulado «The Jolly Corner» donde el protagonista vuelve de Inglaterra a

177

su vieja casa de Nueva York y allí se encuentra consigo mismo, con el hombre que él hubiera sido si no hubiese salido de esa casa y si no hubiera tenido ciertas experiencias que lo han salvado. En ese cuento asistimos no a la persecución de un hombre por un fantasma, sino a la de un fantasma por un hombre, porque el protagonista persigue a través de los corredores, de las escaleras, de los muchos pisos polvorientos al hombre mutilado, pequeño, que él hubiera sido si no se hubiera salvado de ese ambiente. En ese cuento tenemos dos vidas paralelas en un mismo hombre y es curioso comprobar que todo esto está como prefigurado en unos versos de la *Odisea*. Allí, Ulises se encuentra con la sombra de Hércules en los infiernos y esa sombra persigue a fieras. El poeta nos dice que eso no es más que una imagen de Hércules, que el alma está en el Olimpo y participa del banquete de los dioses. Tenemos la misma idea que unos treinta siglos después redescubrirá Henry James; la idea de dos vidas paralelas y distintas de un mismo hombre. En cuanto a Dante, podrá decirse que el poema no fue escrito como una obra fantástica. Tenemos, sin embargo, el testimonio del mismo Dante. Éste, en la epístola que dirigió al Can Grande de la Scala, dice que su poema puede leerse como la Escritura Sagrada, de cuatro modos distintos. Y aquí cabría recordar que Scoto Erígena habló no de cuatro sentidos de las Escrituras Sagradas, sino de un número infinito de sentidos, acaso uno para cada lector, y comparó esa riqueza de sentidos con el plumaje tornasolado de un pavo real. Tenemos también el testimonio de un hijo de Dante. Éste, en su comentario de *La Divina Comedia*, dijo que Dante se había propuesto describir tres estados humanos: el estado del culpable, que había hecho bajo imágenes infernales; el estado del arrepentido, que había hecho bajo la imagen del Purgatorio y el estado del hombre justo y virtuoso, realizado bajo la imagen del Paraíso.

—*Es decir que, cuando alguien censura la ingenuidad de Dante al presentarnos esa imagen del cono invertido del Infierno, de la montaña con terrazas del Purgatorio y las esferas concéntricas y gloriosas del paraíso, lo que hace realmente es demostrar su propia ingenuidad.*

—Pero es lógico. Porque Dante no creyó que el otro mundo correspondiera a su imagen poética y tampoco pudo creer que en el otro mundo los individuos serían castigados y premiados como él lo escribe. Él mismo aseguró que nadie puede adivinar las decisiones de la justicia. Es decir, Dante buscó para cada pecado un destino y luego inventó los castigos, inventó la topografía, la geografía de los otros tres mundos y, sin duda, no pensó nunca que éstos serían así, ya que nadie sintió como Dante la insondable riqueza de Dios. Es decir, para Dante y para los contemporáneos, *La Divina Comedia* fue una obra fantástica. Además, debemos recordar que la idea, el concepto del realismo era totalmente ajeno a la Edad Media. De modo que no hay por qué suponer que hiciera una literatura realista del otro mundo cuando a nadie se le había ocurrido hacer, en aquellos siglos, una literatura realista de este mundo. De suerte que la literatura fantástica puede honrarse con estas obras espléndidas que son los libros de la *Odisea*, de la *Eneida*, las visiones paradisíacas o infernales de los místicos orientales y *La Divina Comedia*.

También quiero recordar a un escritor, no menos extraordinario que Dante, aunque infinitamente inferior a él desde el punto de vista literario y poético, ya que no desde el punto de vista de la imaginación y de la visión perspicua de cosas imaginarias. Me refiero al gran místico sueco Emmanuel Swedenborg. Éste ha renovado, por así decir, el concepto del cielo y del infierno. Para Dante, todavía el infierno es un establecimiento penal y el cielo es lo que algunos juristas llamarían un establecimiento «premial». Es decir, son lugares de castigo o de premio. En cambio, Swedenborg, que, según él, conversó con ángeles y visitó los cielos y los infiernos, no en un momento de éxtasis sino a lo largo de veinte años de vivir en este mundo y en el otro, Swedenborg dice que el cielo y el infierno son lugares adecuados a quienes los habitan; es decir, que a los viciosos y a los culpables les agrada el infierno o, en todo caso, es el único lugar en que pueden vivir. Hay un capítulo en las obras de Swedenborg en el cual se dice que, desde el cielo, desde su altura, cae un rayo de luz a las profundidades del infierno y ese rayo de luz es sentido por los condenados como algo horrible que los quema, que los hace sufrir. Es decir, que no son felices en el infierno, pero serían mucho más desdichados en el cielo.

Y ya que he hablado de Swedenborg, quiero contarte una fábula o parábola en que habla de un hombre que se propone ir al cielo. Ese hombre se retira a vivir al desierto y se niega a todos los placeres. Vive rezando, ayunando y mortificándose y llega el día de su muerte en que, efectivamente, su alma asciende al cielo. Pero el cielo concebido por Swedenborg es espiritual y materialmente mucho más rico que este mundo. En el cielo las formas de las cosas son más complicadas, los colores mucho más diversos (incluso hay colores que ni siquiera podemos concebir en este mundo). Hay una gran ciudad de palacios y además como un rico mundo intelectual (esto es típico de Swedenborg), como un mundo de discusiones sobre delicadezas teológicas. Así que el pobre ermitaño llega al cielo y no entiende nada, porque no ha preparado su alma intelectualmente para el cielo y, al cabo de algunos siglos, comprende que no puede estar ahí, que se ha empobrecido por su vida de mortificaciones. Pero, ya que tampoco lo enviarán al infierno, porque ha cometido un error intelectual y no un error moral, le permiten crear, en algún lugar del espacio infinito, una versión o alucinación del desierto, de la ermita, de la fuente junto a los cuales vivió toda su vida...

—*¿Sigue estando allí ese pobre hombre equivocado?*
—Sí, pero mucho más desdichado que cuando vivía realmente en la tierra, porque cuando vivía en la tierra esperaba el cielo.

—*Y ahora no espera nada.*

—No, porque se ha hecho indigno por haberse empobrecido en la privación, en el ayuno, en la plegaria mecánica. Podría agregar otras palabras sobre una ficción ultraterrena de Wells, titulada «El caso Platner». Wells, en ese cuento, imagina personas a quienes él llama «vigilantes de los vivientes», pero más importante que eso es el hecho de que el protagonista de ese cuento, un profesor alemán que enseña en una escuela inglesa, es bruscamente arrebatado al otro mundo y cuando vuelve, bruscamente también, se descubre que está zurdo y que tiene el corazón del lado derecho, como si lo hubieran invertido en una cuarta dimensión, como sucede con nuestra imagen en el espejo. Y acaso esta invención circunstancial del corazón en el lado derecho, del cuerpo invertido en otra dimensión, es más importante que lo que Wells pudo imaginar sobre las vidas de quienes observan a los vivos.

—*¿La ciencia-ficción es un derivado de la literatura fantástica?*

—Sí, creo que las ficciones científicas son una rama muy importante de la literatura fantástica. Y si me lo permitís, yo podría bosquejar una historia de ese género literario.

Tendríamos, en primer término, la novela inconclusa *La Nueva Atlántida*, que Francis Bacon escribió a principios del siglo XVII. Esta obra es estrictamente una obra de ciencia-ficción. Bacon imagina una isla, perdida en el Pacífico, en la cual se han ejecutado las posibilidades de la ciencia que

Bacon profetizaba. Hay allí jardines zoológicos donde se encuentran productos logrados por cruzas de todas las especies de animales conocidos; tenemos jardines botánicos fantásticos, gabinetes en los que se producen meteoros, lluvia, heladas, granizo y arco iris. Otros donde se proyectan imágenes fantásticas (esto sería una premonición del cinematógrafo) y encontramos también embarcaciones para viajar por los aires o por debajo del agua. Es decir, que Bacon estaría cerca de otro precursor, Julio Verne, quien tenía lo que podríamos llamar una imaginación razonable. Más o menos, todo lo que él profetizó se ha realizado ahora o está en vías de realizarse. Cuando a fines del siglo XIX, Wells escribió *Los primeros hombres en la Luna*, *El hombre invisible*, *La isla del doctor Moreau*, que son obras de *science-fiction*, Julio Verne se escandalizó y dijo: «¡Está inventando!». Wells recuerda esto en su *Autobiografía* y dice que, precisamente, lo que él se propuso fue no adelantarse a la ciencia, sino crear obras de imaginación. Wells afirma que ninguna de las cosas anunciadas en sus novelas se cumplirán, y esto lleva a una cuestión de la cual creo ya haber hablado: si conviene usar la magia o procedimientos científicos en este tipo de literatura.

—*La magia tiene una ventaja: nos exige un acto de fe. Quiero decir que el autor supone que nosotros creemos que basta la posesión de una lámpara o de un anillo para llegar por medio de un genio a la omnipotencia.*

—Es claro. En cambio, en las novelas de *science-fiction* se postula un mecanismo, por ejemplo

una máquina para viajar en el tiempo, un tratamiento que haga invisibles a los hombres, etc. Ahora bien, entiendo que el defecto de este segundo
procedimiento es que el autor empieza con una
idea que tiene todo el aspecto de ser razonable (por
ejemplo, que el cuerpo humano puede hacerse invisible mediante un tratamiento adecuado), pero
luego no lo explica, nos dice que lo ha inventado
otro, y aquí sentimos una suerte de flaqueza, de un
desfallecimiento de la invención. En cambio, en el
caso de una capa, en la cual un hombre se envuelve para volverse invisible, o en el caso de una al-
fombra que lo traslada a regiones remotas, tenemos que abandonar nuestra imaginación a ese
hecho, que, por lo demás, no ha sido inventado por
el autor, sino que pertenece a una tradición de la
imaginación humana. En ese sentido, parece que
hay algo más limpio en las ficciones mágicas que
en las de simulacro científico, género que tiene algo impuro, un principio de razonamiento, de pensamiento que no se realiza. En cambio, podemos
decir que en nuestro tiempo creemos en las posibilidades de la ciencia y creemos mucho menos en
las posibilidades de la magia.

—*Los escritores que has mencionado son los precursores*
del género. Acercándose más a nuestra época, ¿a quién
podríamos mencionar?
    —Podríamos mencionar a Lovecraft. Love-
craft está dentro de la tradición de Poe y tiene el
mal gusto de su maestro, pero también tiene imaginación; ha construido espléndidas pesadillas. Ten-

dríamos también a Stapleton, pero sus obras *Last and First Man* y *Star Maker* corresponden, digamos, a lo que uno puede imaginarse de otros mundos. Son libros extravagantes, pero uno puede pensar que todo esto ha ocurrido en otras edades o está ocurriendo en otros planetas o en otros sistemas. De modo que, a pesar de la extravagancia de sus libros, hay un fondo de sinceridad. Uno siente que el autor cree, por lo menos mientras lo escribe, en lo que nos está refiriendo. Y hay un autor acaso más importante que todos ellos, que es Bradbury. En su caso, tenemos mundos fantásticos, pero al mismo tiempo sentimos, sin sentirlo demasiado, porque eso se parecería bastante a la alegoría o al símbolo, que las invenciones de Bradbury corresponden no a nuestras vidas sino a nuestros sentimientos; al infinito tedio, a la infinita tristeza de los mundos fantásticos de Bradbury...

—*Corresponden al tedio y a la tristeza de un domingo en Buenos Aires.*

—O en cualquier lugar. Entre nosotros tenemos a un gran escritor de ficciones científicas y de otras ficciones también. Me refiero, evidentemente, a Adolfo Bioy Casares. Yo tuve el honor de prologar *La invención de Morel* y recuerdo que Adolfito me dijo que le había puesto ese título porque quería reconocer, de algún modo, la deuda que tenía con Wells. Wells había escrito *La isla del doctor Moreau*. Pero el libro de Bioy de ningún modo debe nada —en todo caso directamente— a Wells, salvo que allí trata de una isla donde suceden hechos extraordinarios. En *La invención de Morel* nos encontramos con una especie de extensión del cinematógrafo: no sólo hay imágenes y voces, sino las tres dimensiones y, acaso, lo que sienten los personajes también ha sido proyectado y se repite cíclicamente. El protagonista vive entre esos fantasmas sin saber que lo son y ellos viven su mundo sin saber que él existe. Todo este libro viene a ser un símbolo de la soledad, como lo son las obras de Bradbury, y acaso la fuerza de este libro proceda de que el autor, al escribirlo, se abandonó a su sueño fantástico y no pensó que estaba haciendo también un símbolo de la soledad, de la duradera soledad de los hombres.

—¿Cuál es el peligro de la ciencia ficción?

—En general, entiendo que el peligro de este género fantástico es lo que podría llamarse el gigantismo. Exagerar las cosas, aumentar las dimensiones, propender a lo multitudinario y a lo cósmico. Esto hemos podido comprobarlo en un film que empieza siendo admirable y que luego se pierde: *El embajador del miedo*, según su título en español. En esta película, al principio, vemos a unos prisioneros americanos hipnotizados y ellos no ven a quienes los hipnotizan (un grupo de sabios coreanos, chinos y rusos), sino que los ven bajo la apariencia de un grupo de señoras que da una clase de horticultura. Cuando ellos hablan con quienes están hipnotizándolos creen ver a esas señoras grotescas, muy viejas, muy feas, muy empaquetadas, y no contestan «Sí, señor», sino «Sí, señora». Luego el film se pierde en el gigantismo. Por ejemplo, se cometen varias muertes espantosas y cada muerte impresiona menos al espectador. Es una lástima que haya sido ejecutado por gente que no parece haber sentido las virtudes de la reserva. Como sucedió con aquella película *Metrópolis*, de Fritz Lang, que empieza impresionando y luego llega a ser totalmente ineficaz porque todo se magnifica hasta lo increíble. En este film que he mencionado interviene el psicoanálisis.

—*¿Qué pensás del psicoanálisis?*

—Podría atreverme a decir que carece quizá de toda virtud curativa, que el psicoanálisis puede haber inventado hechos imaginarios pero, aplicado a la crítica literaria, es absurdo. Es absurdo psicoanalizar a Macbeth o a Hamlet. En cambio, el psicoanálisis es muy importante como estímulo para la imaginación literaria y —ya lo hemos visto en el caso de *Psicosis*— para la invención de películas fantásticas.

X

El infinito
Hinduismo. Transmigración. El libro de Job.
Amuletos y talismanes.
(1964)

—*Hablábamos el otro día de una individualidad muy peculiar de la mente hindú.*

—Sí, me acuerdo; la de concebir el tiempo infinito. Kant en *Crítica de la razón pura* enumera una serie de antinomias, de alternativas que resultan imposibles a la mente humana; por ejemplo, la idea de que el espacio tenga un límite o de que no lo tenga, la idea de un primer instante en el tiempo y un instante al que no precedió ningún otro y de un último instante en que después no habrá tiempo.

—*Es decir que no habrá después.*

—Precisamente. Pues bien, dice Kant que tampoco la mente humana puede concebir un tiempo infinito, un tiempo sin principio, ni fin. En cambio, los hindúes, a juzgar por el hinduismo y por el budismo, conciben, sin ninguna dificultad, un tiempo infinito.

—*Y, ¿cómo habrán llegado a esa concepción?*

—Los habría llevado a esto la teoría de las transmigraciones del alma. Según esta doctrina, cada uno de nosotros, antes de habitar este cuerpo del que disponemos, ha habitado un número infinito de cuerpos; hemos sido minerales, hemos sido plantas, hemos sido animales, otros hombres, ángeles, espectros, antes de ser hombres aquí y ahora. Los vicios, las virtudes, las felicidades e infelicidades de esta vida se explican, según la doctrina del Karma, por nuestros actos cometidos en una vida anterior.

—*Entonces, según esa doctrina, si somos desdichados, eso es un castigo por culpas anteriores.*

—Y, si alguna vez merecemos la felicidad o la placidez o la serenidad, es un premio que recibimos por un acto o por un sentimiento o por algún pensamiento de nuestra vida anterior.

—*Pero esto plantea otro problema. ¿Por qué en la vida anterior fueron permitidos tales vicios y tales virtudes, tales desdichas y tales felicidades?*

—Indudablemente por influjo de otra vida anterior y así, cada vida, para tener un carácter determinado, presupone otra.

—*Y no hay un primer término en esta serie infinita de vidas que hemos cursado.*

—Es que decir serie infinita significa para los hindúes que hemos vivido en infinitos cuerpos, en infinitos mundos, un número infinito de veces. Y la palabra infinito no quiere decir indeterminado, sino estrictamente infinito. La noción de un infinito actual, que le resultaba imposible a Kant, como antes le había resultado imposible a los pensadores chinos y a los pensadores griegos, es algo incomprensible para la mente de los hindúes.

—*¿Esta concepción no entraña una carencia del sentido histórico?*

—Pero, claro. Imaginémonos un texto occidental en el que Spinoza conversara con Parménides y Parménides fuera anticipado por Hume.

—*Un disparate.*

—Bueno, pero nos da la idea de lo que son los textos filosóficos orientales. Un orientalista alemán, Hermann Oldenberg, ha querido defender a los hindúes de esta acusación de falta del sentido histórico y en un trabajo, *Aus den Alten Indien (De la India antigua)*, él menciona dos obras que se han producido en el Indostán; una de ellas es del norte, se trata de una historia de Cachemira, y la otra del sur, una historia de Ceilán. Pero la probidad del apologista, le obliga a señalar que, en el primero de estos trabajos, un rey gobierna a su país doscientos años después de la muerte de su sucesor, y en el segundo que entre las dinastías que gobernaron Ceilán, tenemos, en primer término, una no humana, sino de serpientes, que viven en palacios y profesan la fe del Buda. Como has señalado, no podemos hablar de un sentido histórico de los hindúes, pero, con todo, eso tiene una ventaja.

—*¿Cuál?*

—Paul Valéry habló alguna vez de una historia de la literatura sin fechas, ni nombres propios, de una historia en que se consideraran todas las obras como producciones del espíritu, del Espíritu Santo, sin distinciones de tiempo ni de espacio.

—*Entonces, los hindúes se acercan a ese libro ideal, pensado por Valéry.*

—Pero, María Esther, entre nosotros la historia tiende a devorar las otras disciplinas. En nuestras universidades no se estudia realmente literatura, se estudia historia de la literatura, el fondo sociológico de las obras o, en el mejor de los casos, las vicisitudes geográficas y los cambios de domicilio de los autores.

—*En cambio, para los hindúes todo es contemporáneo.*

—Lo cual es una manera de decir que todo es eterno. A los hindúes les interesa realmente la filosofía, no les interesa el nombre de los filósofos, su orden cronológico, su ubicación en el espacio o en el tiempo. Les interesan realmente los problemas, creen en su posible solución y por eso simulan que el largo diálogo de las generaciones que se han ocupado de filosofía ocurre no en el tiempo sucesivo, sino en una suerte de contemporánea y mágica realidad.

—*¿Y cuál sería el concepto de la justicia en un infinito contemporáneo y eterno?*

—¡Qué coincidencia que me hables de justicia!

—*¿Por qué?*

—Porque esta mañana hablé sobre el «Libro de Job», sobre la aparente injusticia de que Dios permita al hombre virtuoso ser desdichado.

—*Tenés una especial predilección por el* Libro de Job, *¿no?*

—Sí, Pensemos que es un poema dramático y que se juzgó el primero de todos los libros, por encima de la obra de Homero, de Dante, de Shakespeare. Hay un rasgo muy curioso en ese antiguo poema. Al principio Dios conversa con Satán y le permite poner a prueba la virtud de su siervo Job. Luego, efectivamente, Job es afligido, mueren los hijos, perece la hacienda, él es atacado de lepra; nunca se queja. Tenemos luego —como te decía— aquel largo debate sobre la justicia de Dios y sobre el hecho inexplicable, para quienes creen en un Dios todopoderoso, de que el hombre virtuoso pueda ser también un hombre desventurado, y al fin del libro aparece Dios, que habla desde el torbellino. Ahora lo curioso es que Dios no se justifica ante Job. En otros libros del Antiguo Testamento, Dios aparece como un padre, como un juez o como un rey, pero aquí se limita a señalar su poder e invoca a dos de sus criaturas más extrañas: el *behemoth*, que puede ser el elefante o el hipopótamo, y el *leviatán*, que puede ser la ballena o el dragón. Es decir que Dios aquí toma, no sólo como pruebas de su poder sino como símbolos de ese poder y de su carácter incomprensible, a dos criaturas monstruosas.

—*¿Todo esto no tiene un cierto parentesco con la novela* El Proceso, *de Kafka?*

—Vamos a ver. En la novela tenemos a un hombre juzgado y finalmente sentenciado por un tribunal, que maneja un código ininteligible, es decir, a un hombre sometido a un destino que está más allá de su comprensión. Sí, el parentesco existe, porque lo mismo ocurre con Job. Dios no dice que ha obrado justamente. Dios dice que su esencia es ser incomprensible, casi monstruoso para los hombres, tal sería la extraña moralidad de ese poema del Antiguo Testamento.

—*Por eso los hombres inventaron una serie de signos para congraciarse con Dios.*
   —¿Cuáles?

—*Los amuletos.*
   —Con Dios y con el destino. Pero eran peligrosos. Valentiniano hizo crucificar a una vieja porque colgaba al cuello de las personas afiebradas pedacitos de pergaminos escritos (serían encantamientos) para curarlas.

—¿*Y por eso la hizo crucificar?*
   —Sí. Claro que la crucifixión era la forma usual de la ejecución. Recuerdo que en uno de los capítulos iniciales de *Salambó*, de Flaubert, los mercenarios pasan por una calle y a ambos lados hay cruces con leones crucificados; al final del libro los crucifican y uno de ellos se vuelve hacia su compañero de martirio y le dice: «Te acuerdas de los leones».

—*También en España, en la Edad Media, se colgaban del cuello de los niños oraciones para que los preservaran de todo mal. La madre de un rey de Navarra, don Ursino, decidió mandar al niño en peregrinaje a Santiago*

de Compostela. Como el viaje era largo la madre lo pro-
veyó de dos amuletos de pergamino; en uno, iba escrita
una oración católica; en el otro, una oración en árabe,
donde se alababa a Alá.

—Era una señora precavida.

—En la mitad del camino es raptado por una osa, que lo
lleva a su cueva sin hacerle daño.

—Aquí tenemos a Rómulo, a Remo y al personaje de Kipling, criado por una osa y una pantera.
¿Y qué pasó con don Ursino, que me imagino que
tomó su nombre de ese episodio?

—Cuando la osa murió, dos años más tarde, el niño si-
guió su viaje. Parece ser que el amor de la osa por el ni-
ño se debía al amuleto árabe.

—De modo que la osa era islámica. ¿Cuál fue
el papel del amuleto cristiano?

—Con su protección llegó sano y salvo a Santiago de
Compostela.

—Tu relato, María Esther, me recuerda lo que
refiere Beda el Venerable en su *Historia de la nación*
y de la iglesia de Inglaterra, que habla de aquel rey
de Nortumbria o de Mercia, que tenía en su casa
dos altares; uno, dedicado a Cristo; el otro, a los
que Beda llama «los demonios» y que eran los dioses paganos de los cuales el propio rey descendía.
Beda lo supone muy perverso porque adoraba a la
vez a Cristo y a los demonios; yo creo más bien que
era un hombre precavido que no quería malquistarse con ningún poder sobrenatural.

—*Además, no sería un teólogo muy estricto.*

—Creo que no. Sensato sería suponer, en este caso, la bilocación celestial; este rey de Nortumbria, al morir, fue al paraíso cristiano y al *Walhala* germánico en dos formas por haber quedado bien con todas las divinidades posibles que tenía a su alcance. ¿No recordás otro ejemplo de amuletos, María Esther?

—*El del príncipe de Orange, que allá por el siglo XVI tomó preso a un caballero español, cuyo cuerpo repelía los proyectiles que disparaban sobre él, porque llevaba sobre sí una oración a la Santísima Virgen.*

—Hay un símil un poco más moderno de tu ejemplo. Le refirieron a Heine que, en un duelo a pistola, uno de los contrincantes recibió un balazo, pero la bala no lo mató, porque precisamente dio contra la cartera llena de dinero que tenía en el bolsillo. Entonces, Heine dijo: *«Voilá de l'argent bien placé»* (¡Qué dinero bien colocado!). Y Bernard Shaw dice, en uno de sus prólogos, que es una lástima que la gente no lea la Biblia y que la considere más bien un amuleto. Por entonces, corrían muchas historias de la guerra de Crimea y de la guerra de Sudáfrica, que narraban cómo la Biblia que llevaban los soldados contra el cuerpo había interceptado el proyectil.

—*Alberto Magno, en el siglo XIII, recomendaba a las personas mayores de treinta años colgarse del cuello pedacitos de azufre para preservarse de las enfermedades que ocasionan el frío, la humedad y los años.*

—Acabás de mencionar la edad de treinta años. Eso me recuerda que la edad perfecta es de treinta y tres: la edad en que muere Cristo, el segundo Adán, y la edad en que es creado Adán, que nace a los treinta y tres años.

—*Leyendo la historia de Alberto Magno me acordaba del poeta Caedmon, que apreciás tanto y cuya historia es parecida.*
    —¿En qué?

—*Alberto Magno nació siendo un tonto y adquirió su sabiduría después de la aparición de la Virgen.*
    —Es cierto. Aquel Caedmon era un pobre pastor y durante un sueño le fue revelado por un ángel el don poético y durante un sueño compuso un poema sobre los primeros versículos del Génesis.

—*Alberto Magno fue más lejos; fabricó un autómata. Santo Tomás lo destruyó porque le parecía algo diabólico, pero era un aparato mecánico.*
    —Por venirle la sabiduría de una aparición de la Virgen era bastante completa. A diferencia del Golem del rabino de Praga, que fabricó por medios cabalísticos un hombre que lo ayudaba como sirviente en la sinagoga. ¿Conocés otros hechos más o menos ingeniosos atribuidos a Alberto Magno?

—*Una vez, en invierno, tuvo que dar un banquete y como vivía en la mayor austeridad, su casa estaba helada. Sin embargo, cuando llegaron los invitados, las pa-*

redes estaban cubiertas de terciopelos y de tapices y brillaban los fuegos en los hogares; luego, a medida que los invitados se fueron retirando, desaparecieron cortinas y fuegos y volvieron a quedar las paredes de piedra desnudas y heladas.

—Esto me recuerda un milagro un poco atroz, diabólico, que refiere Swedenborg, y cuyo protagonista es el teólogo protestante Melanchton. Melanchton está en el infierno —dice Swedenborg— y allí van a visitarlo muchas personas. Él los recibe en una habitación espléndida, llena de tratados teológicos, pero, todo eso se desvanece cuando se van los visitantes y, a veces —agrega terriblemente Swedenborg—, un poco antes y se descubre que todo es una alucinación y que Melanchton no está en el cielo, como quiere hacer creer, sino en el infierno.

—*Artificios mágicos.*

—Sí. Leí los capítulos pertinentes del libro de Trastenberg sobre magia y supersticiones judías y no recuerdo si fue Tylor o si fue Frazer, el que dijo que la magia era una forma primitiva de la ciencia. En el caso de los amuletos o talismanes, éstos consistían en piedras preciosas a las que se atribuían ciertas virtudes, muchas veces curativas y otras mágicas. Se decía que el ágata daba elocuencia, el carbunclo hacía que el jinete estuviera firme sobre la cabalgadura. Había piedras para conservar la castidad.

—*Y el coral atraía a la persona amada.*

—Es cierto. Y creo recordar que todo esto puede encontrarse muy fácilmente, fuera de los libros técnicos, en aquel capítulo de *El retrato de Dorian Gray*, de Oscar Wilde, donde se habla de instrumentos de música y de joyas. En cuanto a los amuletos judíos consistían en versículos de la Ley, o si no en dos signos famosos: el pentágono, el sello salomónico, y el hexágono o escudo de David, que ahora viene a ser como la significación de Israel, pero que no es un símbolo muy antiguo. Después, pero parcialmente fuera de los judíos, tendríamos a las sectas gnósticas, las piedras de Abraxas y una palabra, cuyo origen no se ha esclarecido, *abracadabra*, que se escribía varias veces.

—*Formando una especie de triángulo.*

—Formando exactamente un triángulo, con la base arriba y el ápice, que constaba de una sola letra A, en la parte baja. Todo esto se grababa en un pergamino y se colocaba sobre el estómago como una defensa contra las enfermedades. Había leyes especiales que debían observar quienes fabricaban amuletos y tenían que mantenerse puros. Había amuletos que debían ser arrojados, luego de nueve días de uso, en las aguas de un río que corriera hacia el poniente.

—*Y, ¿por qué hacia el poniente?*

—Esto sin duda, tendría un significado que ahora se ha perdido.

—*Y, ¿cómo eran los alfabetos mágicos?*

—Eran alfabetos hechos de figuras geométricas o de formas caprichosas. En esos alfabetos se escribía el secreto nombre de Dios, que tenía una virtud especial, que no se sabe muy bien cuál era o quizá no se supo nunca.

XI

La literatura inglesa

El anglosajón. Chaucer. Kipling. Macpherson. Gibbon.
Marlowe. Shakespeare. Los celtas.
(1962)

—*¿Por qué has elegido la literatura inglesa antigua para dirigir un seminario?*

—Yo había dictado, hace dos años, un cuatrimestre de literatura inglesa en la Facultad de Filosofía y Letras de la Universidad de Buenos Aires. Es decir, había tratado de explicar esa literatura, casi infinita, en el breve espacio de cuatro meses, y debemos pensar en cuatro meses argentinos; en un período acribillado de días feriados, de aniversarios, de huelgas, de homenajes a Fidel Castro y demás. Al cabo de ese término, vinieron unas discípulas mías a saludarme a la Biblioteca Nacional y yo les dije, casi por decir algo y sin mayor esperanza, que sería interesante ahora, que oficialmente habíamos concluido con la literatura inglesa, estudiar sus orígenes y la forma antigua de esa lengua. Cuando las alumnas me dijeron que sí, me quedé desconcertado. Les avisé que sabía tan poco como ellas, pero, una semana después, nos reunimos un sábado a la mañana. Yo había conseguido un ejemplar de la *Crónica anglosajona* y allí encontramos una frase que fijó nuestra decisión. Esta frase en español sería: «cuatrocientos veranos después que

Troya, ciudad de los griegos, fue devastada»; no sé por qué esto nos impresionó tanto; quizá fue el hecho de encontrar la antigua fábula de Troya perdida en las orillas del Mar del Norte. Esto y el descubrimiento de que a Roma le decían Romeburg, y al Mediterráneo, Mar de los Vándalos, hizo que me enamorara de ese idioma y ahora hace cinco años que estamos estudiándolo. Hemos recorrido muchos textos en prosa, textos que, aunque escritos por reyes, por guerreros y por sacerdotes, tienen algo de extraordinariamente ingenuo, y poemas que son épicos, a veces, personales y casi románticos.

—¿Y cuáles son las obras que más te gustan?

—En primer término, un poema épico, «Beowulf», que sucede en tierras escandinavas, porque los sajones que invadieron Inglaterra procedían de las orillas del Mar del Norte y de las orillas del Báltico. Luego, las elegías. En una de ellas, «El navegante», se encuentra ya un tema que será eterno en la literatura inglesa.

—¿El del mar?

—Sí. Pero sobre todo el del horror y, al mismo tiempo, el de la misteriosa fascinación del mar. Tema que luego encontraremos en Wordsworth, en Swedenborg y en Kipling. Pero hay un poema, un poema breve, acaso el último que se compuso en lengua anglosajona antes de que ésta se llenara de palabras latinas y se convirtiera en el inglés actual o, en todo caso, el último poema que se ha conservado de aquella época medieval, que se titula «La sepultura». Está hecho de una sola imagen que en sí no es asombrosa: la idea de comparar la sepultura con una casa, con una morada. El poeta empieza por decir: «Para ti se edificó una casa antes de que nacieras, para ti el polvo fue medido antes de que salieras de tu madre». Luego hay unos versos que me parecen inolvidables: «Esa casa no tiene puertas y adentro está oscuro / y atroz es habitar ahí... / El techo de la casa no es muy alto, / el techo toca el pecho del habitante...». En el final, el poeta dice: «Los caminos son oscuros. / Nadie vendrá a ver al hombre cuando esté alojado en esta última habitación / nadie irá a preguntarle si esa casa le gusta». Éste sería un poema extraordinario escrito en cualquier época. Porque muchas veces, para apreciar textos antiguos tenemos que considerar que fueron escritos en tal o cual fecha y que había tales o cuales limitaciones. «La sepultura» ha sido literal y admirablemente traducido por Longfellow al inglés. Además, es uno de los poemas más fáciles por su vocabulario: está escrito en un anglosajón ya a punto de convertirse en inglés.

—*Hace un momento mencionaste «El navegante».*

—Este poema tiene un tono personal. Comienza así: «Yo puedo decir una canción verdadera, sobre mí mismo / contar mis viajes». El verso «sobre mí mismo» recuerda o, mejor dicho, profetiza al famoso «Song of myself» de Walt Whitman. Luego, vienen aquellos versos en que se habla del horror del mar, de las tempestades, de la nieve, y después aquellos otros en que se dice que, para el que siente el llamado del mar, nada puede bastarle, nada puede satisfacerle, salvo el mismo mar y los riesgos. En inglés antiguo hay sonidos que encontramos en las lenguas eslavas, que se han perdido en otras lenguas; por ejemplo, en inglés o en alemán, el nombre del anillo es *ring;* en cambio, en anglosajón es *hring*, con hache aspirada; en inglés, relinchar se dice *to neigh*, en cambio, en anglosajón hay una hache aspirada: *heneian*. Por esos misterios de las etimologías, la actual palabra inglesa *lord* se deriva de la expresión anglosajona «guardián del pan»; ¿quién diría que esas aristocráticas palabras *lord* y *lady* proceden de un simple panadero?

—*¿Cuál es la principal diferencia entre el anglosajón y el inglés?*

—El anglosajón tiene vocales abiertas como el latín; esto lo diferencia del inglés, que tiene veintitantas vocales, que es lo mismo que no tener ninguna, ya que unas se funden en otras.

—*¿Y cómo se sabe que esas vocales eran realmente abiertas?*

—En eso coinciden todos los estudios.

—*Además, uno siempre cree lo que quiere creer. ¿No es cierto?*

—(Riendo.) Por supuesto. Sigamos con «El navegante». Dice más adelante el poema: «aquel que ama al mar no tiene ánimo para el arpa / ni para los regalos de anillos / ni para el deleite de la mujer / ni para la grandeza del mundo». ¿No te parece admirable?

—*Sí, es interesante, indudablemente. Pero, ¿por qué no pasamos a Chaucer, el precursor más representativo de la poesía inglesa?*

—Bueno. El inglés antiguo es puramente germánico, salvo unas pocas palabras latinas; por ejemplo, emperador se dice *káseras*, que pasa al alemán actual como *Kaiser* y al ruso como *Zar*, originalmente es la misma palabra. Pero, cuando los normandos invadieron Inglaterra trajeron la lengua y la cultura francesas, por eso el inglés tiene una base germánica y una superestructura (la palabra es fea, pero no encuentro otra) latina o francesa. Yo diría que el rasgo diferencial del inglés está en ser a la vez una lengua germánica y una lengua latina; para cada uno de los conceptos esenciales suele haber dos palabras, una sajona y otra latina. Esto lo diferencia del sueco o del alemán, en que todas o casi todas las palabras son sajonas, y del francés o del italiano o del español, en que todas o casi todas son latinas.

—*Y esas dos palabras para cada concepto, ¿tienen idéntico significado? Yo creo que no.*

—Eso que decís, María Esther, es cierto. Sus connotaciones son un poco distintas. *Dark* tiene un sentido físico y *obscure*, un sentido intelectual; *room* no es exactamente lo mismo que *space* y así podríamos seguir. Ahora bien, el poeta que maneja de un modo espléndido ese doble registro, sajón y latino del inglés, por primera vez, es Chaucer. En los versos de Chaucer ya está todo lo que Shakespeare y Donne y Coleridge y Wordsworth y Kipling harán después: un juego recíproco de equilibrio y oposición de elementos teutónicos y latinos. Por otra parte, Chaucer es el primer novelista psicológico de Inglaterra y acaso de Europa y además encontramos en él el humorismo tan típico de la literatura inglesa.

—*¿Por qué no me hablás de Kipling, del que siempre te hacés releer poemas?*

—Es que Kipling es uno de los primeros autores que yo leí. Me ha acompañado a lo largo de la vida. Pero a Kipling lo han perjudicado dos cosas; una, el hecho de haber escrito libros para chicos: no porque estas obras carezcan de mérito, sino porque se piensa de él como de un escritor para niños y Kipling fue otras muchas cosas también y todas admirablemente; la otra, es el hecho de que Kipling haya sido juzgado, no por el valor estético de su obra, sino por sus opiniones políticas. Ahora, en 1962, me parece absurdo juzgar a Kipling por sus opiniones durante la guerra de Sudáfrica. Además, la obra de Kipling es una obra muy compleja, tanto que, hay un cuento, un cuento que leo y releo todos los años y creo que Rodolfo Wilcock, Adolfo Bioy Casares y Silvina Ocampo hacen lo mismo, y pienso que no lo hemos entendido todavía del todo. Kipling empezó cantando el espacio, la vasta geografía del Imperio Británico; luego se fijó en

Inglaterra y ahí descubrió el tiempo, descubrió el pasado de Inglaterra y luego, las vicisitudes de la vida le hicieron descubrir algo que él no había querido mirar hasta entonces; le hicieron descubrir la desdicha. Recordemos que uno de sus hijos murió en la primera guerra mundial. Entonces, Kipling —que había sido muy amigo de Henry James, su padrino de casamiento— escribió cuentos no menos oscuros, no menos experimentales y no menos patéticos que algunos de Henry James. Creo que es injusto juzgar a Kipling por sus primeras obras, aunque algunas, por ejemplo la novela *Kim*, son admirables. Creo que debemos interrogar los últimos cuentos de Kipling, aquellos que están incluidos en *Limits and Renewals*; encontraremos allí un Kipling muy distinto. Desde luego, Kipling no fue efusivo nunca; había en él una reserva muy inglesa. Por eso, lo más notable de su *Autobiografía* no son quizá las cosas que cuenta, sino las que omite y que nos dan una imagen muy auténtica y muy patética de lo que él fue, precisamente por su reserva, por aquel no querer entregarse al lector. Ahora bien, de lo que nunca se ha dudado es de la perfecta maestría, de la artesanía de Kipling, lo que él llamaba, modestamente, su *craftsmanship*. Hasta el último momento, estuvo haciendo experimentos literarios. Kipling fue, silenciosa y admirablemente, renovándose hasta el fin.

—*Si tuvieras que elegir entre Kipling y Milton, ¿con cuál te quedarías?*
　　—Con Kipling, sin duda alguna.

—*Y compartís la opinión de Samuel Johnson, sobre* El Paraíso perdido, *cuando dice que es uno de esos libros que el lector admira, abandona y no sigue leyendo.*

—Pero Johnson, decía además, que nadie deseó nunca que fuera más extenso y que su lectura es menos un placer que un deber, que el lector se retira abrumado y busca entretenimiento en otro lado; «desertamos del maestro y buscamos amigos».

—*Parece que la crítica contemporánea tiende a confirmar ese juicio.*

—Sí, es cierto. Pero en el caso de Samuel Johnson, no debemos olvidar que lo movían también motivos políticos, porque él era partidario del trono y no pierde ocasión de llamar «regicida» a Milton. Ahora, actualmente, hay una biografía decididamente hostil de Hilaire Bellocq, amigo de Chesterton, y hay también unos ataques más violentos que eficaces, quizá, de Ezra Pound, que se jactó de haber demolido definitivamente a Milton. Pero, el caso de Eliot es curioso; Eliot, en algunos ensayos que corresponden a la primera época, ataca a Milton; pero luego, cuando él ingresó definitivamente en la tradición de la literatura inglesa...

—*En la cofradía de los monstruos sagrados.*

—Sí, pensó que no le correspondía atacar a aquellos otros monstruos que eran sus antepasados, y habló respetuosamente de Milton. Pero, ya en el siglo XIX, tenemos un ensayo bastante curioso de Macaulay, en el que compara a Milton con Dante.

—*Esa apreciación, ¿no es algo exagerada?*

—¡Bueno! Concede, sin embargo, Macaulay que la imaginación de Dante es superior a la de Milton, porque es más precisa.

—*No entiendo.*

—Dice que toda esa complicada topografía del Infierno, del Purgatorio y del Paraíso de Dante evidencian una mayor imaginación por lo precisas que son, que las vagas magnificencias de Milton. Sin embargo, no puede negarse que hay versos espléndidos en Milton; sospecho que Milton va a sobrevivir, a perdurar de un modo definitivo, no en sus obras completas sino en algunas páginas antológicas imperecederas.

—*Quizá* Sansón el luchador *sea la obra que permita la perduración de Milton.*

—Sí, creo que sí, porque en *Sansón el luchador* existe la identificación del personaje con el autor y no hay que olvidar que Milton —a diferencia evidente de Shakespeare— carecía de imaginación dramática. Es indudable que hay una mayor y más consciente identificación de Sansón con Milton, que la identificación, quizás inconsciente, que hay entre el secreto protagonista del *Paraíso perdido*, Satán, y Milton. Porque Milton ya ciego, entre enemigos, traicionado, como él creía, por su mujer, pudo identificarse con Sansón y escribir este drama, que se conforma estrictamente a las tres unidades clásicas y en el cual tenemos un coro, un mensajero, que trae las noticias, y además, es una obra breve. Poe dijo que *El Paraíso perdido* era una sucesión de poemas breves y que el hecho de tener que interrumpir la lectura cortaba también la emoción poética. En cambio, *Sansón el luchador* puede leerse de una vez y además, la emoción va creciendo y tiene hermosas metáforas de tipo oriental, como aquella, por ejemplo, cuando aparece Dalila y el Coro se pregunta: «Qué cosa del mar o de la tierra es ésta» y la compara con una alta nave. Imágenes de tipo bíblico. Y luego, aquel verso en que Sansón deplora su miserable condición y dice: «Ciego en Gaza, en la noria con los esclavos». Yo creo que Milton perdurará efectivamente, en *Sansón el luchador* y en algunos sonetos, que son muy curiosos, porque están hechos como si constaran de una sola cláusula larga y encadenada. Aunque, desde luego, están hechos al modo italiano, dos cuartetos y dos tercetos, la impresión que dejan en la mente del lector es la de una sola cláusula intrincada.

—*Tuviste el otro día una expresión extraña, cuando te referías a las vicisitudes de la fama de Milton...*

—Cuando Milton murió en Londres, en 1674, viejo y ciego, era ya el prototipo de la Inglaterra puritana, que había profesado una forma rígida de la rígida doctrina calvinista; en la imaginación popular, Milton sigue siendo el gran poeta de la Inglaterra puritana. Pero, a mediados del siglo XIX, se descubrió, en los archivos del Ministerio de la Guerra, un legajo con un vasto tratado teológico escrito en latín y dedicado por John Milton, inglés, a todas las iglesias de la cristiandad. En ese tratado estaba el sistema teológico, que Milton apenas esbozó en su *Paraíso perdido*. Hace poco, un erudito francés, Denis Saurat, ha descubierto un hecho asombroso, un hecho que vincula a John Milton, poeta del puritanismo inglés, con los cabalistas judíos de la Edad Media, especialmente con aquel famoso Iishaq Luria de Jerusalén. Hay unos versos en *El Paraíso perdido* que siempre habían producido algún estupor en los comentaristas, unos versos que están casi en el centro del *Paraíso*, y Denis Saurat ha encontrado el original de esos versos en un tratado del citado cabalista. El pasaje se refiere a la creación del mundo. Según la tradición ortodoxa judía, Dios había concentrado su fuerza, su poder creador en un punto del espacio; esa concentración había producido la creación. Luria vio las cosas de otro modo. Según él, Dios habría llenado el espacio. Luria, como Milton, creía que la materia era una emanación de Dios y entonces se preguntó: «Si Dios está en todas partes, cómo puede haber mundo, cómo puede haber algo que no sea Dios».

—*Ese sistema, ¿no es algo afín al panteísmo de Spinoza?*

—Precisamente, María Esther. Pero Luria, al llegar a esta convicción, invirtió, entonces, el procedimiento creador; Dios no habría concentrado sus fuerzas en un punto del espacio, sino que habría hecho lo contrario; Dios se habría retirado de ese punto del espacio y ese retiro, que él compara con el exilio del pueblo judío, habría determinado la creación. Y esto, precisamente, se lo revela a Adán, en *El Paraíso perdido* de Milton, un ángel. Ahora bien, podríamos pensar otra manera de entender esta extraña doctrina: Dios sueña y cuando Dios sueña, ocurre lo mismo que sucede cuando nosotros soñamos; es decir, durante el día nosotros vigilamos nuestro pensamiento, impedimos que las imágenes se crucen en nuestra mente y tomen una forma autónoma, pero luego, al soñar, nos olvidamos, nos distraemos y esas formas empiezan a vivir por cuenta propia. No sabemos qué soñamos, nuestra conciencia, nuestro yo, se aparta de una zona de nuestro pensamiento y ocurren cosas que nos sorprenden y que nos aterran, aunque las soñemos nosotros. Lo mismo le habría ocurrido a Dios, Dios se habría distraído de un punto del espacio. Ese punto habría empezado a vivir y habría seguido viviendo hasta este momento, en que nosotros somos protagonistas del sueño de Dios. Esta curiosa doctrina la encontró Milton en los cabalistas judíos, la explicó sin mencionar su origen en el tratado *De doctrina cristiana* y luego la formuló en esos versos enigmáticos, casi en el centro del famoso *Paraíso perdido*, una obra, verdaderamente, hija de su siglo. ¿Te diste cuenta, María Esther, qué distintos son el siglo XVII y el XVIII?

—*El siglo XVIII es el siglo de la razón, pero que, además, produce el movimiento romántico.*

—En él se encuentran esas dos facetas tan opuestas.

—*Y hay como un ordenamiento cronológico; la prime-ra mitad corresponde a un movimiento clasicista, a Boi-leau, por ejemplo.*

—A la idea de que todo debe ser dirigido por la razón y la segunda parte corresponde a la idea de que la poesía procede de la inspiración o, como hubieran asegurado los antiguos, de la musa, o, co-mo dice Robert Graves, de la diosa blanca, la terri-ble diosa de la poesía. Graves afirma que hay una religión, que han seguido siempre los poetas, que fue formulada por los celtas y que él cree haber descubierto o reconstruido en textos de Gales y de Irlanda. En estos textos está el culto de la diosa blanca, invocada y, al mismo tiempo, temida por los poetas.

—*¿Temida?*

—Sí, porque se entiende que la poesía corres-ponde a un estado de frenesí.

—*Es un poco la idea del poeta maldito.*

—Sí, pero es también la idea de que el hombre no es del todo digno de la poesía; como bíblica-mente el hombre no puede ver a Dios porque mo-riría, con la poesía ocurriría algo parecido. La poe-sía es algo demasiado terrible para los hombres.

—*¿Y creés eso?*

—Uno siempre cree lo que quiere creer. Pues bien, la poesía en este siglo XVIII estaría encarnada por James Macpherson.

—*Macpherson, que, desde Escocia, difundió el movimiento romántico a Inglaterra, Alemania, Francia...*

—Es curioso el caso de Macpherson; creo que ya alguna vez hablamos de esto. Macpherson dijo que su obra, ese poema que halló lectores tan diversos como Goethe y Napoleón, fue reconstruida sobre manuscritos y sobre la tradición oral de los bardos de las grandes casas de Escocia; esos poetas cuya obligación era conservar y cantar las genealogías, las hazañas y las proezas de cada familia. Bien, Macpherson reunió esos fragmentos y publicó el libro, que atribuyó a Ossian, un poeta ciego como Homero. No faltaron voces que lo acusaron de falsario y comenzó una larga polémica. La verdad es que, aunque Macpherson se había basado en fragmentos de leyendas escocesas u originalmente irlandesas, el poema era suyo. Sin embargo, prefirió sacrificarse a su patria, prefirió que Escocia poseyera una antigua epopeya, cosa que, como es de imaginar, indignó a los ingleses.

—*¿Te hubieras sacrificado como él a la gloria literaria de la patria?*

—No sé, pero creo que sí. Además, hizo bien.

—*Macpherson no se dio cuenta de que su destino era también un destino romántico.*

—Es cierto. Fue, según lo afirma Spengler en su *Untergang des Abendlandes (Declinación del Occidente)*, el primer poeta romántico y, al mismo tiempo, quiso pasar por mero traductor de antiguos poemas ajenos.

—*La más humilde de todas las tareas.*

—¿La de traductor? Sí, pero es una de las más lindas.

—*¿Te acordás cuando Goethe le hace leer a Werther una de las páginas de Ossian?*

—Sí, intercala dos fragmentos y además, le hace decir a Werther, que en este caso es Goethe, que Ossian, puesto que él no habla de Macpherson, ha desplazado a Homero de su corazón.

—*Y en la ópera, Massenet ha escrito una de las arias más hermosas en el momento en que Werther toma las páginas de Ossian.*

—¡Ah! Eso no lo sabía. ¿Es linda?

—*Espléndida y muy triste.*

—Posiblemente el doctor Johnson, que se opuso a esta poesía y que dijo que Macpherson era un falsario, lo hizo porque no sólo lo creyó así, sino porque él, como buen clásico, debe haber sentido, de algún modo, la amenaza que esta nueva poesía de los otoños, de los atardeceres, de las melancolías, de sentir profundamente el pasado, significaba para la poesía razonable que él profesaba.

—*Pero, si hubiéramos seguido un orden cronológico, tendríamos que haber empezado por esa parte razonable del siglo.*

—Es cierto. ¿Qué te parece si hablamos de Gibbon? ¿Recordás las fechas?

—*Creo que nació en 1737 y murió en 1794.*

—Yo tengo buena memoria para los versos y para las personas, y ninguna para las fechas. Creo recordar que pertenecía a una familia antigua.

—*Aunque no especialmente ilustre. Uno de sus mayores fue en la Edad Media un arquitecto del rey o, con la palabra que se usaba entonces, un marmorarius.*

—¡Qué linda palabra! Ser marmorarius parece ser mucho más importante que arquitecto. ¿No?

—*No sé. A mí me recuerda a un cantero, a un picapiedras.*

—¡Pero no! Bien, Gibbon nació en las cercanías de Londres y se educó en la biblioteca de su padre y en Oxford. Recuerdo que, a raíz de que Oxford y Cambridge rivalizaban por cuál de ellas es la más antigua, Gibbon escribió: «Lo único seguro es que ambas venerables instituciones exhiben todos los achaques de la más avanzada decrepitud».

—*Eso no es precisamente por lo que competían ambas universidades.*

—Sí, claro. No salir vencedoras en un certamen de decrepitud.

—*Esa cita tuya lo presenta a Gibbon con un indudable sentido del humor, que me imagino que aparece en él, después de su conversión al catolicismo.*

—Sí. La lectura de Bossuet lo convirtió, a los dieciséis años, a la fe católica; él era anglicano. Es típico de Gibbon que no hubiera ningún elemen-

to místico en su conversión, que se tratara única-
mente de un razonamiento a la manera de Boileau.
Generalmente, cuando una persona pasa de una
religión a otra, hay una experiencia que lo lleva a
ella.

—*Acá fueron solamente silogismos, todo lo contrario del*
romanticismo. ¿Y cómo le habrá caído a la familia esa
conversión?

—Yo creo que quedaron espantados. Pero no
sólo por razones teológicas, sino por razones...

—*¿Prácticas?*

—Claro, porque un católico estaba excluido de
todo empleo, era una persona un poco proscripta
en Inglaterra.

—*La familia habrá visto una amenaza en la actitud de*
Gibbon.

—Y por eso lo mandaron a Suiza, a Lausana,
que era el centro de la ortodoxia protestante, para
tratar de remediar el mal.

—*¿Y el resultado?*

—El resultado fue que descreyó igualmente de
la fe católica, de la fe anglicana, del calvinismo y,
sobre todo, sintió odio especial hacia el cristianismo y hacia cualquier forma de fervor religioso.

—*Gibbon, como Milton, como Borges mismo, se sintió*
siempre destinado a la literatura, y planeó con mucha
anterioridad lo que iba a escribir...

—¡Caramba, María Esther, nunca he planeado nada en mi vida! Pero es cierto que Gibbon trabajaba así, planeó una historia de la Confederación Helvética, pero luego desechó esa idea, porque hubiera necesitado aprender el oscuro y viejo dialecto alemán y luego pensó que ese tema no iba a ser de interés universal.

—*Y tenía razón*.

—Entonces planeó una vida de sir Walter Raleigh, pero se dio cuenta de que solamente podía interesar a los ingleses y él buscaba una fama universal. Al fin, dio con el tema de la caída del Imperio Romano, asunto que, en todo caso, tiene que interesar a todos los occidentales. Los orientales casi no existían entonces.

—*Y fue un hombre muy consciente Gibbon, porque antes de escribir una línea sobre el tema, leyó, en su lengua original, a todos los historiadores antiguos y medievales*.

—Y estudió numismática y viajó por Italia, para conocer el lugar donde se desarrollaron los acontecimientos. Dedicó once años a esta labor, y siete después murió.

—*El otro día me dijiste que dos cualidades que parecen excluirse, la ironía y la pompa, se unen en la obra de Gibbon. ¿Por qué?*

—Gibbon era lector de Pascal y de Voltaire, incluso escribió, bajo la influencia de esos maestros, muchas páginas en francés antes de volver a la prosa inglesa. De ellos, pues, heredó la ironía. En cuanto a la pompa, la historia de *Declinación y caída del Imperio Romano* está constituida por una serie de espectáculos. Coleridge, uno de los primeros poetas románticos ingleses, dijo que en la historia de Gibbon lo que se ve son las cumbres, los caminos que conducen de una cumbre a otra, los acontecimientos dramáticos, los destinos de los grandes personajes, pero no se ve la vida común de las gentes. Él describió batallas, ceremonias, azares trágicos, pero todo está escrito con ironía. Él sintió el esplendor, y al mismo tiempo, la vanidad de la historia universal.

—*Como su historia abarcó trece siglos, tuvo bastante espacio temporal para ubicar esplendores y vanidades.*

—Y esos trece siglos le permitieron una gran extensión geográfica, porque tenemos capítulos sobre el Islam, sobre los conquistadores tártaros, Carlomagno, las cruzadas. Eligió deliberadamente un título un poco vago, porque *Declinación y caída del Imperio Romano* no se sabe con exactitud cuándo concluye. De hecho, sería con la caída de Constantinopla, pero él se fijó una libertad en el tiempo y en el espacio para hacer un libro que fuera leído por muchas generaciones humanas y lo logró. Yo lo he releído muchas veces y me sucede tomar un volumen cualquiera y decirle a mi madre que lo abra en cualquier capítulo y sé que siempre encontraré algo interesante y que aprenderé muchas cosas.

—*Además, en la época de Gibbon todavía era posible que un hombre leyera todos los libros o casi todos.*

—Es cierto. En cambio ahora, por exceso de documentos, el historiador está condenado a la especialización, de modo que ya no podría escribirse un libro de esa amplitud. Un historiador debe limitarse a una época o a lo sumo a un solo país, pero no puede escribir una historia universal.

—*Actualmente se necesitaría que un cataclismo destruyera el ochenta por ciento de las bibliotecas y luego, con los restos, quizás alguien pudiera escribir una historia de la declinación y caída de la Edad Contemporánea.*

—Es cierto. De modo que quizás el único beneficio de la bomba atómica sería que permitiría excelentes obras históricas. Así que, en nombre de la historia y contra la humanidad, debemos desear toda suerte de cataclismos, para no perecer ahogados con el exceso de catálogos, de fichas, de guías de teléfono... Aunque ya Samuel Butler dijo que si las cosas seguían como estaban en su tiempo, el catálogo del Museo Británico cubriría el planeta.

—*Dado el amor que te inspira Escocia, no te debe gustar nada aquella observación de Gibbon, cuando recuerda que los escoceses se jactaban de ser la única nación europea que había rechazado a los romanos.*

—Gibbon dice que debieron su libertad más a su pobreza que a su coraje, que los amos del mundo se apartaron con desdén de una tierra áspera, nebulosa y glacial y que los romanos no tuvieron interés en conquistar aquellas serranías perdidas en el norte de Europa. Y bueno, María Esther, ¡un error de los romanos!

—Pero Gibbon, a pesar de que llegó al descreimiento total, no ataca nunca a la religión cristiana.

—No, directamente no. Incluso prefiere alabar esas misteriosas decisiones de Dios que, según él, encomendó la revelación de la verdad no a graves y doctos filósofos, sino a un pequeño grupo de analfabetos, como eran los apóstoles. Y con eso se anticipó a Nietzsche, quien dijo que el cristianismo era una religión de esclavos, salvo que Nietzsche lo expresó de un modo directo y hasta brutal. En cambio, Gibbon lo insinúa, pero, en el fondo, debe haber pensado lo mismo.

—Gibbon tampoco ataca los milagros.

—No sólo no los ataca sino que censura la negligencia de Plinio que, en un catálogo de maravillas, no dice nada del eclipse de sol que acompañó la crucifixión, ni tampoco menciona la resurrección de Lázaro. Lo cual es una manera de decir que no hubo tal resurrección, ni tal eclipse. Gibbon simplemente los insinúa y quizá sea más eficaz el procedimiento de insinuar las cosas que el de aclararlas.

—La insinuación permite pensar toda clase de posibilidades; alienta la imaginación.

—Y además, permite pensar al lector que él es quien ha llegado a la conclusión y no el autor. Al mismo tiempo, tiene que irritar más a las personas que las ataquen indirectamente y no de un modo directo. Gibbon, debes haberlo notado, está lleno de observaciones justas. Por ejemplo, cuando recuerda que, desde Tácito, muchos habían ponderado el piadoso fervor de los germanos, que no encerraban a sus dioses en templos y preferían adorarlos en la soledad de los bosques. Pues bien, Gibbon dice que mal podían levantar templos quienes, a veces, ni eran capaces de levantar una miserable choza.

—*Pero yo creo que nadie se imaginaría a los antiguos germanos construyendo el Partenón o la Basílica de San Pedro. ¿Qué otras obras de Gibbon te gustan?*

—La *Autobiografía*, que es un libro de muy agradable lectura. Aunque no hay mayor intimidad, no hay confesiones, pero el lector puede entender todo, a través de páginas escritas con cortesía y con cierta reserva. Luego, él mantuvo alguna polémica sobre todo para defender el volumen inicial de la *Declinación y caída del Imperio Romano*, para defender aquellos dos capítulos en los cuales expone irónicamente el crecimiento, el progreso de la fe cristiana. Y luego, escribió un *Epistolario*, donde se observa a sí mismo y que ayuda mucho a comprender a este extraño escritor.

—*Hablemos del reverso de Gibbon, dentro de su siglo, lexicógrafo, crítico, ensayista, moralista, poeta y muy admirado por Borges.*

—Ah, el doctor Johnson, hombre profundamente religioso, que escribía en esa misma prosa latina. Pero ¿por qué en este brevísimo viaje por la literatura inglesa, no echamos una mirada al teatro, a los orígenes del teatro?

Quizás haya que comenzar recordando que la Iglesia, en el principio de la Era Cristiana, condenó las artes porque las vinculaba a la cultura pagana. Ésa es una de las razones por las que no tenemos imágenes de Cristo.

—*Por eso no deja de ser paradójico que en la Edad Media el teatro resurja de la liturgia.*

—La misa representa la Pasión. En las Sagradas Escrituras abundan los episodios dramáticos y los clérigos, para edificación de los fieles, escenificaron algunos de ellos.

—*Y del templo se pasó al atrio.*

—Y del latín a los idiomas vernáculos. Y así nacen los Misterios. En Inglaterra los gremios dramatizaron toda la Biblia y llegaron a representar al aire libre la historia universal desde la Caída hasta el Juicio.

—*Eso sería en primavera.*

—Sí, en mayo y duraba varios días. De los Milagros se pasó a las Moralidades, piezas de carácter alegórico, donde los protagonistas son los vicios y las virtudes. El teatro religioso cede su lugar al seglar y el primer nombre ilustre que encontramos es...

—*Christopher Marlowe.*

—Muy bien. ¿Recordás las fechas?

—*Sí, 1564 y 1593. Escasamente treinta años, una vida algo breve.*

—Lamentablemente muy breve. Era hijo de un zapatero de Canterbury y perteneció al grupo de los llamados *University Wits*, ingenios universitarios. Es sabido que las piezas de teatro pertenecían entonces a los empresarios. Se pensaba en las compañías y no se pensaba en los autores. De igual modo que ahora al ver un film, pensamos en el director, en los actores, pero, en general, ignoramos el nombre del autor del libreto, lo mismo ocurría en la época isabelina. Ahora bien, los empresarios recurrían a actores —el caso de Shakespeare— o a los llamados ingenios universitarios, que se jactaban de una erudición mayor, y el más eminente fue Christopher Marlowe.

—Llevó una vida azarosa, un poco impropia para un hombre de letras.

—Vivió peligrosamente, como quería Nietzsche. Fue ateo, blasfemo y frecuentó aquellas reuniones que se hacían en la casa del explorador e historiador sir Walter Raleigh, que luego pereció por el hacha, después de haber fracasado en una última expedición contra los españoles.

—¿No eran esas reuniones denominadas «La escuela de la noche»?

—Sí, un nombre bastante ominoso, *The School of Night*. Ahí se negaba la divinidad de Cristo, y se decía que el catolicismo era superior a las diversas sectas protestantes por la mayor pompa de la liturgia. Además, Marlowe perteneció al servicio secreto, porque se temía una insurrección católica en Inglaterra apoyada por los españoles.

José Edmundo Clemente y Borges en el despacho de la Biblioteca Nacional, delante el globo terráqueo que perteneció a José Ingenieros. (Circa, 1962)

Borges en la Biblioteca Nacional, 1963.

Borges y Lázaro Barbieri, detrás María Esther Vázquez.
Tucumán, 1964. (Gentileza de *La Gaceta de Tucumán*)

Sir Herbert Read, Borges, Vázquez y el director del
Museo de York, delante de las ruinas de la abadía en
Yorkshire, otoño de 1964.

De izquierda a derecha: Borges, Vázquez, Martita Bioy (niña), detrás Silvina Ocampo, una amiga de la familia, y Bioy en la playa San Jorge. Mar del Plata, 1964.

Borges prologó y presentó el libro de cuentos de María Esther Vázquez *Los nombres de la muerte*. La imagen registra un momento del acto realizado en 1964.

María Esther Vázquez y Borges en el jardín de Villa Silvina en Mar del Plata, 1965.

El editor José Rubén Falbo con Borges y la autora durante la presentación de la primera edición de *Literaturas germánicas medievales* en la librería del primero de los nombrados. Buenos Aires, 1965.

Borges frente a una biblioteca en el comedor de su casa de Maipú 994. Su figura oculta los tomos de la Enciclopedia Británica, cuya edición de 1911 era muy querida por el escritor. Enero de 1979. Fotografía tomada por Marciano Saucedo.

Alrededor de Borges, de izquierda a derecha; M. Araya, Vázquez, M. Castagnino y J. M. Vila Ortiz. Momento previo al diálogo público que sostuvieron Borges y Vázquez en el Jockey Club de Rosario en 1983.

Borges y María Esther Vázquez. Al fondo el Monumento a la Bandera.
Rosario, 1983.

Borges y María Esther Vázquez durante el diálogo que realizaron en el Auditorium de Mar del Plata, 1984. Fotografía de J. Pl Mastropasqua.

—Entonces era un vulgar espía.

—Sí. A un amigo de Marlowe le secuestraron un manuscrito con veintitantas proposiciones heréticas y ateas, lo sometieron a tortura y él dijo que ese manuscrito era de puño y letra de Marlowe, que había trabajado con él, un año antes, en la elaboración de un drama. Marlowe fue citado ante el tribunal encargado de juzgar estos casos, pero le dieron unos cuantos días —quizá con la intención de que escapara— y él, efectivamente, anunció a sus amigos que pensaba irse a Escocia, entonces reino independiente. Pero, antes de que Marlowe huyera, lo asesinaron de una puñalada en una taberna; tenía veintinueve años. Ahora bien, según un erudito reciente, un señor Hoffmann, Marlowe no fue el asesinado; él huyó a Escocia y el asesinado fue otro. Desde Escocia, Marlowe habría enviado a Shakespeare los textos de la obra shakespeariana. Para apoyar esta hipótesis está el hecho de que en la obra de Shakespeare abundan los versos de Marlowe y, además, Marlowe es el primero que da flexibilidad, elocuencia y esplendor al verso blanco, que sería el instrumento de Shakespeare. Pero, observemos que en las piezas de Marlowe hay un solo personaje; un hombre que representa el Renacimiento, un hombre que desea la conquista del mundo, como Tamerlán, o el conocimiento de todas las cosas, como el doctor Fausto, o el oro, como el judío de Malta. En cambio, el mundo de Shakespeare es un mundo muy rico, como dijo Huxley: «Todos los hombres y las mujeres que han sido y serán, están en la obra de Shakespeare». Para apoyar la tradición, pensemos que Marlowe muere a los veintinueve años y deja una obra imperfecta, en la que abundan, sin embargo, versos espléndidos, como aquellos últimos de la tragedia del doctor Fausto —tan admirada por Goethe—, en los que refiriéndose a la puesta de sol, Fausto dice: «Mirad, mirad cómo la sangre de Cristo inunda el firmamento». O aquella otra escena en la que Fausto, como el segundo Fausto de Goethe, se enfrenta con la sombra de Helena de Troya y pregunta: «¿Y es éste el rostro por el cual zarparon mil naves / y que incendió las infinitas torres de Ileón?». Y luego, este otro verso tan admirado por Unamuno: «¡Helena, hazme inmortal con un beso!». Unamuno dice que ese verso es superior a todo el *Fausto* de Goethe, sin tener en cuenta que es más fácil que un verso sea perfecto que toda una larga obra, en la cual, necesariamente, hay ripios y momentos que corresponden al cansancio del escritor.

—*Ambos destinos, el de Shakespeare y el de Marlowe, han sido juzgados siempre como misteriosos, pero, quizá, si uno los piensa dentro de su época, el misterio no existe.*

—Esa atribución de misterio al destino de Shakespeare corresponde al prejuicio romántico del poeta maldito, a la idea de que un hombre de genio es un hombre no comprendido o menospreciado por sus contemporáneos. Culpable de esta idea ha sido, en cierta medida, el libro, por lo demás admirable, que Víctor Hugo escribió en su destierro.

En el primer capítulo de ese libro, Hugo dice que un anciano y su hijo habían llegado desterrados a una isla y entonces, el hijo le pregunta al padre qué hará y Hugo dice: «miraré el mar» y el hijo contesta: «yo traduciré a Shakespeare». En este diálogo está implícita la vastedad del mar y la vastedad de Shakespeare. Como aquel verso de Quevedo, que dirigiéndose a Felipe IV, habla del belga «habitador de poca tierra al mar y a ti robada», es decir que equipara al rey con el mar.

—*Parece un poquito adulador, Quevedo; más noble es el verso de Hugo.*

— ¡Pero, claro! En el tiempo de Shakespeare, al pensar en literatura, se pensaba en poemas épicos, como los de Spencer; en sonetos...

—*Como los que escribió el mismo Shakespeare.*

—Tan bellos y tan enigmáticos. Swinburne los llama «esos divinos y peligrosos documentos». Pero las piezas de teatro no eran literatura. Así, cuando Ben Johnson, amigo y rival de Shakespeare, defensor de lo que hoy llamaríamos «clasicismo», publicó en dos gruesos volúmenes sus obras de teatro, llamándolas *Works (Obras)*, la gente se rió y pareció un disparate. Así que debemos pensar en Shakespeare como en un actor y un empresario, que tenía que escribir piezas para sus cómicos.

—*Y acaso necesitaba ese estímulo para poder escribir.*

—Por eso, cuando vendió el teatro y se retiró a su pueblo natal, se olvidó de que él había sido William Shakespeare, es decir, que había sido también Hamlet y las Parcas y el rey Lear y Desdémona y Otelo y tantos otros personajes que perduran en la memoria de los hombres. Quizás una de las felicidades que le debemos a la pobreza física del teatro de la época es que Shakespeare abunda en la descripción de paisajes. ¿Te acordás cómo eran los teatros?

—*Eran descubiertos y el público estaba de pie, durante la representación, en el patio central. Los cortesanos y la gente importante venían acompañados por sus sirvientes, que les llevaban sillas, y ocupaban los costados del escenario. Los actores tenían que abrirse camino entre ellos y no había bambalinas ni telones.*

—Precisamente por eso, en todas las obras, los actores debían entrar en la escena y no podían escudarse detrás del artificio del telón para retomar una acción. Por eso tenían que retirar los cadáveres que, en el último acto, solían ser abundantes.

—*Y a Hamlet lo llevan a la sepultura, con todos los honores, cuatro capitanes.*

—Lo más afortunado de la carencia de telones es la creación verbal de paisajes, que también se utiliza con fines psicológicos. Cuando Duncan divisa el castillo de Macbeth, donde será asesinado, como él no sabe el terrible destino que le espera y los espectadores ya están enterados, sus palabras, describiendo el paisaje, son patéticas. Él se refiere a las golondrinas y dice que no hay una almena y no hay una torre donde estas aves no hayan construido su nido pendiente y agrega que él ha observado que donde hay golondrinas, el aire es delicado.

—*En cambio, Lady Macbeth, que sabe que asesinará a su huésped, no se refiere a las golondrinas sino al cuervo, que se enronquece al anunciar la fatal entrada de Duncan en su castillo.*

—*En estos días, todo el mundo se pregunta y yo también, por qué tomaste el tema «El concepto de academia y los celtas» para tu discurso de recepción como académico en la Academia Argentina de Letras. La gente esperaba un tema argentino.*

—Elegí ese tema, María Esther, porque entiendo que hay una profunda afinidad entre los dos términos de esa frase. Si no me engaño, el concepto de academia corresponde a una organización de la literatura, a una organización de los procedimientos, de los géneros literarios y, asimismo, de la vida literaria, y creo poder afirmar que en ningún país del mundo, ni siquiera en Francia —que, por otra parte, procede de los celtas y es una nación literaria por excelencia—, ni tampoco en la China, donde el estudio de los clásicos es necesario para alcanzar los puestos públicos, se llegó a una organización de la literatura, ni de la vida literaria, comparable a la que ocurrió en Irlanda durante la Edad Media. Es sabido que los celtas habitaban en la península ibérica, en Francia, en Suiza, acaso en alguna parte de Alemania, en los Países Bajos y en las islas Británicas, pero luego fueron gradualmente desplazados por los germanos y por los romanos, y la cultura céltica llegó a su máxima floración en Irlanda. Es curioso que ocurra lo mismo con la antigua cultura germánica, que llega a su máxima floración en Islandia; en ambos casos en dos islas un poco perdidas. En Irlanda, el cristianismo no hizo que se olvidara el paganismo anterior y allí se conservó todo lo que podemos saber de la antigua religión de los celtas; así como, en Islandia, se conservó la germánica. Por eso entiendo que, para conocer la cultura céltica, debemos referirnos principalmente a Irlanda, en segundo término a Gales y, acaso, un poco a Escocia. Quizás, en otros puntos, queden monumentos de otro orden, arquitectónicos, por ejemplo, pero no literarios. Se dijo que la mente de los celtas es naturalmente cristiana; se aplica a la mente céltica lo que Tertuliano dijo del alma en general. Pero, si bien Irlanda llegó a ser un país profundamente cristiano, no olvidó su antigua tradición. Ya durante la época pagana existía en los países celtas una clase de individuos famosos, los druidas. Tenemos noticias de ellos por Julio César.

—*Y por las óperas italianas.*

—(Riendo.) Mi erudición viene solamente de la Guerra de las Galias, de Julio César y de Plinio. Cuando el cristianismo llegó a Irlanda, naturalmente, los druidas, que representaban la religión antigua, fueron perseguidos; cosa que no ocurrió con los poetas. Durante la Edad Media, Irlanda estaba dividida en pequeños reinos y los poetas heredaron la tradición de los druidas y fueron magos como ellos. En los textos irlandeses se habla de poetas satíricos, pero esto debe entenderse de una manera distinta de la actual; se pensaba en el poeta satírico, no sólo como en un individuo que atacaba a otros, sino que los atacaba eficaz y mágicamente. En inglés perdura la frase *to rhyme to death* (rimar hasta la muerte), que procede de esta tradición. Se pensaba que los poetas eran magos y podían matar a sus enemigos y hay muchos casos registrados de muerte y de enfermedades, fiebres, erupciones, ronchas, producidas por los versos de los poetas.

—*Pero ¿no es el efecto que producen los malos poetas en todos los tiempos?*

—(Ríe.) Probablemente. La magia era una de las muchas disciplinas que ejercían los poetas en Irlanda, ya que todo el ciclo de los antiguos conocimientos fue heredado por los poetas. Ellos cumplían una triple función: eran narradores de cuentos; eran jueces, que arbitraban tribunales de última instancia y servían como árbitros en los litigios, y luego, finalmente, eran poetas. Como tales tenían que conocer muy complejas leyes de la versificación y un vocabulario especial de metáforas, comparables a las *kenningar* de las gentes germánicas y de metáforas hechas de metáforas. Asimismo, el poeta tenía que conocer toda la historia de Irlanda, la verdadera y la fabulosa, sobre todo esta última. Tenía que conocer los linajes de las grandes casas de Irlanda, la genealogía de los dioses, todas las leyes de la gramática, tenía que conocer todos los metros, todo esto correspondía a una larga carrera literaria, que duraba, por lo menos, doce años y que abarcaba diez grados...

—*¿Qué pasaba después de esos doce años y de cursar los diez grados?*

—Después de los diez grados se llegaba a la categoría de *Ollan*, la más alta de todas. El poeta comenzaba con un número limitado de temas y de metros, los más sencillos, y con un lenguaje que todavía podía ser comprendido por legos; pero luego, a medida que pasaba de un grado al inmediato superior, las historias iban haciéndose más complejas y el lenguaje más intrincado. Por último, los poemas compuestos por los poetas de los dos grados más altos sólo podían ser entendidos por sus colegas. Uno de los textos más antiguos de la literatura irlandesa nos muestra a dos poetas disputando para lograr el grado de primer poeta de Irlanda, y el rey, que tiene que juzgar, está muy incómodo porque no entiende una palabra de lo que dicen los dos sabios rivales.

—*¿Qué temas trataba esta poesía?*

—La historia, la mitología, los relatos del otro mundo, al igual que las historias de amor, los robos de ganado y, al igual que en la poesía portuguesa, el mar, la navegación y los naufragios entre violentas tempestades. También se narraban muertes violentas, incendios; en fin, todo lo que la memoria y la imaginación poseían sobre las vidas de los hombres y de los dioses.

—*¿Cómo pasaban de un grado a otro?*

—A través de exámenes, que eran muy largos. Se encerraba a los candidatos en pequeñas celdas y se les daban los temas y los metros que debían usar, pero ese trabajo debían ejecutarlo en la oscuridad y debían aprender de memoria sus composiciones, porque toda la poesía era de tradición oral. Posiblemente se temiera que la escritura los hubiera divulgado demasiado. De suerte que, para cada examen, les daban los temas, los metros y, acaso, el vocabulario que debían usar. En cuanto a las metáforas, ocurría con ellas lo que con las metáforas de los poetas de Islandia, algunas fueron hechas combinando imágenes; así, los poetas germánicos llamaban al mar «el camino de la ballena», a la sangre «el agua de la espada» y los celtas tenían metáforas análogas. Pero tenían otras, de comprensión más difícil, porque se basaban en la historia de la mitología. Cuando había pasado el último examen, el poeta recibía el título de *Ollan*, de maestro. Esto significaba que conocía todo el vocabulario poético, las más complejas formas estróficas, que era un maestro de la rima, de la asonancia, de la aliteración, de la metáfora y que conocía trescientas sesenta narraciones, divididas en principales y accesorias. Cuando el *filid*, así se llamaba al poeta, llegaba a ese último grado, su memoria encerraba todo el pasado de Irlanda, el verdadero y el mitológico.

—*¿Cuál de los temas que tocaban te parece el más interesante?*

—El de las navegaciones. Los irlandeses, como los griegos, creían en un mundo de islas bienaventuradas, situadas del otro lado del océano, hacia la puesta del sol. Hay numerosas tradiciones sobre los viajes a estas islas. En algunas de ellas se nos habla de ciento cincuenta islas, cada una más grande que la propia Irlanda. Estas islas no estaban habitadas por los espíritus de los muertos, sino por dioses y, a veces, por monstruos. En este tipo de historias suele haber una diosa, que llega a uno de los reinos de Irlanda, y se enamora de un príncipe. En algunas ocasiones, la diosa lo toca con una rama de plata o con una rama de oro, que nos recuerda aquella otra rama del sexto libro de la *Eneida*; en otras, la diosa arroja una manzana al príncipe y esa manzana es inagotable, durante un año el amado vive comiendo esa manzana, que siempre se renueva. La diosa debe volver a la región situada del otro lado del mar, de donde vino, y aparece con una embarcación de cristal, que lleva al príncipe y a su cortejo hacia el occidente, a esa tierra llamada «la tierra de la juventud», «la tierra de colores» y «la tierra de los vivientes». Los traductores ingleses siempre eligen esta última frase: *the land of the livings*. Allí, el príncipe y los suyos viven durante un período, que ellos calculan en días, pero, de pronto a uno de ellos lo ataca la nostalgia y resuelven volver a la patria. Cuando la nave toca Irlanda, encuentran todo cambiado, hablan un idioma casi ininteligible para ellos. Dicen quiénes son y la gente, desde tierra, les responde que, efectivamente, existen tradiciones sobre un viaje de un remoto príncipe, pero que ha pasado mucho tiempo y que nadie los recuerda muy bien. Uno de los compañeros del príncipe salta a tierra e, instantáneamente, cae hecho cenizas; porque el tiempo divino no es conmensurable con el tiempo humano. Ellos creyeron haber pasado días, a lo sumo unas semanas, pero, en realidad, habían pasado siglos. Junto con la idea de dos tiempos distintos, aparece la de los dos espacios diferentes. En algunas tradiciones, los navegantes se encuentran con un hombre que recorre las aguas del Atlántico en un esquife, pero el hombre les advierte que es un dios y el esquife un carro y que los salmones y las gaviotas que los rodean son lebreles y ciervos. Uno de los navegantes descree estas palabras; con su mano roza un salmón, que ha saltado del agua y se da cuenta, aterrorizado, que ha tocado un ciervo. Es decir, que los dioses habitan un espacio distinto al de los hombres. En estas fábulas se habla de animales hechos de metales preciosos y que, sin embargo, son vivientes; hay ciervos de oro y lebreles de plata y, además, se habla de arcos erigidos sobre las islas y de ríos que recorren el cielo, y esos arcos y esos ríos son de agua, que no se vuelca, aunque van de un extremo al otro del horizonte, y están surcados por naves y por peces.

—*¿De qué manera la poesía celta ha influido en la poesía de otros pueblos?*

—En primer lugar, por la misma expansión de la raza, influyó en Francia, en Inglaterra, en España, en Portugal y en algunas regiones de Alemania.

Esto presupone, como es natural, una mentalidad especial. Hay un ensayo de Matthew Arnold sobre literatura céltica, en donde, con cierta osadía, pretende distinguir lo que hay de germánico y lo que hay de celta en la obra de famosos poetas ingleses; distinción, naturalmente, conjetural. Pero, tenemos un hecho histórico indudable, que es la publicación, a mediados del siglo XVIII, de los poemas de Ossian por el poeta escocés James Macpherson. Ya hemos dicho que esa traducción es, más o menos, apócrifa, que Macpherson no conocía el gaélico y que tomó los antiguos textos, que había recogido de la tradición oral o de manuscritos, que apenas podía leer, como punto de partida para su imaginación. Pero esta traducción, aceptada como auténtica, modificó la imaginación de Europa. Traducida al italiano por el abate Cesarotti, acompañó a Napoleón en todas sus campañas y en las arengas que dirigía a sus soldados en Rusia, en España o en Italia, se notan los ecos de la traducción de Ossian.

—*También nos hemos referido a su inclusión en el* Werther *de Goethe*.

—A través de la traducción alemana. Es decir que, en los orígenes del movimiento más importante de la historia de la literatura, el romanticismo, tenemos una indudable influencia céltica. Hay, ante todo, una melancolía, una nostalgia, habría que emplear la palabra alemana *Sehnsucht o Schuvermut* para significar ese estado de ánimo que parece profundamente céltico y, en segundo término, el sentimiento del paisaje. El siglo XVIII ha-

bía olvidado el paisaje o lo veía a través de la mitología, ya muerta, de los griegos y de los romanos.
En cambio, en Macpherson tenemos un sentido
del tiempo que pasó, un gusto de las ruinas, un
sentimiento de la melancolía del otoño, de la puesta del sol... Todo primitivamente celta y que, ahora, pertenece a la poesía de todos los países y a la
imaginación de todos los hombres.

XII

El romanticismo
Goethe. Flaubert. La amistad. La música. (1979)

—*En el terreno literario siempre se prefiere buscar la materia creativa en la infelicidad y en la desventura.*

—Instintivamente se siente que la desdicha es una experiencia más rica, más intensa que la dicha. Pero quizás habría otra razón de carácter profesional, de carácter literario, y es que la dicha es un fin; cuando uno se siente feliz eso ya es un ápice; en cambio, la desventura tiene que ser transmutada en algo distinto. Por lo tanto, es mejor materia para la estética, más plástica, más maleable; la prueba está, María Esther, que casi no hay poesía de la felicidad.

—*Tampoco parece haber escritores felices.*

—Quizás una excepción ilustre sería Jorge Guillén.

—*Y Walt Whitman se propuso cantar la felicidad.*

—Pero la mayor fuerza de la poesía de Whitman consiste en que sentimos que se ha impuesto eso como un deber. Sentimos que es un hombre desdichado, como cada uno de sus lectores, bueno, como lo somos todos.

—¿*Uno se puede imponer la felicidad como un deber?*

—Tenemos el deber de ser felices, deber que desde luego no cumplimos.

—*El no haber sido feliz o, mejor dicho, saber que se ha sido desdichado, a algunos poetas les da «remordimiento».*

—(Riendo.) Y lo escriben, además. Aunque la idea de la desdicha como un deber es una herencia byroniana y romántica; antes no se pensaba en eso.

—*Sin embargo, cuando uno es adolescente, hay un momento en que sentirse desdichado, sentirse oprimido por el medio, por los padres, por las circunstancias, es casi una necesidad.*

—¡Ah, sí! Desde luego; ser adolescente es ser romántico. Claro que en el caso de Byron y en el caso posterior de Baudelaire y de tantos otros que no son poetas se llega, además, al deber de ser un pecador, al deber de la culpa.

—*Ser pecador a causa de la desdicha ya estaba en el* Werther *de Goethe.*

—Salvo que *Werther* es un libro tan insípido que es mejor olvidarlo.

—*No debe haber sido tan insípido; la Iglesia lo puso en el Index por provocar una multitud de suicidios.*

—En su tiempo debe haber sido todo lo contrario. Sin embargo, recuerdo esa broma de Samuel Butler; se discutía el *Werther* y dijo: «Yo debo haber leído algún, otro *Werther* escrito por algún otro Goethe; realmente, el que me tocó en suerte no merece la pena que lo discutamos».

—*¿Qué libro es el mejor de Goethe?*

—Creo, María Esther, que podemos perdonarle a Goethe sus cuarenta volúmenes en virtud de sus *Elegías romanas*, que son lindísimas y que cantan un tema muy raro. Se trata de un hombre ya entrado en años (la acción transcurre en Italia) que tiene una querida muy joven, que lo acompaña por razones mercenarias. Él sabe muy bien eso, lo dice en unos versos espléndidos, no sin ironía, no sin tristeza, y, al mismo tiempo, sin tratar de engañarse, se complace en esta tardía felicidad.

—*Quizá, cuando uno ya no es joven es menos exigente con lo que le ofrece el destino...*

—Menos exigente y más agradecido. Pues bien, de esta situación, de este hecho, nace una espléndida poesía. En general, cualquier poesía que se base en la verdad tiene que ser buena. Entonces, uno lee un poema así y es como si leyera una novela psicológica. Yo creo que para que el poema sea bueno debe estar basado en la verdad emocional.

—*¿Y el Goethe de* Fausto *no se salva?*

—El Fausto es una superstición alemana. Lo he leído en alemán y en diversos idiomas, donde pudo ser mejorado por los traductores, y no encuentro casi nada que me emocione...

—*La fábula es muy linda.*

—Sí, pero la había tratado Marlowe con tanta pasión. En cambio Goethe la narró con, yo diría, tanta indiferencia. El *Fausto* es un libro escrito por un deber que se había impuesto Goethe. Él lo llamó «el compañero de mi vida literaria»; estaba siempre escribiéndolo. Es como ese cuento que yo estoy escribiendo desde hace tanto tiempo.

—¿*«La memoria de Shakespeare»*?

—Sí, y sin duda va a fracasar por eso. Creo que me he pasado toda mi vida pensando en él. El argumento es lindísimo, y porque tengo la conciencia de que es tan lindo, posiblemente no voy a poder cumplir con él. Quizá no convenga pensar que las cosas que uno hace son muy importantes para que puedan salir bien.

—¿*Por qué será que lo que uno ha creído que está muy bien después ni siquiera está regular?*

—Porque uno les dedica mucha atención y lo hace demasiado conscientemente. Quizá la obra literaria requiera cierta inocencia, cierta despreocupación. ¿Por qué tan raras veces Flaubert llegó a ser un gran escritor? Porque estaba pensando en escribir obras maestras todo el tiempo.

—¿*Y* Madame Bovary?

—Creo que es uno de los libros más torpes de la literatura.

—¿*Y qué libro puede salvarse de Flaubert?*

—El primer capítulo de *Bouvard y Pécuchet*, la

novela que dejó inconclusa. El primer capítulo narra algo admirable, que no ha sido muy tratado, que yo sepa, que es el nacimiento de una amistad, y es muy patético, sobre todo porque los personajes son tan mediocres; lo único que tienen realmente espléndido es esa amistad. Y está tan bien escrito que en lo que uno menos piensa es en el estilo.

—*¿Y no será que el tema de la amistad le da un prestigio especial ante tus ojos?*

—Es probable que sea una de mis supersticiones. Pero la amistad, María Esther, es una de las virtudes (no sé si la única) capitales del argentino. Por otra parte, el que no siente amistad tampoco puede sentir otra cosa.

—*La amistad como tema literario ha sido utilizado muchas veces. A mí me parece que es el tema secreto del* Fausto *de Estanislao del Campo.*

—Es que su fama, María Esther, no podría explicarse sin esa amistad. Por lo demás, es una parodia bastante inverosímil. Como dijo Norah, mi hermana, «los gauchos y la ópera no quedan bien juntos, no combinan».

—*A ninguno de ustedes les gusta la ópera.*

—Creo que en toda mi vida vi la mitad de una ópera, pero eso es una deficiencia mía. Siempre la sentí como algo convencional y no sé por qué me parece mal; al fin y al cabo, todo género literario es convencional. Si uno lo piensa, una novela realista es tan convencional como una ópera y la he aceptado. Lo que ocurre es que yo soy musicalmente sordo. No sé si a los escritores les interesa la música. Le interesa a María Esther Vázquez, le interesaba a Shakespeare...

—*Salvando las distancias...*
—Pero a Hugo no le gustaba.

—*Quizá porque se oía solamente a sí mismo.*
—Eso es verdad. Yo creo que la palabra «música», aplicada al verso es un error o una metáfora. Yo creo sentir muy bien la entonación del lenguaje, los diversos metros y los ritmos y, sin embargo, no siento la música. Un inesperado devoto de la ópera es Walt Whitman, le gustaba mucho la ópera italiana.

—*¿Por qué inesperado?*
—Porque uno no asociaría a Whitman con la ópera. Claro que él quería ser o parecerse a todos los hombres y en su tiempo estaba de moda...

—*Sin embargo, yo recuerdo que una vez, después de oír* La Flauta Mágica *de Mozart, te oímos decir: «He perdido la mitad de la vida por haber llegado tan tarde a esta música».*
—Bueno, Mozart, Brahms... Hay otro músico que me llenó también de felicidad. Fue en Tucumán, con un grupo de profesores salimos muy felices, casi borrachos, después de haber oído a Stravinsky. Estábamos todos tan contentos, yo sentía que los quería a todos tanto y ellos a mí, nos abra-

zábamos todo el tiempo... Era casi como estar reducido al alcoholismo... O quizás (y aquí vuelvo a
una de mis manías), porque nos sentíamos tan amigos, el compartir esa música fue lo que nos llevó a
ese estado de felicidad...

XIII

Paul Groussac
Una triple dinastía. Víctor Hugo. José Hernández.
Almafuerte. Gardel.
(1979)

—¿Es cierto que hace ya cincuenta años que murió Groussac?

—Se cumplieron el 27 de junio.
—Es extraño, me parece mucho menos.

—¿En qué año se conocieron con Groussac?
—No nos conocimos nunca. Ernesto Palacio quiso presentármelo, pero yo le tenía miedo. Recordé que casi no había una sola persona de mi familia a la que Groussac no hubiera criticado y pensé que corría el albur de que me diera mi merecido.

—¿Cómo eran esas críticas?
—De Juan Crisóstomo Lafinur, que tenía una cátedra de filosofía en la Universidad de Buenos Aires, dijo que, desgraciadamente, tuvo que abandonarla cuando estaba a punto de saber algo de la materia.

—Era famoso por la agudeza de sus respuestas, o mejor dicho de sus ocurrencias.
—Una vez, hubo una polémica en la que corrie-

ron ríos de tinta —como suele decirse— entre Vicente Fidel López y Bartolomé Mitre sobre qué calle habían recorrido las tropas inglesas, que fueron, finalmente, derrotadas en Plaza San Martín. Uno de ellos, no sé cuál, era partidario de la calle Charcas y el otro de Arenales, digamos. Groussac dijo que él no quería intervenir en esa polémica, entre tales ilustres contendedores, pero que podía ilustrar el tema con un plano de la época. Se publicó el plano y resultó que no existía ninguna de las dos calles, y que todo era campo abierto, no más. ¿No es gracioso?

—*¿Cuál fue el primer libro que leíste de Groussac?*

—Debe de haber sido el que escribió sobre Liniers y luego, aquel otro sobre Mendoza y Garay, porque estaban en casa. Luego, fui descubriéndolo. Yo iba con mi padre a la Biblioteca Nacional y nunca traté de verlo; tampoco sospeché que sería su sucesor como director de la Biblioteca.

—*Él, como europeo, tendría un punto de vista muy diferente sobre nuestro país.*

—Ante todo tenía una formación y una cultura muy superiores a lo que podía ser común entre nosotros. Es muy curioso, porque Groussac se sentía aquí como un desterrado, y él lo dice, en una dedicatoria: «A mis hijos, a quienes dio patria mi destierro». Pero, al mismo tiempo que era un desterrado, su misión era educarnos.

—*Posiblemente, si él se hubiera quedado en Francia, hubiera sido un buen escritor...*

—(Interrumpiendo.) Pero no se hubiera distinguido especialmente, María Esther; en cambio, aquí sí, porque ejerció esa labor pedagógica preciosa. Él fue un verdadero maestro de América. Alfonso Reyes me dijo que Groussac le había enseñado cómo escribir en castellano. Personalmente, se lo tildaba de tener un carácter un poquito ingrato.

—*Quizá porque se sentía un desterrado.*

—Es muy probable que sintiera la nostalgia de Francia y quizá pensara que su destino era estar allí y no aquí y, sin embargo, aquí cumplió una gran misión. Es más, yo diría que la obra capital de Groussac fue esa enseñanza, que está en su estilo. Porque Groussac tiene la desgracia, para él, de no haber quedado íntegramente en ningún libro.

—*Lo mismo le pasa a Alfonso Reyes.*

—Sí, y creo que de eso hemos hablado alguna vez. Conviene que un escritor deje un libro, quiero decir que pueda vincularse el título de un libro a su nombre. Por ejemplo, si pensamos en otro gran escritor argentino, Sarmiento, uno piensa inmediatamente en...

—*En* Facundo. *El caso Groussac se parece al dios de los panteístas, que está disperso por toda su obra. ¿No?*

—En realidad, es así.

—*¿Y si hubiera que indicar un libro de Groussac?*

—Y sería *Crítica literaria* y luego, los dos volúmenes de *Viaje intelectual*.

—*¿Y los estudios de historia argentina?*

—¡Ah!, desde luego.

—*Groussac fue director de la Biblioteca Nacional muchísimos años, más de cuarenta, creo.*

—Me parece que fueron algo de cuarenta y cinco y a él se debe el edificio de la calle México. Ese edificio estaba destinado a la Lotería, así lo prueban las alegorías y los bolilleros del pasamanos de la escalera. Entonces, Groussac fue a verlo a Roca y le dijo que era absurdo que se diera el mejor edificio de Buenos Aires a la Lotería Nacional, mientras la Biblioteca estaba en un edificio ruinoso. Y se lo dieron.

—*¿Inmediatamente?*

—Sí, la Biblioteca en ese momento era importante para el país. El edificio data de 1901 y fue director hasta su muerte. Murió (él vivía en la casa con su familia), en el salón contiguo al que era mi despacho.

—*El Borges director de la Biblioteca Nacional, ¿sentía la presencia o el fantasma de Groussac, cruzando las galerías?*

—Sí, caramba. Allí estaba la ceguera, marcándonos a los dos. Sentía de tal modo a ese fantasma que me identifiqué con él, por eso me pregunto: «¿cuál de los dos escribe el poema, Groussac o Borges?». Luego, pensé que él fue más valiente porque no lo escribió.

—*A lo mejor no se le ocurrió.*

　—¡Ah! Podría ser...

—*Pero hubo otro director de la Biblioteca Nacional, ciego.*

　—Sí, ya sé, José Mármol, el de *Amalia*, pero de esa dinastía triple me enteré después. Si lo hubiera sabido, quizá no hubiera podido escribir el poema. Como contrasentido, es demasiado.

—*No. Un juego irónico del destino.*

　—Y por qué no suponer que el destino es irónico, María Esther: «Nadie rebaje a lágrima o reproche / esta demostración de la maestría / de Dios, que con magnífica ironía / me dio a la vez los libros y la noche».

—*Lo admirable de Groussac, cuya lengua materna era otra, es que llegara a dominar tan bien el español, como para ser un maestro en nuestro idioma.*

　—Sí, es admirable. Bueno, él conocía muy bien la literatura clásica española. Antes de ser historiador y crítico literario fue hispanista y escribió aquel libro sobre lo que se llama el falso Quijote y tuvo la famosa polémica con Menéndez y Pelayo. Ahora que nombré a Menéndez y Pelayo, recuerdo lo que Groussac dijo de uno de sus libros: «*La ciencia española*, obra de Menéndez y Pelayo: título imponente, pero que rescata la severidad del sustantivo con la sonrisa del epíteto».

—*¡Cómo se habrá quedado Menéndez y Pelayo!*

—Muy bien no lo debe haber tomado. Lo que no se sabe con certeza es por qué vino Groussac a la Argentina. Parece que tuvo un campo por San Antonio de Areco y luego Avellaneda lo mandó a Tucumán, se casó con una señora tucumana y fue amigo de Pellegrini, de Sáenz Peña, de Santiago Estrada, de Goyena...

—Algo que me impresionó mucho en la Biblioteca fue ese escritorio redondo, tan curioso, que se hizo hacer Groussac y que se conserva como una rareza porque nadie lo usa.

—Ese escritorio es la réplica del de Clemenceau. Groussac era amigo suyo y tradujo para él, al francés, ese poema «If», de Kipling.

—Entonces Groussac dominaba bien el inglés.

—Sí, y en ese libro de Groussac *Del Plata al Niágara*, él recuerda piezas de literatura inglesa que si ahora son conocidas, entonces no lo eran. Por ejemplo, «La balada del viejo marinero», de Coleridge. Hablaba también, con mucho desprecio y era injusto, de todos los escritores norteamericanos. Decía que Emerson era una pálida luna de Carlyle y eso es injusto; Emerson es un gran escritor.

—Era un hombre de convicciones; Borges también lo es.

—Sí, pero hablaba mal de Walt Whitman y también era injusto. En cambio, decía que cuando Rabelais contaba algo, lo echaba a perder y es verdad; Rabelais es muy palabrero. Tenía una gran admiración, que comparto, por Víctor Hugo.

—*También admiraba a Shakespeare.*

—Y tan incondicionalmente que decía que cuando se admira a los clásicos siempre hay que tener en cuenta las costumbres y los usos y las convenciones de la época, menos con Shakespeare, que está más allá de estas ataduras. Opinión que no comparto, María Esther, pero que respeto.

—*Ese escritorio que es la réplica del de Clemenceau, ¿por qué es redondo?*

—Tenía la finalidad de formar en el escritorio un anfiteatro de libros. Entonces, cuando Groussac estaba trabajando en algo, tenía todos los libros que necesitaba al alcance de la mano. Un poco como la idea del piano circular de Xul Solar. En realidad estar rodeado de libros parece mejor que un estante largo, que a cada rato hay que levantarse a buscar un texto... Él trabajaba siempre en ese escritorio. Yo, en cambio, no pude hacerlo nunca.

—*¿Por qué?*

—Yo estaba ciego.

—*Él también y parece que trabajó siempre allí.*

—Lo que ocurre es que yo no necesité tantos libros a un tiempo...

—*Quizá Borges sea menos escritor que Groussac...*

—Más lento y más torpe sobre todo. Parece que Groussac, aunque corregía muchísimo, tenía una gran facilidad.

Groussac fue amigo personal de un escritor

que influyó mucho sobre él, Alphonse Daudet, que era discípulo de Flaubert. Admiraba Groussac el estilo escrupuloso, muy corregido, el trabajo asiduo. Pero por quien sentía un verdadero culto era por Hugo.

—*Parece tan raro que haya sido amigo personal de Daudet, a quien uno ve tan, pero tan del siglo pasado, tan antiguo.*

—Más raro todavía es que lo haya conocido a Hugo. Groussac amaba a Calderón, a quien juzgaba muy superior a Lope, y a Baltasar Gracián (de Gracián decía que era un Maquiavelo de cartón piedra). Entonces, cuando visitó a Hugo en su casa, hizo su elogio y lo comparó con Calderón. Hugo, que estaba muy viejo, dijo en mal español: «la vida es sueño». Claro que era tan viejo, que vería su propia vida como un sueño. Mientras esperaba en la antecámara que lo recibiera Hugo, cuenta Groussac que él deseaba sentirse emocionado ante la idea de conocerlo personalmente, y «sin embargo —dice— estaba tan tranquilo, como si estuviera en la casa de José Hernández, autor de *Martín Fierro*».

—*Bastante expresiva la frase.*

—Me acuerdo de algunas mejores. Le hicieron un reportaje, que se publicó, y le hablaron de varios escritores (no hay por qué nombrarlos), que eran contemporáneos muy respetados. Luego, le hablaron de su amigo Enrique Larreta y entonces él simuló asombro y dijo: «¡Ah, de modo que también vamos a hablar de literatura!». Con lo cual anulaba a los mencionados anteriormente.

—*Y ¿qué juicio emitió, si es que lo hizo, sobre tu obra?*
—Yo no existía.

—*Groussac murió en 1929.*
—Sí, pero no creo que haya oído hablar de mí.

—*¿Nunca te publicó nada en la revista* La Biblioteca?
—¡Pero no, por favor! Él publicó un cuento de Lugones y, lo que es mucho más raro, una composición de Almafuerte.

Había algo que lo atraía en Almafuerte y que Groussac no entendía. Le publicó un poema y en el medallón, donde indicaba los datos del autor que publicaba, comentó que el poema de Almafuerte era como una glosa rutilante de no sé qué poema de Schopenhauer. Entonces, Almafuerte, que no entendía de matices, creyó que lo acusaban de plagio y dijo que él, gracias a Dios, nunca había leído a Schopenhauer y que esperaba no leerlo. ¿No es raro?

—*¡Pobre Almafuerte! Lo que pasa es que él tenía el orgullo...*
—(Interrumpiendo.) ¿De ser primario?

—*No.*
—¿De ser original?

—*No. El orgullo de la gente que no tiene sólida forma-*

ción y cree que los juicios críticos de los que son realmente cultos entrañan desdén y se defienden de una aparente humillación. Es la actitud defensiva de los inseguros y es probable que su inseguridad lo hiciera ser brusco.

—Puede ser cierto, aunque él se creía una especie de profeta.

—*Sólo en los períodos de exaltación.*

—Que le duraban los doce meses del año, María Esther.

—*Tengo entendido que Groussac ofrecía conciertos públicos en la Biblioteca.*

—Y él mismo los presentaba. Así daba conferencias, previas a la música, sobre Bach, Beethoven... La verdad, que la tarea cumplida por Groussac fue benéfica y muy importante. Y, ahora que lo pienso, creo que he pasado parte de mi vida leyendo *El viaje intelectual, Crítica literaria, Del Plata al Niágara.* Y cuando un libro llega a ser hábito en el lector, es porque tiene encanto. Stevenson decía que había muchas condiciones literarias, pero que sin encanto todas las demás son inútiles. Que es lo que le falta a Lugones. ¿O tiene encanto?

—*Creo que esta conversación sobre Lugones ya la hemos tenido otras veces y hemos estado de acuerdo.*

—Groussac fue un escritor al que sus contemporáneos no le perdonaron ser francés y, curiosamente, le han perdonado ese mismo pecado, en la misma ciudad, a Gardel; los dos eran tolosanos.

—*Yo creía que Gardel era francés-uruguayo.*

—No y nunca quiso ser ni argentino ni uruguayo y firmó siempre Gardés.

—*Bueno, pero me parece que tenían distinto público.*

XIV

Don Segundo Sombra
La fama. Guardaespaldas y status.
(1979)

—*No sé si conocer al hombre o a la mujer que han inspirado un personaje de ficción no es decepcionante. Despierta curiosidad, pero...*

—Bueno, yo conocí a don Segundo, el gaucho de Güiraldes.

—*¿Cómo era?*

—Un hombre de pocas palabras, bajo, fornido. Me contó un empleado de la Biblioteca Nacional, hijo de uno de los troperos que menciona Güiraldes en el prólogo de la obra, que en San Antonio de Areco había unos cuchilleros que tenían mucha fama, uno de ellos era guardaespaldas del padre de Güiraldes, y que cuando Ricardo publicó un libro dedicado a don Segundo Ramírez Sombra, se quedaron atónitos y como, además, a don Segundo lo veían como extranjero, porque era santafecino, le tomaron mucha rabia. Entonces, cuando entraba el Toro Negro, que así se llamaba el guardaespaldas, por una puerta del boliche, salía don Segundo por la otra. Y cuando no lo perseguía el Toro Negro, lo perseguía el Torito, que era el hijo del otro y que le tenía más rabia todavía.

—*Estaban envidiosos y despechados, se consideraban más diestros en el manejo del cuchillo.*

—Y eran más diestros; don Segundo no era un cuchillero sino un hombre de trabajo. Pero es cierto eso de la envidia. En San Nicolás había otro cuchillero, que se llamaba Soto, y un día llegó al pueblo un circo con un león, y el domador, para su desgracia, también se llamaba Soto. Todo el mundo empezó a hablar del domador y al cuchillero le dio mucha rabia que hablaran de un Soto que no fuera él. Entró, entonces, en el almacén, donde el domador estaba tomando una caña y le preguntó: «¿Puede decirme su gracia, señor?». «Soto», le contestó el otro. «No, mire, aquí el único Soto soy yo, así que vaya buscando un arma que lo espero afuera.» El pobre domador buscó un arma, el cuchillero lo mató y todo el pueblo testimonió que el domador lo había desafiado.

—*El miedo no es zonzo. De modo que la fama no le hacía ningún bien a don Segundo.*

—No. El pobre pasaba de ser un personaje célebre (iba Victoria Ocampo y le daba la mano, iba el conde Keyserling y le daba la mano, iba Ortega y Gasset y le daba la mano), a ser un individuo que no se animaba a acercarse al pueblo porque enseguida se encontraba con Toro Negro, Torito, Soto y con todos los cuchilleros famosos que no entendían, indignados, cómo Güiraldes le había dedicado un libro a un infeliz como don Segundo.

—*Pero es que Güiraldes lo presenta, precisamente, co-*

mo a un hombre manso, como al gaucho que no era violento.

—Es lo mismo que hace Lugones en el *Romance del Río Seco* y Estanislao del Campo en el *Fausto*. Se muestra ese lado de cortesía, de amistad y hasta de nobleza.

—*Y ¿cómo recibió don Segundo el libro de Güiraldes?*

—Me contaron que él se lo hizo leer, era analfabeto, y encontró muchos errores. Los errores eran, por ejemplo, que tal cosa no había ocurrido en tal lugar sino a dos cuadras de distancia... Y luego encontró errores técnicos.

—*Me imagino que en los asuntos de los lazos, de los arreos, de los aperos.*

—Claro, si uno escribe sobre eso, enseguida se notan los errores. Vicente Rossi, el uruguayo que escribió *Cosas de negros*, se dedicó a encontrar errores en el *Martín Fierro*. Es evidente que si uno se pone a buscarlos, se encuentran; por eso yo me defiendo de esas cosas tomando la precaución de escribir literatura fantástica.

—*¿A Güiraldes le interesaba la literatura fantástica?*

—Creo que no. En su biblioteca había dos alas; una, dedicada al simbolismo y a los poetas discípulos de Rubén Darío; por supuesto tenía toda la obra de Lugones. La otra estaba compuesta, íntegramente, por libros de teosofía. Pero me acuerdo que era un devoto de Kipling.

—*Es que* Don Segundo Sombra *tiene más o menos el mismo plan que el «Kim» de Kipling, la misma estructura.*

—¡Claro! Un hombre viejo y un muchacho que recorren un país y que lo describen. Güiraldes me preguntó si yo sabía inglés (por aquel tiempo, en mil novecientos veintitantos, saber inglés era un poco como saber ahora alemán o danés, algo fuera de lo común). Yo le dije que sí. «¡Ah, qué suertudo —contestó—, puede leer Kipling en el original!». Era muy devoto de Kipling y tuvo una discusión con Rabindranath Tagore, que se animó a hablar despectivamente de Kipling. ¡Ah, no! No fue Güiraldes, fue Adelina del Carril, que salió en defensa de esa pasión de su marido y dijo que Kipling era un gran escritor y Tagore, al final, se calló la boca.

—*¿Cómo era Adelina del Carril?*

—Una mujer lindísima, con un cutis muy fresco y el pelo blanco. Desde muy joven tuvo el pelo blanco y la hermana de ella, que se casó con Neruda, era también muy linda y, sobre todo, muy simpática.

—*¿Por qué el padre de Güiraldes tenía guardaespaldas? ¿No era una época tranquila, donde se desconocía la violencia desatada?*

—El padre de Güiraldes era caudillo y había sido intendente y todos los caudillos y los políticos tenían guardaespaldas. Además, eran tiempos tranquilos, pero no demasiado. Paredes, el de Palermo, al que yo he nombrado tantas veces, era guardaespaldas de Benito Villanueva. Posiblemente fuera una costumbre. Además, se sabía que un hombre que tenía un guardaespaldas era una persona importante.

—*Entonces, era una cuestión de status, como tener, ahora, una casa en Punta del Este.*

—Creo que sí. ¿Actualmente, entre los ejecutivos, tener un guardaespaldas no es una cuestión de status?

—*No estoy muy segura que sea sólo status. Ahora se dice custodia, no guardaespaldas.*

—En Brasil se decía capangas. Me presentaron hace muchos años un señor brasileño de Santa Ana de Livramento y lo acompañaba un negro gigantesco que llevaba, a la vista, unos revólveres muy grandes. El señor, con cierto orgullo, lo presentó diciendo: *Meu capanga!* Después me explicaron que eso quería decir que era rico e importante.

—*¿Por qué eligió Güiraldes a don Segundo de protagonista?*

—Lo había conocido de chico y lo había admirado.

—*Se sentiría un poco Fabio Cáceres.*

—Creo que sí. Güiraldes me dijo un día: «Este libro mío va a tener éxito porque es una criollada, pero es inferior a *Xaimaca*».

—*Era un pésimo crítico de su obra.*

—Suele ocurrir. Él le dio a mi madre un manuscrito de *Don Segundo* para que lo leyera. Al día siguiente, mi madre lo llamó y le dijo: «Tu libro tiene que ser muy bueno, porque yo detesto las criolladas y anoche estuve leyéndolo hasta las tres de la mañana.» A ninguna señora le gustaban las criolladas.

—*¿No entraba un poco de esnobismo en eso?*

—No sé, pero cuando yo era chico, decirle a alguien que era un gaucho era decirle que era un bruto, porque se usaba en sentido peyorativo. Al desaparecer el gaucho, se idealizó su imagen.

—*Lo mismo ocurre con los muertos; se empieza en el velorio.*

—Y está bien, porque muerto no molesta más a nadie. Qué buen tino tuvo Güiraldes al abreviar Segundo Ramírez Sombra en Segundo Sombra; es como si repitiera dos veces algo de lejanía. ¡Qué lindo título, María Esther! ¡Qué suerte que se le ocurrió! Es tan difícil encontrar buenos títulos. Vamos a ver, ¿cuál es el título más lindo de la literatura argentina?

—*La ciudad junto al río inmóvil.*

—Sí. Siempre le envidié ese título a Mallea.

XV

La poesía
Rubén Darío, Pizarnik, Girri y la poesía intelectual.
Las convenciones y un gato. Otra vez Güiraldes.
(1982)

—Anoche hablábamos de Rubén Darío con Adolfito y dijo que le parecía un poeta bastante flojo. Sin embargo, históricamente es importante porque sin él no se concibe el Modernismo ni la renovación de los ritmos ni de los metros.

—*¡Por favor! El sentido musical de Rubén Darío es extraordinario.*

—Pero, por ejemplo: «Boga y boga en el lago sonoro / donde el sueño a los tristes espera, / donde aguarda una góndola de oro/ a la novia de Luis de Baviera». Y lo de la góndola y los cisnes y la novia de Luis de Baviera y los versos, es cierto, parecen una miseria.

—*Si fueras extranjero, sin comprender bien el castellano, y oyeras, no obstante, el ritmo, te gustaría mucho.*

—Es cierto. Aquello de «Padre y maestro mágico, liróforo celeste / que al instrumento olímpico y a la siringa agreste / diste tu acento encantador...». Musicalmente es extraordinario. Y luego: «Que sobre tu sepulcro no se derrame el llanto, / sino rocío, vino, miel...».

—Me parece que han sido algo injustos con el pobre Rubén Darío.

—¡Caramba!, tenés razón, es lindísimo. A Adolfito lo asombraba que poetas hoy considerados superiores a Darío, lo vieran como maestro.

—Pero, ya comentamos muchas veces, nadie es hijo de sí mismo. Claro, si hoy alguien escribiera así se lo consideraría un pasatista.

—Sin embargo, lograr esa música es bastante difícil. Los poetas actuales se han librado de eso, librándose de la música también, y muchos son bastante ilegibles. El otro día, una chica muy entusiasta me estuvo leyendo poemas de esta muchacha Pizarnik; en general, no les encuentro sentido y —otro ejemplo— no puedo hablar de Girri porque no lo entiendo. Quiero decir: en el caso de poetas que yo considero malos, sé qué se han propuesto y sé en qué han fracasado, pero en el caso de Pizarnik y de Girri no puedo saber si han fracasado porque no sé cuál era su meta, no sé qué se han propuesto. Tampoco son tan activamente feos como lo eran los versos de Herrera y Reissig, que buscó ser un Leopoldo Lugones y no le salió. Entre paréntesis, esto no debe decirse en Montevideo. Cuando yo dije allí que Zorrilla de San Martín me parecía superior a Herrera quedé como un «anciano maligno» para repetir las palabras con que me definió cierta vez Marta Lynch.

—Ni ella lo sintió cuando lo dijo ni vos sos un anciano maligno.

—No, creo que no. Pero, en el caso de Zorrilla de San Martín sé qué se propuso, qué ha logrado o qué estuvo a punto de lograr. En cuanto a Herrera, él quiso ser un poeta erudito, rarísimo y lo logró; fue raro y lo fue hasta la fealdad. El caso de Alejandra Pizarnik, ¿sería una escritura automática? En Girri parece que no, y me dicen que corrige mucho lo que escribe. Girri —lo vi una vez— me dio la impresión de ser un hombre inteligente. Cree estar pontificando una teoría intelectual que no sabemos cuál es.

—*No puedo opinar. A mí no me despierta ninguna emoción estética ni sensible. Quizá la falla esté en mí.*
—Vamos a ver: se la llama poesía intelectual, pero intelectualmente es incomprensible.

—*Entonces, ¿qué hacés con ese poema?*
—Bueno, tomemos el caso de Unamuno: los poemas son feos, los versos son duros, pero las ideas son interesantes. Acá no se sabe cuáles son las ideas. Se llama poesía intelectual a la que no es musical.

—*Yo la siento como doblada sobre sí misma, abasteciéndose a sí misma. Además, tampoco tiene nada que ver con la poesía hermética.*
—Ah, no. En la poesía hermética se entiende que hay algo y eso es lo que vale. Por otra parte, las ideas en poesía no son muy importantes y siempre son las mismas: todo es transitorio, temporal o si no lo contrario: hay algo eterno. Da lo mismo una que

otra; lo valioso es cómo se diga. Por ejemplo, esa idea de que la vida es un sueño —uno de los lugares comunes de todos los poetas en todas las épocas—, lo ha dicho Cummings de manera muy rara:«El terrible rostro de Dios / más brillante que una cuchara (eso parece hecho para el asombro y nada más) recoge la imagen de una sola palabra fatal».

—¿*Como si recogiera sopa?*

—Exactamente. Y sigue: «Hasta que mi vida,/ que gustó del sol y de la luna (ahora viene la sorpresa) se parece a algo que no ha sucedido».

Ese verso yo lo leí en 1916 o 1917 y me emocionó: «Se parece a algo que no ha sucedido». Y qué otra cosa es eso sino decir que la vida es sueño. Qué imagen rara y eficaz también. ¿No te parece?

—*Sí, y además muy triste.*

—Es cierto, porque es como si a uno lo despojaran del pasado o mejor como si ese pasado no hubiera existido. Cummings fue un poeta que se dedicó a ser original tipográficamente que es una de las maneras más pobres de ser original. Me acuerdo que Brandán Caraffa hizo un libro de sonetos pero no empezaba en la página tres sino en la tapa y luego seguía hasta el final y ahí estaba el nombre del autor con lo cual conseguía que nadie se fijara en los sonetos sino en la originalidad de empezar por la tapa.

—¿*Cuántos años tenía Brandán?*

—Creo que veinticinco.

—*A esa edad se buscan las innovaciones.*

—Hay una frase muy linda de Eliot: «Hay que ser original con el mínimo de innovación». La vez pasada, vino un poeta con un libro escrito todo en mayúsculas y sin signos de puntuación. Difícil de leer.

—*Muy incómodo.*

—Yo le expuse mi proyecto de que se aumentaran los signos de puntuación, podría haber signos de ironía, por ejemplo. Mi idea no le gustó.

—*¿Cómo le iba a gustar si él no los usaba? El español es el idioma que más signos de puntuación tiene porque los de interrogación y admiración se abren y se cierran.*

—Es cierto. Pero los signos son convenciones. El mundo está lleno de convenciones.

—*Hasta tener un gato en una casa es una convención.*

—No, caramba, no digas eso que el gato puede oírnos y a lo mejor, si entiende, no le va a gustar. No, para mí no es una convención; hasta me parece imposible poder vivir sin un gato. Por otra parte, me he dado cuenta de que el gato se da cuenta cuando me siento solo. Estoy tendido en la cama, de pronto hay un brinco poderoso y el gato está a mi lado, con la cabeza en el hombro, me ampara con su presencia y, a veces, hasta se queda dormido, y eso es una máxima demostración de confianza y de amistad hacia mí...

—*¿Cómo a un hombre tan inteligente como vos...*

—Suponiéndolo.

—*Suponiéndolo, que está siempre pensando en literatura puede complacerle la compañía de un ser irracional?*

—Quizá prefiera la compañía humana pero como no puedo tenerla, me conformo. Mi vida es solitaria. Por de pronto, la vejez es una forma de soledad y la ceguera es otra forma pero más enfática.

—*Quizá la explicación sea otra: los seres humanos necesitan de esa forma de ternura primaria que se puede tener o con un chico muy chico o con un animalito, sin sentirse ridículos.*

—Yo diría que más con un animal que con un chico. Hubo una época en que yo quería engañar a mis sobrinos y les decía: «Si te portás bien, te doy permiso para que pensés en un oso». Entonces Miguel me contestaba: «Pienso lo que quiero, cuando se me da la gana». Creo que yo llegaba tarde; si se lo hubiera dicho un año atrás, el chico lo habría aceptado como un regalo.

—*No. Los chicos tienen tendencia a hacer lo que les parezca y las prohibiciones, que son parte de la educación, se suman cuando crecen.*

—Pero, cómo, ¿un chico nace con el sentido de la libertad y no depende de los grandes?

—*Depende, pero cree que puede hacer todo. El adulto lo lleva al comportamiento convencional que la sociedad le impone al ser humano. Cuando ya sabe qué es un oso —y lo sabe desde muy chiquito— puede pensar en él cuando quiera. El animal es mucho más limitado porque es un ser irracional.*

—Es cierto. Pero tampoco puedo darle a un animal permiso para pensar en un oso.

—*A veces tengo la impresión de que no conocés para nada a quienes te rodean. Creás un esquema y te guiás por él y luego te asombra el hecho de que las personas sean de otra manera.*

—La ceguera me ayuda en ese sentido. Pero esto que me decís es verdad. Quizá sea una forma de egoísmo. Creo que tiendo a simplificar a la gente y al mismo tiempo me doy cuenta de que la siento mucho.

—*Porque sos muy intuitivo. Uno entra en la casa y sin decirte nada te das cuenta enseguida si uno está perturbado o triste por algo y eso te ocurre con los amigos y con los extraños.*

—Sí. Pero eso se debe a que es muy difícil ocultar la desdicha y todavía más difícil simular felicidad.

—*El otro día me decía Mujica Lainez que el modo de vivir ha cambiado tanto desde su juventud. ¿Sentís lo mismo?*

—Sí, claro. La gente, por ejemplo, no avisaba cuando venía a almorzar o a comer. Caía y se agregaba un lugar en la mesa. En la Argentina siempre sobraba comida con un generoso margen.

—*En las casas de familias con buen pasar económico.*

—Bueno no, recuerdo que Paredes —vivía solo en una pieza de un conventillo— me recibió un mediodía y me convidó con la sopa y el puchero que se estaba haciendo para él. No, la gente no te avisaba y siempre era bien recibida. Güiraldes y Adelina del Carril, su mujer, venían muy seguido. Y un día, cuando ya se iban, madre le dijo que se olvidaba la guitarra. «No —contestó él—. Vamos a hacer un viaje a Europa y quiero que algo mío quede en esta casa.» ¿Qué lindo gesto, no?

—*¿Güiraldes tocaba la guitarra?*

—Sí, y muy bien. Y cantaba. La diferencia con Macedonio Fernández es que Macedonio sólo la templaba. Xul Solar un día le preguntó por qué no la tocaba, en vez de puntearla y Macedonio le contestó: «No, no quiero convertirme en ejecutante». Güiraldes cantaba coplas criollas y hasta entonaba las estrofas del *Martín Fierro*, pero lo hacía como los payadores, entre dientes, casi de un modo secreto. Bailaba muy bien y se lucía en el tango, le enseñó a bailar a su mujer; lo hacían con corte y quebrada. ¡Qué raro! El tango fue aceptado enseguida por la gente bien y estaba mal visto en los conventillos, lo consideraban una indecencia. En cambio, al gaucho, a quien todo el mundo veía como un haragán, él lo había endiosado; lo consideraba un ser noble que sólo conocía el bien.

—*Por eso escribió* Don Segundo Sombra.

—Claro. Mi pariente Melián Lafinur solía decir: «Nuestro rústico carece de todo rasgo diferencial, salvo, naturalmente, el incesto». Injusto pero gracioso. Por supuesto, eso no se podía decir delante de Güiraldes. Lo que me pareció muy raro es que Güiraldes consideraba que *Xaimaca* era mejor que *Don Segundo Sombra* y que además escribiera *Rosaura*, que se publicó en una colección de novela semanal. Por otra parte, dejó otro libro no demasiado bueno, *El cencerro de cristal*. Me acuerdo de una expresión muy graciosa de Güiraldes: en el primer número de *Proa* yo conseguí que Macedonio Fernández escribiera un artículo y Güiraldes estaba muy escandalizado porque no lo entendía y dijo: «No sé. Esto me agarra sin perros». Y otra vez, comentando el libro de Lugones *Lunario sentimental* inventó estos versos: «La luna, redonda como un ovillo, / blanca como botón de calzoncillo».

XVI

Igual a sí mismo
El tiempo circular. El premio. El jazz. La esperanza.
Los antepasados. La biblioteca.
(1984)

—*Hablábamos días pasados con José Edmundo Clemente de tu gran resistencia física que te permite emprender viajes casi continuamente.*

—Sí, me he convertido en el escritor errante.

—*Dijo Clemente que estabas galvanizado al tiempo circular y cada año recomienza tu ciclo de nuevo.*

—En *La historia de la eternidad* apareció un artículo mío, donde yo refuté esas doctrinas de los pitagóricos y de los estoicos del tiempo circular. Repetí las diversas refutaciones de San Agustín. Esto y que luego me refiriera al tiempo circular bastó para que la gente creyera que soy su partidario más fiel.

—*Sin embargo, parecés inmerso en él, porque cada vez tenés más energías para subir a aviones que dan la vuelta al mundo.*

—En ese sentido, sí, puede ser.

—*Ahora mismo acabás de volver de un viaje bastante azaroso.*

—Fui a recoger un muy inmerecido y generoso premio dado por la Fundación Ingersoll, que no toma su nombre del coronel Ingersoll, que escribió aquel libro *The mistake of Moises (Las equivocaciones de Moisés)* y que se refería al Génesis. Él predicaba el ateísmo y uno de los que nunca faltaba a sus conferencias era Mark Twain, que también era ateo.

—*Creo que también hubieras sido un asiduo oyente.*

—Y de algún modo fui porque mi padre me enseñó el ateísmo.

—*Y si no fue por el coronel Ingersoll, ¿por quién lleva el nombre?*

—Por un señor muy rico, naturalmente, de quien lo único que se sabe es que instituyó este premio que se llama T. S. Eliot. En el acto hablé sobre Walt Whitman. La viuda de Eliot me mandó un telegrama. Ella era su secretaria y me contaron que le enseñó a bailar.

—*¿Eliot aprendió a bailar con su secretaria y luego se casó con ella?*

—Sí, ¿te parece que esa cercanía pudo haber influido, María Esther?

—*Habría que haberle preguntado a Eliot. Volviendo al premio, ¿es importante?*

—Es un vasto premio, no sé si conviene mencionar la cifra.

—*¿Por qué no?*

—Fueron quince mil dólares. Pero, al mismo tiempo, había otra cifra en Chicago, en este enero, treinta y nueve grados bajo cero.

—Una compensaba la otra.

—Creo que sí. Inmediatamente nos fuimos a New York, donde sólo había veinticinco grados bajo cero y entonces nos fuimos al sur a buscar el calor de New Orleans. Oímos excelente jazz, pero hacía un frío terrible, no se podía salir del hotel.

—¿Y qué vas a hacer con esos quince mil dólares, que a un escritor le parecen muchos y a un jugador de fútbol una bicoca?

—¿Ganan más, María Esther?

—Mucho más.

—¡Caramba! Gastaré parte de ese dinero en libros; aunque no pueda leerlos, me gusta su cercanía, tenerlos y tocarlos. Fijate que observé un detalle curioso. Se dice que Buenos Aires y Montevideo son las catedrales del tango, pero uno puede pasar un año en cualquiera de las dos ciudades y no oír un solo tango.

—¡Ah, no! Por la radio los pasan muy a menudo y por la televisión también.

—Sí, pero el jazz de New Orleans es continuo, se oye permanentemente en las calles con todas sus variedades, desde los *negros spirituals* hasta el rock y a mí, que acá juzgaba horrible al rock, al oírlo allá me pareció lindísimo.

—*¿No será que estaba dentro del color local?*

—Puede ser, o quizá sea que todo el jazz que se oye en New Orleans es excelente.

—*¿Cómo encontraste Buenos Aires a tu vuelta?*

—Y bueno, salí de una ciudad desesperada, casi agónica y ahora en estos primeros días de 1984, vuelvo a una dedicada a la esperanza.

—*¿Tenés una opinión definida del presidente Alfonsín?*

—No. Pero debo decir que tengo la mejor opinión. He conversado diez minutos con él y hemos cambiado corteses trivialidades, pero desde luego, estoy contento. Si uno piensa lo que hubiera sido el reverso, si hubieran ganado las elecciones los peronistas, se piensa directamente en el infierno, hubiera sido horrible.

—*Siguiendo tu costumbre, no leés nada de los escritores que han aparecido en los últimos tiempos.*

—Me leyeron una página de Asís y como se dice de Paolo y Francesca en el Canto V de la Divina Comedia: *Quel giorno, più non vi leggemmo avante...* Dejé de leer enseguida.

—*Hay, te habrás enterado, como una sed de justicia. Se descubren permanentemente lugares donde se torturaba y tumbas NN.*

—Sí, lo sé. Claro que lo que yo pido quizá sea imposible. Almafuerte dijo: «Sólo pide justicia, pero mejor será que no pidas nada». Creo que tendríamos que seguir ese consejo. Además, si se hace justicia, no debe hacerse como en 1853, cuando derrocaron a Rosas, que fusilaron a cuatro degolladores, unos infelices que cumplían órdenes. Se hizo justicia sólo con los de abajo.

—*Parece que ahora se hará justicia desde arriba hasta abajo.*

—Y posiblemente quedará medio país en la cárcel. No sé si eso conviene. Todo exceso es peligroso y el exceso de justicia también. Hay demasiada gente que está deseando castigos, convendría no olvidar la frase de Almafuerte, que es una frase un poco triste.

—*Más bien es la frase de un hombre vencido. ¿Te has sentido vencido alguna vez?*

—Continuamente, pero ni quejosa ni patética sino serenamente vencido. Mi vida ha sido una serie de errores. Si alguien tiene alguna duda puede adquirir mis *Obras ompletas*. Me acuso, sobre todo, de muchas culpas literarias.

—*¿Y ahora en qué nuevas culpas literarias vas incurrirás.*

—Hay otro libro de cuentos fantásticos y, como siempre, uno de poemas que se escribe a pesar de mí.

—*¿Qué momento del día te parece el más lindo?*

—En general, la mañana; nos da la impresión de empezar algo, y luego la noche porque ya he dado cuenta de un día, pero las tardes suelen ser tristes.

—*Alguna vez escribiste: «Las tardes a las tardes son iguales».*

—Es cierto y recuerdo que te gustó ese verso, me dijiste que era demasiado melancólico.

—*Pero, en general, se te ve contento.*

—Cómo no voy a estarlo si voy a volver a Italia dentro de dos meses. Podría repetir lo que dijo Chesterton: «Si alguien va a Roma y no piensa que vuelve a Roma, el viaje es inútil». Además la genealogía, esa especie de la literatura fantástica, asegura que desciendo directamente de un capitán Giveo, italiano, que militó a las órdenes de Mendoza, en la primera fundación de Buenos Aires.

—*Pero, ¿no habías confesado una vez que descendías de Juan de Garay o de uno de sus soldados?*

—También, pero si puedo agregar uno anterior que es italiano, ¿por qué no? Y no te olvides de mi abuela inglesa y de mi bisabuelo portugués, Borges de Moncorvo.

—*Creo que ya tenés todas las sangres posibles o ¿te falta alguna?*

—Sí, la escandinava.

—*Pero, quizá con un esfuerzo de la genealogía se podrá conseguir. ¿Qué estás releyendo ahora?*

—Una versión inglesa de un libro que ya había leído en alemán, *El sueño del aposento rojo*. Yo tenía varias versiones de ese libro y las guardé en aquella piecita de libros valiosos que había en el primer piso de la Biblioteca Nacional. No sé si te acordás, María Esther, y, naturalmente, fueron robados.

—*¿Soñás a veces con la Biblioteca Nacional?*

—En cualquier lugar del mundo donde esté, sueño con la Biblioteca y con el barrio de Monserrat. Y como suele ocurrir en los sueños, la Biblioteca es infinita y me pertenece.

XVII

La democracia
Alfonsín. Los desaparecidos. Las Malvinas. Censura.
La derrota ética. San Jorge.
(1984)

—*Se supone que estamos viviendo uno de los momentos
más difíciles en la historia de nuestro país, ¿no te parece?*

—Sí, pero creo que nuestro deber es la esperanza, la probable esperanza, la verosímil esperanza. Debemos esperar y debemos hacerlo porque es
la única solución que tenemos. Yo he descreído de
la democracia mucho tiempo pero el pueblo argentino se ha encargado, felizmente, de demos-
trarme que estaba equivocado porque el cincuenta
y dos por ciento ha votado, yo no diría por Alfonsín ni por los radicales, sino por la sensatez, por la
cordura y, finalmente, por la ética. Pero el presidente tiene una tarea muy difícil, creo que debemos perdonar lo que pueden parecer complicidades o flaquezas puesto que él no puede gobernar
contra el cuarenta por ciento del país; en fin creo
que está obligado a muchas cosas. Tenemos el deber de apoyarlo, si no ¿qué otra alternativa nos
queda?, la incompetencia, el caos y la deshonesti-
dad. No tenemos otras posibilidades. He hablado
con un chofer de taxi y con un mozo de café y los
dos me dijeron que eran peronistas pero que habían votado por Alfonsín. ¡Qué raro!, pensar que si

los peronistas hubieran sido un poco más vivos y hubieran apoyado con más fuerza a candidatos como Luder, habrían ganado las elecciones.

Toda la campaña estaba hecha de un modo disparatado: no prometieron nada, volvieron con esos cantitos de adulación, «Perón, Perón, qué grande sos», «mi general cuanto valés». Debieron olvidar todo eso. Los radicales obraron bien porque no invocaron incesantemente la memoria de Alem o de Yrigoyen.

—*Bueno, un poco sí.*

—Pero mucho menos, lo razonable. Los peronistas estuvieron todo el tiempo invocando fantasmas, que no ofrecían nada.

—*¿Has visto muchas veces a Alfonsín?*

—No, una vez en mi vida, cuando invitó a un grupo de escritores; al único que reconocí fue a Bioy. Me presentaron a un señor Gorostiza y a un señor O'Donnell, quien, me, dijeron, había sido acusado de escribir un libro titulado *La seducción de la hija del portero*. ¿Existe ese libro o es una broma?

—*Existe.*

—Debe ser un hombre valiente porque se anima a usar la palabra portero en vez de encargado. Es un rasgo de audacia. En realidad, con Alfonsín habré hablado unos cinco minutos, pero, insisto, hay que apoyarlo en todas formas. No sé nada de su actuación política ni había oído su nombre antes, pero hay que apoyarlo.

—*En 1976, cuando los militares echaron a María Estela Martínez de Perón de la presidencia e instalaron el gobierno de facto, saludaste con satisfacción la interrupción del gobierno constitucional y llegaste a decir: «Por fin tenemos un gobierno de caballeros».*

—Sí, es verdad.

—*¿Qué te hizo cambiar de opinión?*

—La actuación de «esos caballeros» tan poco parecidos a caballeros.

—*¿Cuándo tuviste noticias de los desaparecidos?*

—Tardé en tenerlas, soy ciego, no leo los diarios. En mi caso, un día vinieron a casa las Madres y las Abuelas de Plaza Mayo a contarme lo que pasaba. Algunas serían histriónicas, pero yo sentí que muchas, la señora Agustina Paz, por ejemplo, venían llorando sinceramente porque uno siente la veracidad. ¡Pobres mujeres, tan desdichadas! Eso, no quiere decir que sus hijos fueran invariablemente inocentes, pero no importa. Todo acusado tiene derecho por lo menos a un fiscal, para no hablar de un defensor. Quiero decir, María Esther, que todo acusado tiene derecho a ser juzgado.

—*¿Qué sentiste cuando supiste todo este asunto de los desaparecidos?*

—Me sentí terriblemente mal y eso lo dije en su momento. Fue una cosa espantosa. Me dijeron que un general había comentado que si entre cien personas secuestradas... ¿Cómo era?

—*Cinco eran culpables, estaba justificada la matanza de los noventa y cinco restantes.*

—Debió ofrecerse él para ser secuestrado, torturado y muerto para probar esa teoría, para dar validez a su argumento. No sé si habría dicho lo mismo tratándose de sus hijos.

—*La guerrilla y el terrorismo...*

—(Interrumpiendo.) Es que la guerrilla y el terrorismo existieron, desde luego, pero, al mismo tiempo, no creo que sean modelos aconsejables.

—*Según el informe que ha dado la Comisión, que se ocupa de los desaparecidos y que preside Ernesto Sábato, hay ocho mil ochocientos desaparecidos y éstos son sólo una parte. ¿Cómo se pudo haber evitado el terrorismo y la represalia terrible que originó?*

—No sé cómo pudo haberse evitado porque también el terrorismo mató a mucha gente inocente y de manera muy cruel. Me acuerdo cómo despedazaron a la hija de un señor Lambruschini, que después fue partidario de la guerra de Las Malvinas; así que esa terrible experiencia no le sirvió de nada. Todo esto me hace acordar de la frase de Almafuerte: «Sólo pide justicia, pero será mejor que no pidas nada». Es muy triste.

—*Y uno se pregunta ¿para qué le sirvió al país ese período diabólico?*

—Sirvió para que podamos arrepentirnos de él. Claro que a mí me resulta fácil decir que debemos olvidar todo, pero, probablemente, si yo tuviera hijos y hubieran sido secuestrados y torturados, quizá no pensaría así. Es cierto que fue un período diabólico, pero lo que hay que tratar es que pertenezca al pasado. Aunque pienso que hay mucha gente que siente nostalgia por ese período.

—*¿Pero quiénes?*
—Los que medraban con el poder.

—*¿Fue justa y necesaria la guerra de las Malvinas?*
—No, un disparate. Además, seis personas no pueden decidir por todo un país. Por otra parte, ellos no se dieron cuenta de que eso podía llevar a una guerra. Me dijo Oriana Fallaci que el general Galtieri en una entrevista había afirmado que nunca pensó que eso llevaría a una guerra más o menos en serio. Y el general Menéndez, cuando se rindió, le dijo lo mismo al general Moore, es decir, él jamás había pensado que las cosas iban a llegar a ese extremo.

—*¿Y por qué el pueblo apoyó masivamente esa guerra?*
—Bueno, eran los peronistas que fueron a Plaza Mayo, las turbas.

—No, *había gente que no era peronista y la apoyaba y estaba como loca de contenta con la idea de la recuperación de las Islas.*
—Es que se manejaron siempre grandes palabras: patria, libertad, «o juremos con gloria morir» y los pobrecitos que murieron no tuvieron tiempo de pensar si se morían con gloria, palabras todas

que tocan las fibras sensibles del nacionalista que cada uno lleva dentro. Pero no creo que ningún escritor ni ninguna persona seria la apoyara.

—*¿Qué opinás de las represalias y de la conducta de Margaret Thatcher?*

—No podía obrar de otro modo, se jugaba su prestigio político frente a los nacionalistas de allá, que también los hay. Yo estuve hablando con un chofer que me dijo: «Yo soy nacionalista cien por cien y si hay una persona a la que yo entiendo es la Thatcher, porque por lo menos ella sabe lo que quiere, los de aquí parecen locos».

—*Veo que pulsás las opiniones del pueblo a través de tus charlas con los choferes de taxi.*

—Es que como ellos, a lo largo del día, oyen las opiniones de todos los que suben al taxi, al final suelen hacer un balance justo, que me cuentan porque la mayoría me reconoce. ¡Qué raro! Me reconocen y enseguida se lamentan de que no me hayan dado el Premio Nobel.

—*También con espíritu nacionalista.*

—Ah, desde luego, no creo que hayan leído una sola línea mía.

—*Descreés absolutamente del nacionalismo y siempre has pensado mal de él.*

—Sí, pero no sé si siempre lo he aborrecido. Cuando era joven era nacionalista bajo la influencia de Macedonio Fernández, que llevaba el nacionalismo a un grado exagerado. Recuerdo que yo había leído un artículo muy lindo de Unamuno en *Caras y Caretas*. Él admitió que ese artículo era excelente, pero su comentario fue el siguiente: «Vos ves, ahora hasta los gallegos son inteligentes y son inteligentes —terminaba— porque saben que los leemos en Buenos Aires». De modo que el mérito de ese artículo, que escribió Unamuno sin pensar en su eventual publicación en Buenos Aires, correspondía sólo a Buenos Aires.

—*Eso es llevar el nacionalismo a grados extremos.*
    —Es que él no quería admitir nada que no fuera porteño.

—*¿Qué te hizo descreer del nacionalismo?*
    —Yo creo que los nacionalistas (ríe).

—*¿Qué hubiera pasado si se hubieran reconquistado las Malvinas?*
    —Y posiblemente los militares se hubieran perpetuado en el poder y tendríamos un régimen de aniversarios, de estatuas ecuestres, de falta de libertad total. Además, yo creo que la guerra se hizo para eso ¿no? Y hasta me inclino a creer que vacilaron entre una guerra con Chile o con Inglaterra. Claro que como Inglaterra queda lejos, pensaron que no iba a darse cuenta. Ahora yo acabo de volver de Cambridge y nadie me dijo una palabra. Por supuesto, no se tocó ese tema, hubiera sido una grosería. Además, me parece que se ve como un episodio victoriano y si los militares de aquí confundieron la lejanía en el es-

pacio, ellos confunden la lejanía en el tiempo. Lo que me parece asombroso es que mientras se iba perdiendo la guerra, los militares decían que se iba ganando.

—*Había una censura total y nadie sabía las maniobras del gobierno militar. Afuera del país sabían más que nosotros, nosotros vivíamos engañados. No sabíamos que mientras se realizaba el mundial de fútbol se estaba secuestrando gente.*

    —Pero en aquel tiempo no estaban secuestrando gente.

—*Sí, todo esto empezó con el gobierno del general Videla. En realidad, bastante antes.*

    —Videla, caramba, un señor tan agradable y tan insípido. Pero qué puede saber uno de alguien con quien sólo ha cambiado trivialidades corteses. Por ejemplo: «¡Qué honor estrechar su mano, Borges!». «No, el honor es mío.»

—*¿Hasta dónde es perniciosa la censura?*

    —En el caso de una película mía que estrenaron me parece laudable la censura. Hay un señor, Christensen, que ha tomado un cuento mío, «La intrusa», y lo ha enriquecido introduciéndole la sodomía y el incesto. ¿La viste?

—*No, todavía no.*

    —Es ridícula. Hay una actriz que se ha resignado a que la fotografíen desnuda y hay dos señores también desnudos, que avanzan de cada lado y entonces inventan la forma quizá más incómoda del acto sexual: que sea simultáneo. Cuando yo dije en el cuento que ellos la compartieron, no quise decir al mismo tiempo.

—*A lo mejor para hacer esa escena se tomó la frase final de «Emma Zunz»: «todo era verdadero, sólo eran falsas las circunstancias».*

—No creo que hayan leído «Emma Zunz» ni ninguna otra cosa. Pero ahora va a salir una protesta mía. Cuando hace un tiempo la censura prohibió la película vinieron a verme y yo les dije que, desde luego, descreía de la censura porque no voy a permitir que otra persona piense por mí, pero que en este caso me había favorecido.

—*Este es un caso muy especial, ninguna persona sensata puede apoyar la censura.*

—Ah, no, no, no. Yo digo que éste, por excepción, es el único acierto en la historia universal.

—*Tengo una pregunta muy delicada que hacerte; si no la querés contestar, la omito.*

—Pero ¿por qué? Contesto todo lo que quieras.

—*Una vez recibiste una condecoración de Pinochet y todo el mundo te reprochó el hecho de haberla recibido. ¿Por qué lo hiciste?*

—No era una condecoración. Me hicieron doctor honoris causa de la Universidad de Santiago de Chile y el presidente me invitó y yo no podía, estando allá, rehusar esa invitación.

—*¿A qué te invitó?*

—A comer. Pero yo había ido a recibir el doctorado y nada más.

—*Se te criticó mucho.*

—Y, desde luego, yo obré mal. Sabía que estaba jugándome el Premio Nobel, pero pensé: qué absurdo juzgar a un escritor por sus ideas políticas. Además, en aquel momento confieso que me equivoqué; no me di cuenta de que no se trataba de una razón política, sino que se trataba de una razón ética. Ahora, por ejemplo, he recibido una invitación del Paraguay, que no acepté, porque si no apoyo a los militares de aquí, por qué voy a apoyar a los de allá. Además, María Esther, no se entiende el hecho de que un militar tenga conocimientos y capacidad para gobernar; es absurdo, es como si el gobierno estuviera en manos de los dentistas o de los buzos o de los escritores. Los escritores no tienen por qué saber cómo se gobierna, para eso están los políticos, que se han preparado toda su vida. Pero a los militares eso no les importa, quizá porque viven en un mundo artificial de órdenes, de obediencia ciega, de arrestos... Viven fuera de la realidad. Además, no sé si estás enterada de que adolecíamos de ochenta y dos generales y ahora hay cuarenta, cifra que ya parece excesiva.

—*El cuarenta no es un número oportuno. Tendría que ser treinta y nueve o cuarenta y uno.*

—¿Por qué?

—*Porque, por asociación de ideas, el cuarenta hace acordar a la cueva de Alí Babá.*

—(Riendo.) Es verdad, la cifra es peligrosa, mejor no mencionarla. Además uno piensa en el diluvio universal con cuarenta días y cuarenta noches de lluvia... No, no es una cifra que convenga.

—*Hace pocos días, en un reportaje, dijiste que nuestro país vive una derrota económica, pero lo más grave es que vive una derrota ética. ¿Puede superarse?*

—Ojalá. No sé, creo que sí. Yo no entiendo a este país, no entiendo al universo. Bueno, no me entiendo a mí mismo tampoco ni entiendo lo que he escrito y que los críticos parecen entender tan bien. Pero yo digo que es más ética que económica porque la crisis tiene su origen, fundamentalmente, en el dinero que ha sido robado.

—*Hace un momento hablamos del peronismo. ¿Es probable que los males del país provengan de allí?*

—Es indudable que algunos sí, pero no todos. La culpa de los males que sufrimos la tenemos todos nosotros. Sin duda, yo mismo soy culpable.

—*¿Puede el peronismo tener una evolución hacia un futuro realmente democrático?*

—Por la campaña que han hecho, creo que no, siguen todavía con los cantitos.

—*¿Estamos a salvo de los golpes militares?*

—No estamos a salvo de nada, pero los militares, que se han desacreditado tanto, no creo que piensen en dar golpes. Sin embargo, los peronistas podrían apoyarse en ellos; no me parece que los peronistas sean buenos perdedores.

—*El mundo vivió mucho tiempo comprimido por la presión de las derechas, del nazismo, del fascismo, pero ahora parece que es la presión de las izquierdas la que se hace sentir. ¿Qué opinás?*

—Lo que deploro en este juego de las derechas y de las izquierdas, es que Europa haya perdido la hegemonía. Desde luego, yo elijo a los Estados Unidos como un mal menor, pero es triste que el mundo esté a merced de esos dos países y se hayan olvidado de Europa, ya que, al fin y al cabo, somos todos europeos. En los Estados Unidos cuando yo decía que no era comunista, se sentían visible-mente defraudados y cuando yo decía que quería mucho a ese país, me miraban con asombro. Para ellos, mi deber, como sudamericano, era ser de iz-quierda y aborrecerlos. Pero ¿de verdad creés, María Esther, que la izquierda ejerce un poder real en el mundo actual, más concretamente en el mundo literario?

—*Sin embargo, es así. Por ejemplo, los escritores de iz-quierda son muy bien promocionados, se los traduce rá-pidamente, están como amparados.*

—¿Cómo se sabe eso?

—*Mirando los catálogos de las editoriales de acá y de to-do el mundo.*

—¡Qué raro! Es absurdo juzgar el valor estético de un escritor por sus ideas políticas, que es lo más superficial que pueda haber. Las opiniones cambian, se dejan llevar por las modas, en muchos aspectos. Pensemos en Lugones: fue anarquista, fue socialista, fue democrático durante la guerra (te hablo de la primera guerra), después fue fascista y siguió siendo Lugones y escribiendo bien.

—*Creo, volviendo a tu caso, que también cambiaste, primero fuiste nacionalista, aunque felizmente nunca fascista.*

—No caramba, tanto como eso no.

—*¿Cómo definirías hoy tu posición política?*

—Yo me veo siempre como un viejo anarquista.

—*Viejo anarquista romántico.*

—Pero, desde luego. Yo querría un máximo de individuo y un mínimo de Estado, pero quizá eso sea hoy imposible, porque un máximo de individuo puede significar un máximo de criminales y uno no puede prescindir de la policía, que tampoco me parece trigo muy limpio.

—*Sin embargo, cuando un país está organizado, es decir, la administración pública está organizada bien, el Estado poco importa porque el país funciona solo. Francia, por ejemplo, funciona así.*

—Es cierto, a tal punto es cierto, que en Suiza nadie sabe el nombre del presidente.

—*Me parece que exagerás*.

—No creo que nadie lo sepa; yo, por ejemplo, no lo sé.

—*Pero no sos suizo*.

—Sin embargo, cuando estuvimos en Suiza y preguntamos, nadie sabía.

—*¿Cuándo fue eso?*

—En el año 1914.

—*Convengamos que 1914 no es precisamente un punto de comparación razonable para juzgar el tiempo actual*.

—Pero es que no había por qué saberlo tampoco; en Suiza un presidente no es una persona importante, no interesa, se ocupa de la administración y como has dicho hace un momento, un país bien organizado puede funcionar solo. Vamos a suponer que en Suiza hubiera un rey y en Holanda un presidente, ¿eso cambiaría las cosas? No, nadie se daría cuenta.

—*¿Llegaremos nosotros alguna vez a ese paraíso?*

—Creo que sí, dentro de unos doscientos años, ¿por qué no? No te rías, es un escaso tiempo para la historia.

—*Hablemos del premio que te han dado hace unas semanas en los Estados Unidos*.

—La invención es realmente extraña. Resulta que desde que yo nací, sin saberlo, sin que nadie lo supiera tampoco, he ganado una libra esterlina por año. Eso no parece excesivo, pero cuando al cabo de ochenta y cuatro años uno recibe un cofre con ochenta y cuatro monedas de oro donde de un lado está san Jorge...

—*Ahora el ex san Jorge, lo han defenestrado, lo han echado del Santoral.*

—Sí, pobre. De un lado, está el pobre ex san Jorge con su dragón; del otro, efigies de Victoria, de Eduardo VII, de Jorge V, de Isabel II. Además, el oro tiene un valor mítico; ochenta y cuatro monedas de oro dan la sensación de un capital infinito.

—*Sobre todo por el valor de su antigüedad. ¿Quién, si no es un coleccionista o una señora casi centenaria, que haya conocido de niñita a la reina Victoria, puede conservar una moneda del año en que ella murió, en 1901?*

—¡Caramba! uno piensa en la reina Victoria y la ve tan lejana en el tiempo y yo nací dos años antes de que ella muriera.

—*Bueno, pero pareces mucho más moderno que la reina Victoria.*

—¡Eso espero!

—*¿Quién juntó esas libras esterlinas?*

—El editor italiano Franco María Ricci, quien dirige la revista de arte y literatura *FMR*, cuyo nombre corresponde a las iniciales de Ricci. A él se le ocurrió que la revista me diera ese premio rarísimo. Ahora bien, él inició la campaña de *FMR*, que ahora se venderá en los Estados Unidos, con una comida rarísima en la Biblioteca Nacional de Nueva York.

—*¿Tiene comedor la Biblioteca Nacional?*

—No. Se habilitó en la sala de lectura. Había cuatrocientos cincuenta invitados. Él importó, conociendo lo que es la comida americana, cuatro cocineros de Parma y se comieron unos tortellinis no inferiores a los que nos había ofrecido en Italia. Hablaron muchas personas, me entregaron el premio y yo pensé: «Recibo un premio de Italia, un país que quiero tanto; me lo dan en Nueva York, una ciudad que quiero tanto, y me lo entrega Ricci, un viejo amigo y mecenas». Todo parecía un sueño. Agradecí, al final de esa comida espléndida, desde una alta tarima, que me hacía recordar al patíbulo. Me sentí tan agradecido por lo singular de ese regalo. El cofre es muy lindo, del tamaño de un infolio y cada moneda tiene un nicho circular y las han puesto de tal manera que a veces se ve el santo y el dragón, o mejor dicho, el ex santo y el ex dragón. Pero el dragón da lástima porque san Jorge parece tan grande, tan poderoso con una gran lanza matando a un gusanito; no me parece equitativa esa lucha.

ENCUENTROS

I

La violencia: miradas opuestas
(Con Eduardo Gudiño Kieffer en 1972)

María Esther Vázquez: Comencemos por un tema que en los últimos años, con el empleo de nuevas formas de lucha ideológica, es permanentemente mencionado. ¿Ustedes creen que se vive en un mundo regido por la violencia? Y si es así ¿hay en él lugar para la literatura?

Jorge Luis Borges: Esta época, por de pronto, me parece menos violenta que el siglo XIX. Antes las revoluciones eran más cruentas: mi abuelo murió en una revolución y mis bisabuelos también se batieron. Ahora todo se hace de un modo un poco clandestino, criminal, con bombas, quizá —podríamos decir— con cierto pudor o con cierta cobardía también.

Eduardo Gudiño Kieffer: Al estado actual yo lo llamaría contra-violencia; es una reacción violenta contra otras violencias latentes, contra un sistema que decae cada vez más y oprime para mantenerse firme.

Borges: No creo que oprima. Lo malo de este sistema es que no se defiende y permite una libertad excesiva. Las calles están llenas de retratos de Perón, por ejemplo. Si tuviéramos un gobierno enérgico, como en la República Oriental, estaríamos mejor y no un gobierno vacilante como éste, que hasta pacta con criminales.

Vázquez: ¿En el Uruguay están mejor que nosotros?

Borges: No sé, pero, por lo menos, el gobierno sabe lo que quiere; en cambio aquí estamos con un gobierno débil y que está pactando con una persona de cuyo nombre no quiero acordarme.

Gudiño Kieffer: Yo no hablaba de gobiernos, ni de éste, ni de ninguno en particular, sino del *sistema* en general. Por otra parte, el hecho de que se permita hablar y pactar no significa que el gobierno no sea fuerte; creo que, al contrario, es una especie de leucocito que tiene como para poder decir: hay una libertad. En realidad ésta no existe, se traduce nada más que en palabrería, pero la presión sistemática sigue existiendo, sigue habiendo gente muy marginada, sin posibilidades de hacer nada, engañada por ese mito del peronismo, en el cual yo tampoco creo como solución posible. Pero, de cualquier manera, hay gente oprimida, grandes masas oprimidas.

Vázquez: ¿Estás de acuerdo, George?

Borges: No. Si comparamos la situación con la de Rusia, donde hay un solo partido, no estamos tan mal.

Vázquez: Has vivido en los Estados Unidos. Allí, ¿hay violencia?

Borges: Sí, violencia individual en las grandes ciudades; en las ciudades chicas, no. Además hay una especie de veneración por los negros, no se puede hablar mal de ellos...

Vázquez: ¿No existen problemas de violencia con los negros?

Borges: Sí, existen, porque han cometido el error de educarlos. Por ejemplo, mi abuela me decía que los esclavos negros que tenía no sabían que sus abuelos habían sido vendidos en la Plaza del Retiro por la familia Lavallol, porque el negro no tenía memoria histórica. Si en los Estados Unidos no los hubieran educado, no sabrían que son descendientes de esclavos; en cierta forma los negros son como chicos...

Gudiño Kieffer: No, al contrario, habría que educarlos más. Actualmente siguen marginados; de cualquier manera ése es uno de los problemas de los Estados Unidos...

Borges: Pero, fíjese que se ha creado un nacionalismo negro extraordinario. Yo estuve en un Congreso —María Esther fue testigo y le podrá decir que no exagero— donde se discutían los problemas de la traducción y había poetas negros que afirmaban que ellos constituían una raza superior, una especie de hitleristas al revés y con menos razón, porque convengamos que, de alguna manera, Alemania ha sido más importante para el mundo que el Congo.

Gudiño Kieffer: Hacerse fuertes de una manera irracional es una reacción natural, fruto de años de persecución. Si no se hacen fuertes de una manera arbitraria, van a seguir siendo perseguidos y lastimados.

Borges: Los sábados a la noche un blanco no puede frecuentar un barrio negro, porque los negros son cuchilleros, se emborrachan, son más rudimentarios; en cambio, en los barrios blancos nadie ataca a los negros...

Gudiño Kieffer: Eso ocurre porque les falta educación. El hecho de que el negro ande con más libertad no quiere decir que sea más libre; ante todo, el blanco tiene miedo y el negro se ha hecho bravo...

Borges: ¡Pero Gudiño, los negros siempre fueron bravos! Acá, en las guerras de la Independencia, eran mucho mejores soldados que los blancos. Ahora, ya no sé qué es lo que ha pasado con los negros. Cuando yo era chico eran bastante comunes en Buenos Aires y más en Montevideo. Actualmente los que se ven son norteamericanos...

Vázquez: ... y brasileños.

Gudiño Kieffer: De todo modos, si hablamos de violencia, tan grave o más que el problema de los negros es el genocidio de los norteamericanos en Vietnam; eso me parece sumamente peligroso.

Borges: No; creo que si se ve la guerra de Vietnam como parte de la guerra contra el comunismo me parece que puede estar justificada. Es raro que las personas que protestan contra esa violencia no protesten contra la que se ejerce en los países soviéticos. Allí hay censura total, a un escritor que le dan un premio no le permiten recibirlo. En cuanto a la violencia en sí, las guerras son crueles pero les debemos mucho: no sé si aquí estamos realmente avergonzados de la Guerra de la Independencia y no creo que en Rusia lo estén de la Revolución rusa, ni los franceses de la Revolución francesa. Por otra parte, personalmente creo que fue una suerte que Hitler haya sido derrotado y si volvemos la mirada al pasado, pienso que también fue afortunado que los griegos vencieran a los persas, los romanos a Cartago y los ingleses derrotaran a Napoleón... Cuando se piensa en el horror de la guerra se piensa en las guerras futuras...

Gudiño Kieffer: Pero eso me parece que fue una suerte de la historia. Uno puede estar orgulloso de una guerra de independencia o de libertad, pero no de una guerra de agresión como la que lleva Estados Unidos en un país que no es el suyo. Eso no quiere decir que no se proteste contra la opresión de los otros sistemas; el sistema soviético me parece detestable, durísimo y pernicioso sobre todo para el individuo. Además, hay gente que ha protestado contra los dos; por ejemplo, Sartre...

Borges: Vamos a buscar ejemplos más cercanos. ¿Usted está avergonzado de la Revolución de 1955?

Gudiño Kieffer: No estoy avergonzado, pero tampoco orgulloso.

Borges: Ah, yo, sí.

Gudiño Kieffer: No puedo porque...

Borges: Sí, ya sé...

Gudiño Kieffer: Les faltó calidad revolucionaria; fue derrocar un gobierno para poner otro.

Borges: No, los defectos eran completamente distintos, la tiranía era detestable. Perón era una persona abominable. No es que yo admire a los gobiernos siguientes, pero quiero decir que fue una suerte que triunfó esa revolución.

Gudiño Kieffer: Piense, sin embargo, cómo van las cosas ahora. Veinte años después y la vitalidad que tiene el peronismo. ¿No hubiera sido mejor que se desgastara solo?

Borges: No. Además, esa vitalidad se la debemos a la estupidez de los diarios. Si no hubieran mencionado a Perón, nadie lo recordaría.

Gudiño Kieffer: La gente tiene memoria.

Borges: No. Tiene tan poca memoria que, por ejemplo, nadie se acuerda de la quema de las iglesias, ni del asesinato de Juan Duarte, ejecutado por Perón. Yo no puedo hablar con imparcialidad; mi madre, mi hermana y mi sobrino estuvieron en la cárcel. A mí me echaron de un puesto mínimo que ocupaba en una biblioteca de las afueras. Un detective me seguía a todos lados. Al fin, nos hicimos amigos y él me dijo: «Discúlpeme, Borges, pero tengo que ganarme la vida». Entonces, para consolarlo, le conté que mi padre había conocido a un viejo soldado, degollador de oficio de Urquiza —un buen hombre que cumplía con su deber—, y procedía siempre de la misma manera. Los prisioneros estaban sentados en el suelo con las manos atadas a la espalda. Urquiza estaba a caballo, tomando mate, con la pierna boleada sobre el recado y viendo degollar a la gente. El degollador se les acercaba, les daba una palmadita en el hombro y les decía siempre lo mismo: «Ánimo, amigo, más sufren las mujeres cuando paren». Luego, los degollaba rápidamente, de un solo tajo. Parece que era casi indoloro...

Vázquez: Resumiendo: ¿Vivimos en un mundo regido por la violencia?

Borges: Sí, pero menos que en otras épocas y de un modo más cobarde. Recordemos el caso de Arredondo. Arredondo era un muchacho estudiante, de fines del siglo pasado, que creyó —supongo que erróneamente— que la única solución para el problema político era matar al presidente de la República Oriental, Iriarte Borda. Él hizo correr la voz por todo Montevideo que se iba al campo, rompió con su novia, se apartó de sus amigos, no leyó más diarios y vivió escondido en un arrabal donde nadie lo conocía. Pasaron los meses. Un día hubo un Tedéum en la catedral y preguntó: «De los señores que salen, ¿cuál es el presidente?» (En aquel tiempo los presidentes no se hacían retratar, ni había publicidad.) Se lo mostraron, él sacó el revólver, mató a Iriarte Borda, se entregó a la policía y dijo: «Yo asumo toda la responsabilidad de este acto; hace meses que vivo sin ver a nadie para que no se pueda sospechar la existencia de un cómplice». Creo que fue muy valiente. Hoy, por ejemplo, los tupamaros o los guerrilleros ponen una bomba y después buscan el amparo legal.

Gudiño Kieffer: Es que ahora no pueden hacer otra cosa. Sin embargo, los actos de los tupamaros en el Uruguay y los de los terroristas de acá no creo que sean la verdadera violencia. Por eso son actos a veces muy valientes y otras muy cobardes y casi siempre inconducentes. La violencia está en que la gente no puede expresarse, el estudiante no puede hablar en su universidad, el obrero no puede ganar un sueldo más alto que no es más que un paliativo a una situación que, a los pocos meses, volverá a ser dura. Creo que la violencia es la opresión generalizada y lo otro yo lo llamaría contraviolencia. Reacción contra algo que ya no se puede soportar.

Borges: La verdad es que yo no pertenezco a ningún partido. Personalmente me llamaría anarquista. Sí, sí, yo querría que hubiera un mínimo de gobierno. La pobreza es horrible, pero más horrible es la opulencia; si tuviera que elegir entre los dos extremos preferiría ser —como siempre he sido— más bien pobre y no muy rico. Porque la vida de los ricos es espantosa y creo, con Bernard Shaw, que la revolución la harán finalmente los ricos, que son los que sufren más. Cuando mi hermana estuvo presa, durante la dictadura, le escribió a mi madre —naturalmente quería que mi madre estuviera tranquila— diciéndole: «Aquí estoy presa (la cárcel era bastante horrible, novecientas mujeres, casi todas prostitutas, un solo cuarto de baño), pero estoy más tranquila no teniendo que ir a cócteles todos los días».

Vázquez: ¿Ustedes creen que estamos en una época de decadencia?

Borges: Sí, no hay duda y se manifiesta en todo. Fíjense aquí mismo, en este edificio de la Biblioteca Nacional. ¿Creen ustedes que habría una artesanía para hacer una chimenea o una puerta como ésa? No. Nadie sabe hacerlo.

Gudiño Kieffer: Tampoco en esa época se hacían los autos en serie.

Borges: ¿Quién necesita autos?

Gudiño Kieffer: Ésta no es una época de decadencia, sino de crisis.

Borges: Antes todo era mejor. Pero fíjese cómo son los libros ahora, parecen impresos en papel de diario.

Gudiño Kieffer: Sí, tiene razón. Pero, ¿se puede basar la idea de decadencia en que desaparezca la artesanía?

Borges: Pero es una de las cosas. Les voy a decir algo que va a parecer un poco vanidoso. Yo soy un escritor digamos de cierta... no diré fama, pero sí notoriedad. Ahora bien, esto ocurre en 1972, pero si yo hubiera publicado en la época de Groussac o de Lugones, nadie se hubiera fijado en mí.

Vázquez: Hablemos de otro escritor, Adolfo Bioy Casares...

Borges: Un gran escritor.

Vázquez: Bioy Casares escribió un libro, Diario de la guerra del cerdo...

Borges: Excelente libro.

Vázquez: ... donde los jóvenes exterminan a los viejos. Más allá de la fábula, ¿estos jóvenes corresponden a una realidad?

Borges: No. Creo que no. Estos jóvenes obran

aconsejados por la lectura, por la palabra de gente más vieja. Yo he sido durante quince años profesor de Filosofía y Letras y, salvo tres veces que entraron unos muchachos de afuera y tuve que echarlos, he notado que la gente es extraordinariamente tímida... Es que los argentinos somos tímidos. Por ejemplo, usted entra en un salón y hay una persona hablando en voz alta; pues bien, es raro que sea argentina, generalmente es española.

Gudiño Kieffer: Creo que el de Bioy es un libro de anticipación: no todos los jóvenes son los del *Diario de la guerra del cerdo*, pero pueden llegar a serlo en cualquier momento, más en Europa y en Estados Unidos que aquí, y digo de anticipación porque he visto en las calles carteles que dicen: «Mueran los viejos».

Borges: ¿Usted ha visto eso?

Gudiño Kieffer: Sí.

Borges: Y, a lo mejor, tiene razón. Hace un tiempo, vino a verme una chica chilena y yo le hablé de Neruda y ella me dijo: «Neruda es un *momio*». Ella no lo había leído, pero, pasando cierta edad, ya se es un *momio*.

Gudiño Kieffer: Lo trágico, Borges, es que vienen a verme chicos de dieciocho y para ellos, yo, que tengo treinta y seis, soy un viejo.

Vázquez: Eso ha sido siempre así. Pero, ¿ustedes creen que esa «rebelión», para llamarla de alguna manera, es lícita?

Borges: Es que no sé si existe, no sé si todos los jóvenes la comparten.

Gudiño Kieffer: Es cierto, no sólo no todos los jóvenes la comparten, sino que en buena parte está manejada, es comercial; el joven es rebelde porque la empresa Tal necesita venderle pantalones rebeldes, o porque necesita venderle el disco rebelde de protesta. Hay un núcleo de rebelión real...

Borges: Manejada, sí.

Gudiño Kieffer: ...sobre el cual el comercio, la empresa y el sistema crean la revolución necesaria para la ganancia...

Vázquez: ¿Entonces la protesta es una industria?

Borges: En buena parte sí.

Gudiño Kieffer: Sí, puede llegar a serlo. El ejemplo típico es la canción de protesta, las *vedettes* de los *café-concerts*. Yo he escrito para ellas: soy culpable de ese pecado.

Borges: Yo tengo una discípula, una muchacha judío-porteña que canta canciones de protesta sobre los mensú de Misiones o los hacheros de Salta. Le pregunté por qué había elegido esos temas algo exóticos y me dijo: «Ahora se usan». Pero, es raro que una chica judía y en Buenos Aires se disfrace de mensú y cante utilizando palabras guaraníes. Es un poco absurdo... para buscar algo exótico... mejor serían unas canciones árabes.

Vázquez: ¿Entre nuestra adolescencia y juventud, pasadas bajo el peronismo, y la de los jóvenes actuales, hay diferencia?

Gudiño Kieffer: Diferencia sideral. Los de ahora, aun los rebeldes en serio, son mucho más razo-

nables que nosotros. Yo estaba muy ciego, entonces, por montones de cosas.

Borges: Yo recuerdo los años del veinte al treinta. Claro que eran muy distintos de éstos. Yo era
anarquista e individualista, quería un mínimo de
gobierno; Ricardo Güiraldes era conservador, como yo soy ahora, lo que es una forma de escepticismo y resignada aceptación; González Lanuza
era comunista, pero comunista pacifista; Brandán
Caraffa era radical; fundamos una revista y el hecho de que tuviéramos ideas políticas distintas lo
fuimos descubriendo poco a poco, porque en aquel
tiempo la pasión política no existía. Existía sí, por
raro que parezca, la pasión literaria o filosófica.
Nos reuníamos bajo la tutela de Macedonio Fernández, hombre nacido en 1874, como mi padre, y
estábamos hasta el alba, hablando sobre metafísica,
sobre el tiempo, sobre el yo, o temas literarios; el
verso libre, la metáfora... Ahora veo que se supedi-
ta todo a la política; es que el mundo es bastante
distinto. Yo publiqué mi primer libro, *Fervor de
Buenos Aires*, en el año 1923; la edición me costó
trescientos pesos. No se me ocurrió llevar un solo
ejemplar a las librerías, ni tampoco a los diarios y
no se hablaba del éxito o del fracaso. Mi padre era
amigo de Arturo Cancela, que publicaba libros que
se vendían muchísimo, pero él creía que si los
otros escritores se enteraban de esto, pensarían
que sus libros estaban escritos para el vulgo y que
no tendrían ningún valor. Entonces decía: «No,
no, la gente exagera, realmente mis libros se ven
muy poco». Tenía miedo de que la gente lo viera

como una especie de Martínez Zuviría o una cosa así. No, él vendía sus libros y se callaba la boca; en cambio, ahora... Es curioso el mecanismo. Con los libros, el que más gana es el librero, después el impresor, en tercer término el editor y, por último, el autor. Si tiene suerte, llega a recibir el diez por ciento cada seis meses o cada año. De modo que nadie vive de los libros que escribe; lo raro es que el que expone menos gana más, que es el librero. Y además, el hecho de que se venda un libro no significa que la gente piense muy bien del libro.

Gudiño Kieffer: Al contrario.

Borges: Me dicen que *Aeropuerto* o *Papillon* se venden mucho, pero nadie cree que sean superiores a la obra de Virgilio; quiero decir que la gente compra muchos libros como compra muchos diarios, sin creer en el valor de lo que compra. Porque tienen un valor efímero. Nadie puede creer que un telegrama de la agencia Reuter es superior a una obra de Platón.

Gudiño Kieffer: El problema tiene dos aspectos; si se vende mucho se lo ve con un sentido peyorativo, y ese mucho nunca es demasiado. Supongamos que *Papillon* o *Aeropuerto* vendieron quinientos mil ejemplares en un año; si un director de televisión, en un programa de media hora, no tiene quinientos mil espectadores levanta el programa. No quiero hacer el «cuentito» de MacLuhan, pero estamos entrando en una civilización de la imagen y la lectura es algo bastante escaso en este momento.

Borges: Sí, es cierto. Además se lee de otra manera.

Vázquez: ¿Cómo ven el futuro?

Borges: Hablar del futuro es muy pobre; con toda seguridad, habrá centenares de futuros. Ahora la política es importante, pero no lo será cuando se haya corregido la injusticia actual, cuando no haya gente ni muy pobre, ni muy rica y todos pertenezcamos a la clase media, que es la mejor de todas. Porque, realmente, los aristócratas se parecen bastante a la gente del pueblo; en cambio, la clase media es la más importante y a mí me gusta definirme como hombre de la clase media.

Vázquez: ¿Proponés un estado idílico?

Borges: En los países escandinavos, países de clase media, no hay criminales.

Vázquez: Pero hay borrachos y suicidas.

Borges: El suicidio no me parece mal; al contrario, convendría que se suicidase más gente; hay un exceso de población en el mundo.

Gudiño Kieffer: En la Argentina, no (ríe).

Vázquez: ¿Harías el elogio del suicidio?

Borges: No, pero si pensamos en Séneca... si somos cristianos y pensamos en Jesucristo; la crucifixión fue un suicidio. Él era omnipotente y hubiera podido evitarla... Un abuelo mío se suicidó... amigos míos como López Merino y Lugones se suicidaron... Posiblemente cometieron errores, pero no actos criminales. Algunos pensarán que fueron insensatos, pero no criminales. López Merino estaba tuberculoso (en aquel tiempo era una enfermedad incurable); creo que el suicidio puede justificarse. Hay un libro de John Donne, *Biathanatos*, del siglo XVII, donde se dice que, del mismo modo que puede haber homicidios justificados (un ladrón que entra en su casa, etc.), igual puede haber suicidios justificados. Y he leído que, no sé en qué ciudad griega, si un ciudadano quería suicidarse, les explicaba su caso a las autoridades y si éstas juzgaban atendible su situación le entregaban la cicuta necesaria.

Gudiño Kieffer: Cicuta gratis.

Borges: Es muy raro que el Estado dé algo gratis. Habría que pagar, pero qué podrá importarle gastar en esas circunstancias. Pero, volvamos a la clase media. Yo viví cinco años en Ginebra en la época de la primera guerra mundial. La ciudad tendría en ese momento ciento veinte mil habitantes; creo que había un comisario y dos vigilantes. ¿Por qué? Porque todo el mundo pertenecía a la clase media, no había gente ni muy pobre, ni muy rica...

Gudiño Kieffer: O porque los suizos son muy aburridos.

Borges: No estoy de acuerdo con usted. Un país que ha producido a Paracelso, a Klee, a Rousseau, a Amiel, a Gottfried Keller. Además, tengo otra prueba: yo conozco bien Suiza y no creo que haya en Suiza dos esquinas iguales. Y no creo que haya dos esquinas distintas en toda la República Argentina. Si todos los países llegaran a ser de clase media —ésa sería la utopía para mí— desaparecerían muchos males. En cuanto al alcoholismo, no lo entiendo; esperemos que desaparezca junto con las drogas. Yo con las drogas he tenido no sé si buena o mala suerte: he ensayado la cocaína tres veces seguidas y me di cuenta de que era lo mismo que tomar pastillas de menta. Posiblemente ocurra lo mismo con la marihuana y las otras cosas y la gente se dé cuenta... En cuanto al porvenir, habrá tantos y tan distintos... En la época de Lutero y de Calvino la religión era una pasión, los campesinos de Escocia discutían la predestinación y el libre albedrío. Ahora la religión no es una pasión y posiblemente en el futuro la gente se apasione por el álgebra o el ajedrez...

Vázquez: En Irlanda se están matando por motivos político-religiosos.

Gudiño Kieffer: En algunos lugares es una pasión.

Borges: Lo que quiero decir es que es mejor que la gente se mate por razones religiosas y no económicas.

Gudiño Kieffer: Siempre sería mejor.

Vázquez: ¿El fin justifica los medios?

Borges: No, pero creo que ahora tenemos la superstición del dinero; la gente es ingenua y cree que si son ricos van a ser felices, pero las personas ricas no piensan así. Conozco gente muy rica y muy pobre y creo que hay gente que tiende a la felicidad y otra que tiende a la desdicha y que serían felices o desdichados en cualquier circunstancia económica.

Vázquez: Gudiño Kieffer, ¿qué pensás de la solución clase media?

Gudiño Kieffer: Entiendo la solución de Borges, pero la plantearía de otra manera, porque clase media se puede identificar con burguesía o pequeña burguesía.

Borges: Y bueno, está bien.

Gudiño Kieffer: No. Porque históricamente yo no quisiera eso. Quisiera una clase media en cuanto a igualdad para todos, pero no en el sentido tradicional; quisiera un sistema socialista pero con libertad individual. No sé si son conciliables las dos cosas, pero tendrían que darse.

Borges: Quizá lleguemos, alguna vez, a un estado en el cual las naciones sean inútiles.

Gudiño Kieffer: Eso sería ideal, pero habría que terminar con lo que llamo el *sistema* y el capitalismo: ya sea el capitalismo empresarial o el capitalismo del Estado o cualquiera de los dos.

Borges: ¡Ah!, pero desde luego, claro que sí.

Gudiño Kieffer: Es como usted dice, Borges, pero la gente no es culpable de que le hagan creer que con dinero va a solucionar todo.

Borges: Y así se crean necesidades inútiles.

Gudiño Kieffer: Y artificiales. El comercio ha fabricado la creencia general de que, cada año, la gente debe vestirse de un modo un poco distinto...

Vázquez: ¿Ustedes están en contra de la sociedad de consumo?

Borges: Desde luego.

Gudiño Kieffer: Totalmente.

Borges: Ustedes se preguntarán por qué estoy vestido como estoy; para no llamar la atención. Si me dijeran que puedo prescindir de la corbata daría las gracias, la corbata es para mí tan misteriosa...

Gudiño Kieffer: A veces hay que prescindir de la corbata. Si uno da la imagen de escritor rebelde y te llegan a ver con corbata, puede ser trágico. ¡Ésas son las necesidades artificiales que se crean: la corbata o la no corbata!

Vázquez: Entonces, ¿ustedes se someten a la sociedad de consumo?

Gudiño Kieffer: En mi caso sí, y es un problema de conciencia y hasta de cobardía de saber los males y no estar seguro de que si lo que uno hace basta para remediarlo. Esto me lleva a aquella primera pregunta de si en este mundo hay lugar para la literatura.

Borges: Claro que lo hay.

Gudiño Kieffer: Para mí sí, porque no sé hacer otra cosa.

Borges: Estoy de acuerdo con usted. No creo que lo que yo escribo sea bueno, pero si no lo hago siento que soy desleal con mi destino: al fin y al cabo, es el único destino posible que tengo.

Gudiño Kieffer: Mi problema está en plantearme la cuestión de si el libro es útil, aparte del momento grato o el placer estético, y he llegado a la conclusión de que mis libros sirven cuando molestan a alguien.

Borges: Yo diría lo contrario: si producen agrado o emoción están bien.

Vázquez: Ustedes ven los males presentes del mundo, pero se sienten incapaces para aportar soluciones personales.

Gudiño Kieffer: Una vez una periodista chilena me hizo un reportaje y al hablar de la situación política me dijo: «Ahora, tú me vas a decir que, como tienes dos hijos, no puedes dedicarte a la lucha armada». No, le contesté, nunca tomaría un arma; será cobardía, pero no estoy hecho para eso.

Vázquez: Georgie, si tuvieras edad y condiciones físicas para tomar un arma, ¿saldrías a la calle?

Borges: Creo que sí, como lo hicieron mis abuelos.

Gudiño Kieffer: Es que yo tampoco sabría qué defender.

Borges: Por otra parte, lo de jugarse la vida es bastante relativo. Uno tiene que elegir entre una muerte violenta, cosa que le conviene a un escritor...

Gudiño Kieffer: Como a Gardel.

Borges: Como a Gardel y como a escritores mejores que Gardel (ríe), como a Lugones. Vayamos a Facundo Quiroga. ¿Quién se acordaría de él si no hubiera tenido la suerte de Barranca Yaco y de un gran escritor como Sarmiento?

Vázquez: Vamos a ser un poco más contemporáneos, ¿y del Che Guevara?

Borges: No se sabe muy bien cómo murió.

Vázquez: Pero entró en el mito.

Borges: Para mí no, porque siento tal antipatía por él, que...

Gudiño Kieffer: No, yo le tengo una gran simpatía, pero ha entrado en el mito de una sociedad de consumo. Hay «posters» del Che en todos lados y lo compran las chicas porque era muy buen mozo. El Che es un mito consumido y consumible. Su calidad de héroe está perdida por eso.

Borges: Con todos los mitos pasa lo mismo.

Vázquez: ¿Creés que es un héroe, Gudiño?

Gudiño Kieffer: Sí.

Borges: No. Fue un partidario de un tirano... No me acuerdo cómo se llama; un señor que hay en Cuba.

Gudiño Kieffer: Creo que fue un héroe y no creo que Fidel Castro sea un tirano, sino todo lo contrario.

Borges: Tengo muchos amigos cubanos que me dicen que si oyen la palabra «paredón» la asocian enseguida a «fusilamiento».

Gudiño Kieffer: Eso ocurre en todas las revoluciones.

Borges: A un tío abuelo mío lo hizo fusilar un pariente suyo, que se llamaba Rosas, simplemente porque era un unitario, frente al paredón de la Recoleta y obligaron al hijo, que tenía once años, a asistir.

Vázquez: Por supuesto, no estás con los rosistas...

Borges: ¡Bueno!... Tampoco soy antropófago.

Gudiño Kieffer: No. Tampoco yo. Hay ciertos nacionalismos que no puedo aceptar.

Borges: El nacionalismo no puede justificarse, pero sí comprenderse, en países de cultura antigua. A nadie le ha alegrado más que a mí la derrota de Hitler, aunque entiendo que en un país como Alemania, de tan antigua cultura, pueda haber nacionalismos. Pero aquí, que contamos apenas con ciento cincuenta años de edad, es completamente ridículo el nacionalismo.

Gudiño Kieffer: Quizá no. Quizá sea una necesidad para dar un poco de coherencia a esta mezcla que somos...

Borges: No somos tanta mezcla, porque afganistanos o malayos hay pocos...

Vázquez: ¡Por favor! Está lleno de españoles e italianos.

Borges: Son más o menos lo mismo.

Gudiño Kieffer: Somos todos de origen europeo. Y creo que para un país joven, el nacionalismo puede ser necesario, pero tiene que ser un nacionalismo racional, para llamarlo de alguna manera.

Borges: Creo que eso se llama *contradictio in adjecto*. Nacionalismo racional no puede haber.

Gudiño Kieffer: Es como querer ser comunócrata cristiano.

Borges: Creo que aquí el culto del gaucho nos ha hecho mal, lo mismo que el culto del compadrito, porque todo eso nos lleva al culto de la barbarie, de la violencia insensata.

Vázquez: ¿Entonces la violencia puede ser sensata?

Borges: La violencia en sí puede ser justificada. En el caso de la cirugía se puede justificar. Cuando me han sacado una muela era una violencia que me convenía.

Gudiño Kieffer: Usted, Borges, hablaba hace poco de la derrota de Alemania. Me parece bien, y me parece bien que se haya juzgado a Alemania en Nuremberg. Pero, ¿quién juzga ahora a quienes en ese momento fueron jueces y están cometiendo actualmente, insisto, un genocidio igual o peor al que cometieron los alemanes con los judíos? Porque las matanzas en Vietnam arrasan pueblos enteros, diques, cultivos; dejan a la gente con hambre. ¡Cómo no se va a justificar la violencia! Los que fueron jueces no tienen quién los juzgue.

Borges: Posiblemente tenían razón cuando eran jueces y no ahora. Tendrán razón quienes los juzguen a ellos.

Gudiño Kieffer: ¿Pero habrá quién los juzgue?

Borges: ¿Qué podemos saber del porvenir? Lo único que se puede saber es que va a ser bastante distinto del presente. Además va a haber muchos porvenires distintos unos de otros.

Gudiño Kieffer: ¿Cómo muchos porvenires?

Borges: Sería raro que hubiera uno solo. Por ejemplo, el siglo XVIII no se parece al XIX; el XIX es muy superior al XX; el XXI será distinto del XXII...

Vázquez: ¿El siglo XIX es superior al XX?

Borges: Desde luego, pero hay un argumento muy fuerte en su contra y es que produjo al XX... Estamos juzgando al árbol por sus frutos. Vamos a hablar del nazismo, que es un punto en el que estamos de acuerdo. El nazismo lo inventó Carlyle, pero Wells decía que la teoría de la raza elegida, Hitler la había tomado de los judíos, que también se creían una raza elegida y que todo lo que decía Hitler podía encontrarse en los Testamentos, salvo que lo aplicaba a un pueblo distinto. Pero, volviendo al porvenir, esta conversación nuestra no tendrá ningún sentido dentro de cincuenta años (y no sabemos si lo tiene ahora).

Vázquez: Tiene un sentido porque han puesto en evidencia que en lo único en que están verdaderamente de acuerdo es en que la literatura va a perdurar.

Gudiño Kieffer: Claro que sí. Tendrá que haber una decantación lógica, pero de unos diez años a esta parte me parece que la gente lee de otra manera. La actitud que exige el libro es diferente. La gente lee mejor.

Borges: Sí, creo que sí.

Gudiño Kieffer: Y en parte son los diarios y las revistas de consumo masivo, con sus críticas literarias, hechas muchas veces de mala fe, que han producido una buena reacción.

Borges: Creo, sin embargo, que los diarios y la televisión están condenados a desaparecer, porque hay un número suficiente de libros. En cuanto a las noticias, la gente va a cansarse de las noticias. La prueba está en que los diarios tienen que dar noticias cuyo valor juzgan nulo. Por ejemplo, ¿para qué se comunica que un gobernante va de un país a otro? Es una noticia tan boba que no debería darse.

Gudiño Kieffer: No sé; creo que la información es necesaria.

Borges: Creo que no.

Gudiño Kieffer: Pienso que sí. Hay un exceso, sí; pero también hay exceso de competencia.

Borges: Pero en épocas importantes para la humanidad —la cultura griega no es nada despreciable— no había diarios. Y no creo que Platón fuera inferior a la Quinta.*

Gudiño Kieffer: Como comparación me parece un poquito tramposa.

Borges: Hay un exceso de información.

Gudiño Kieffer: Pero necesaria. Y en eso esta época es mejor incluso que la de principios de siglo. La gente está enterada y tiene acceso a muchas cosas.

Borges: Pero nos enteramos de hechos triviales.

Gudiño Kieffer: Junto al hecho trivial está también el importante...

Vázquez: La llegada del hombre a la Luna...

Borges: Nos hubiéramos enterado de todos modos. Pero, por ejemplo, un señor Láinez empezó a publicar aquí crónicas sociales. Todos los diarios han imitado eso, y si hay una bobería en el mundo es el hecho de que la señora de tal haya reunido en un té a las señoritas de cual...

Gudiño Kieffer: Confieso que hay páginas literarias en las sociales de los diarios inolvidables. Son una maravilla, no sé si de humor o de qué, pero algunas son muy divertidas. No, seriamente, es

* Nombre que se le daba a la primera edición de los diarios vespertinos.

preferible el exceso de información a la falta, sobre todo en estos momentos; es mejor que se sepa todo y, si entre las cosas importantes, va deslizada alguna...

Borges: Bobería.

Gudiño Kieffer: ...Es mejor al hecho de carecer de información.

Borges: Es que se publican cosas espantosas. Hay algo, que yo leí hace poco y cuyas primeras líneas son inolvidables. El libro se llama *Río Pajarito,* ¡título que realmente!... Bueno... Esto ha sido publicado por el gobierno, es decir con nuestro dinero, y el primer poema empieza y concluye con estos dos versos: «El agua (primer verso) da natación a mi antebrazo» (segundo verso).

¡Que se publiquen cosas como éstas! Schopenhauer pensaba que no hay que leer ningún libro que no haya cumplido los cincuenta años, porque lo más probable es que sea trivial. En cambio, un libro que ha durado medio siglo, lo más probable es que sea bueno. Emerson creía que no había que leer nada que no hubiera cumplido un año, y decía que en cuanto a los diarios era mejor no leerlos. Yo, en mi vida he leído un diario. En cuanto a las noticias importantes, me he enterado...

Vázquez: Porque lo sabía todo el mundo a tu alrededor que había leído los diarios.

Borges: Sí, es así.

Gudiño Kieffer: No. Yo leo muchos diarios. Incluso creo que deben entrar en la literatura. En fin, no todo, pero en parte. Es más, si uno debe testi-

moniar el momento en que vive, en el cual el diario
y la televisión son muy importantes —como también creo que van a pasar— hay que hacerlos entrar en el libro.

Vázquez: ¿Ustedes piensan que debe haber una litera-
tura testimonial?
    (Ambos escritores contestan al mismo tiempo.)
    Gudiño Kieffer: Sí, sí... Yo no sé hacer otra cosa.
    Borges: No, no... De ninguna manera.

II

Nuestro tiempo: miradas paralelas
(Con Francisco Luis Bernárdez en 1974)

María Esther Vázquez: ¿Cuáles consideran las principales características de este siglo?

Jorge Luis Borges: La estupidez y la ingenuidad. Vivimos en un tiempo muy, muy ingenuo; por ejemplo, las personas compran productos cuya excelencia es anunciada por los mismos que los venden. Eso me parece una prueba de ingenuidad. También la gente siente afición por aquellos cuyos retratos se publican con frecuencia, lo cual es señal de bobería, porque posiblemente esa misma persona ha intentado o ha querido que su retrato se publique. ¿Qué es eso? Vamos a suponer que sea un tilingo, pero puede ser un sinvergüenza también. Es muy raro, porque parece que en materia científica estamos avanzando, pero ésos son, más bien, trabajos de equipo; en general, creo que este mundo está declinado. Ahora, si se tratara simplemente de este país, que, al fin de todo, viene a ser parte de un continente no muy importante, América del Sur, eso no importaría, pero, en general, creo que está declinando. Se nota en todo.

Francisco Luis Bernárdez: Tiene razón Borges. Creo que esa bobería quizá se deba, en gran parte, al proceso de masificación, como se dice ahora con palabra un poco bárbara, en que todo está al alcance de todos (claro, en una proporción muy modesta), a esta democratización de la cultura, si se puede llamar así, y al auge de los medios de comunicación, que son mucho más importantes que lo que se comunica, ¿verdad?

Borges: Recuerdo una frase de Chesterton: antes —decía— había buenas nuevas en los Evangelios; ahora tenemos medios de no comunicar absolutamente nada. Y como todos los días se divulgan esos medios y la gente cree que cada veinticuatro horas ha ocurrido algo muy importante... Seguramente ha ocurrido algo muy importante y es posible que ocurra en cada momento, pero que eso se sepa y se publique me parece que ya es demasiado ingenuo. Yo antes sentía cierta repulsión por lo que llamamos, desde luego ilógicamente, la Edad Media y ahora me parece que era una época mejor que ésta. Por de pronto, había pocos libros, pero esos pocos eran releídos; carecían de esa maldición que es la imprenta; si un libro perduraba es porque valía la pena de ser copiado. En cambio, ahora todo se imprime inmediatamente y no podemos saber nada sobre su valor. Esto me recuerda que Schopenhauer decía que no había que leer nada que no hubiera cumplido, por lo menos, cincuenta años, y luego, como es natural, se quejaba de que las personas no leyeran sus libros, que no habían cumplido cincuenta años.

Bernárdez: Por ese camino al que alude Borges, Chesterton decía algo muy bueno: qué instrumento estupendo hubiera sido la radio en la época evangélica, porque lo que había que comunicar era una cosa importantísima: la salvación del hombre. En cambio, ahora, existe una gran cantidad de medios de comunicación para transmitir tonterías. Respecto a la baja del valor de la letra impresa, me acuerdo de algo que muy lúcidamente dijo Roger Caillois. En esta época —decía— hay no sólo una inflación monetaria sino una inflación bibliográfica. Ha disminuido de tal modo el valor con esta locura de publicación, por series, por colecciones, que ya el libro, como la moneda, no tienen ningún valor. Ni nadie repara en los libros que salen.

Borges: Es que no piensan en escribir sino en publicar.

Bernárdez: Exactamente.

Borges: Me parece que antes había un proceso que consistía en pensar, en crear, en escribir y en publicar y ahora se empieza por el fin, publicar. Y luego, con esas ceremonias comerciales de presentación de libros, de firmas, de todas esas boberías que son una de las tantas pruebas de la ingenuidad de esta época.

Bernárdez: Vos te acordás que cuando éramos jóvenes, no quiero decir que el escenario de este país en aquellos años fuera importante tampoco, la inminente aparición de un libro traía cierta expectativa y se hablaba de que Fulano iba a publicar un libro...

Borges: Ahora, más bien, produce cierto temor, cierta alarma...

Bernárdez: Lugones publicaba un libro y se sabía antes y se comentaba después...

Borges: Y se imprimían quinientos ejemplares. Hoy personas totalmente desconocidas publican libros...

Bernárdez: Igualmente desconocidos...

Borges: E indescifrables con cinco mil ejemplares.

Vázquez: ¿Así que las únicas características de esta época son la ingenuidad y la bobería?

Borges: Y la codicia material. Lo cual también es otra bobería, porque yo conozco gente rica y gente pobre y no he notado que la gente rica sea más feliz que la otra. Sin embargo, se cometen secuestros, robos y todo está hecho por personas ingenuas que creen que si son ricos van a ser más felices, lo cual es un grave error. Aunque tampoco la indigencia es...

Vázquez: Una virtud...

Borges: ...no, ni extraordinariamente ventajosa. Quizá lo mejor sea aquello de «una mediana vida yo posea / un estilo común y moderado / que no lo note nadie / que lo vea», del anónimo sevillano.

Bernárdez: Ésta es, evidentemente, una época nocturna de la historia, es el imperio de la cantidad sobre la calidad.

Borges: Pero de una cantidad como de imágenes multiplicadas por espejos, porque se parece tanto una persona a otra.

Bernárdez: Además, la idea de que la suma de las opiniones es la verdad, es una cosa monstruosa en cualquier época. Con este criterio, como Cristo fue crucificado por un plebiscito, la conclusión sería que fue una buena obra, en vez de una monstruosidad. El hecho de que todo el mundo opine una determinada cosa no quiere decir absolutamente nada.

Borges: Lo que me parece raro es que se permita a todo el mundo opinar en materia política y no se permita hacerlo en materia filosófica, matemática, ni científica. Se supone que el changador de la esquina puede discurrir en materia política, los analfabetos también, pero no se supone, sin embargo, que tengan opiniones muy interesantes sobre el cálculo infinitesimal o sobre la teoría de los conjuntos... (ríe).

Bernárdez: No cabe duda de que el saber, en las grandes épocas, fue de carácter iniciático, algo que no se vende en el mercado. Tiene que haber, en primer lugar, condiciones para recibir o para dar...

Borges: Ahora, en cambio, se supone que la ignorancia es un mérito.

Bernárdez: Y que todo el mundo puede saber todo. Volviendo a lo que vos decís sobre la política, no todo el mundo puede opinar, ni puede gobernar...

Borges: Es como suponer que todos pueden ser médicos.

Bernárdez: Aparte de lo que se llama ahora la capacitación —otra monstruosidad— hace falta un don natural, una actitud.

Vázquez: ¿El mundo de hoy es el que imaginaron sus padres?

Borges: No, seguro que no. Quizás el que temieron nuestros padres.

Bernárdez: No. Fue totalmente imprevisto, también para nosotros. ¿No te parece?

Borges: Sí. Yo me acuerdo de los años 1920, 1925, 1930, desde luego eran épocas tan distintas... Nos reuníamos para conversar y hablábamos sobre tantos temas. Discutíamos si el hombre es mortal o no; discutíamos qué es el tiempo, qué es la poesía, qué es la metáfora, el verso libre, la rima. Hablábamos de temas no efímeros, que trascendían el momento. En cambio, ahora se entiende que al cuarto de hora de haber ocurrido un hecho, ya tiene que ser reemplazado por otro.

Bernárdez: Además, esto va en una progresión geométrica, día a día. Es una especie de concupiscencia de noticias inútiles.

Borges: Que se olvidan inmediatamente. Noticias que se adquieren no para la memoria sino para el olvido.

Vázquez: Ustedes según lo dicho hasta ahora aceptan con resignación y sin ningún entusiasmo el mundo actual...

Borges: ¿Y qué podemos hacer? Desde luego podríamos ser revolucionarios y quizás íntimamente lo seamos, pero carecemos de medios.

Bernárdez: Acción sobre los otros no podemos tener. Hay la defensa de quedarse callado.

Borges: Sí, de prescindir un poco de las cosas. Quizá si tuviéramos una pasión mayor, pensaríamos —como pensó Wells— en modificar el mundo. Pero yo recuerdo un pasaje bastante melancólico de Groussac —al que sigo admirando tanto— que dice: «He llegado a la convicción de que ningún acto mío puede ejercer mayor influencia». Y tenía razón, porque la prueba está en que Groussac ha sido olvidado.

Bernárdez: No hay ninguna duda de que la influencia que puede ejercer, no digamos un escritor, un hombre más o menos despierto intelectualmente, es inexistente. Quizá tiene mucha más influencia el acto de un hombre completamente ignorante y común, con tal de que reúna condiciones que a la gente le impresionen.

Borges: Por ejemplo, yo —esto no lo digo con jactancia sino con melancolía— he llegado a cumplir medio siglo de labor, llamémosla así, «literaria». ¿Cuál es el resultado? El resultado es que muchas personas me conocen de vista en la calle y ése, evidentemente, no era el fin que yo me había propuesto (ríe).

Bernárdez: (Riendo.) Es bien de Borges esa salida. Georgie, hay algo más que eso.

Borges: Pero muy poco más. Me ocurrió algo los otros días; yo estaba en una librería y a un señor le dijeron: «ése es Borges». El otro, con una voz en la cual yo sentí la hostilidad, contestó: «No sé quién es Borges». «Yo tampoco», le retruqué, y entonces nos reímos y se estableció un ambiente cordial.

Vázquez: ¿Cuál es el saldo cultural de este siglo en nuestro país?

Bernárdez: En el orden que a nosotros dos nos interesa mucho, hay dos o tres escritores que no se pueden olvidar; uno es Lugones; otro, el propio Borges, Mallea... Aparte no hace falta que haya miles, en ningún país hay miles. Puede haber un ambiente nutrido de espectadores o de gente medianamente culta, sí.

Borges: En los Estados Unidos he notado que todos los escritores medianamente importantes, Melville, Hawthorne, Poe, James, todos provenían de una pequeña región de Nueva Inglaterra. En cuanto a lo que Texas, un país que quiero tanto, ha dado a la cultura puede computarse en cero, salvo en material para los *westerns*, una forma de épica popular.

Bernárdez: Esto en el orden literario, pero la Argentina ha dado nombres importantes en otras artes y en las ciencias también. Pensemos que en España, en los últimos cincuenta años, no hay una personalidad como Lugones. Machado y Juan Ramón Jiménez son otra cosa.

Borges: Pero porque procede del modernismo, que se inició de este lado del Atlántico.

Bernárdez: Y en Buenos Aires y en *La Nación* y en cierta mesa de *La Nación*, porque creo que se conserva la mesa donde trabajó Rubén Darío.

Borges: Si Rubén Darío se hubiera quedado en Nicaragua no existiría; bueno, si Lugones se hubiera quedado en Río Seco tampoco hubiera escrito nada. De tal manera que cuando se le echa en cara a Buenos Aires —aquí estoy hablando como porteño— el hecho de que haya tantos extranjeros y provincianos que han logrado aquí su plenitud, uno podría contestar que eso debe decirse de toda gran ciudad. Precisamente el papel de toda gran ciudad es permitir ese diálogo anterior que es necesario para la creación literaria.

Bernárdez: Incluso, la gran curiosidad del argentino permite que otro gran movimiento, el romanticismo, aparezca primero aquí que en España. Indiscutiblemente Buenos Aires es la gran capital del mundo hispánico. A Neruda es Buenos Aires la que lo ayuda a difundirse, y el mismo Asturias... Ortega decía que en América hay dos Romas, Buenos Aires y Nueva York, y eso es verdad.

Vázquez: ¿El saldo es positivo, entonces?

Bernárdez: Yo creo que sí. Dada, sobre todo, la juventud de la Argentina. Su vida, como nación, comprende un período corto.

Borges: Eso de corto es relativo, puesto que somos herederos de toda la tradición occidental y de lo que podemos adquirir de la oriental también.

Bernárdez: La Argentina es una continuación, en el orden cultural, de Europa.

Borges: La prueba está en que nosotros, los últimos mohicanos, digamos, no estamos conversando en araucano o en charrúa, sino que estamos hablando en un ilustre dialecto del latín, que se llama la lengua española, lo cual significa un pasado bastante considerable.

Bernárdez: Lo novedoso está en la confluencia de todos esos rincones de Europa en un territorio como el nuestro. El hecho de que yo, hijo de gallegos, y Borges, descendiente de ingleses y de portugueses, y otros, hijos de italianos, de árabes... tengamos una especie de comunidad, es algo importantísimo.

Borges: Yo creo que pertenecer a un país es, ante todo, un acto de fe, es «sentirse» dentro de ese país. Cuando en 1816 se tomó la decisión de dejar de ser españoles para ser argentinos, la palabra argentinos no significaba nada, pero yo no creo que Laprida y los otros, en el Congreso de Tucumán, quisieran ser gauchos o quisieran ser indios; esa perspectiva los hubiera horrorizado.

Bernárdez: Esto me hace recordar lo que decía Melián Lafinur, tu pariente, del gaucho. ¿Cómo era?

Borges: ¡Ah! Sí, sí. Decía: «Nuestro rústico —y ya había algo de despectivo en esto— carece de todo rasgo diferencial, salvo, naturalmente, el incesto» (ríe).

Bernárdez: Claro que si decimos esto la gente se rasga las vestiduras, porque aquí hay una especie de dogma de que el gaucho es la suma de las virtudes.

Borges: Sobre todo que ahora ya no hay gauchos y los que hay son brasileños, por ejemplo.

Bernárdez: Yo tengo un pariente que estaba indignado de las cosas que dijo Borges, la vez pasada, del gaucho, hablando de Martín Fierro. Lo que es gracioso es que el Estado y, más gracioso todavía, los militares adoran al gaucho, que es precisamente el desertor por antonomasia.

Borges: Y además, qué raro que el año 1872, que fue el año de la batalla de San Carlos, cuando Rivas derrotó a los indios, haya sido decretado por los militares Año Hernandiano, es decir, haya sido dedicado a un desertor. Además, si todos hubieran sido como Martín Fierro, posiblemente Pinsén, Coliqueo y los otros caciques hubieran llegado a la ciudad de Buenos Aires y no hubiera habido «Año Hernandiano».

Bernárdez: El señor Onganía no hubiera existido o, por lo menos, no hubiera sido teniente general.

Borges: Quién sabe si lo hubieran elegido como cacique.

Vázquez: ¿Cuáles son para ustedes nuestros méritos y nuestros defectos más notables?

Bernárdez: Tenemos defectos que, a lo mejor, son virtudes. Por ejemplo, somos medio haraganes. Como dice Borges «somos desganados y criollos ante el espejo». No tenemos entusiasmo por la contracción a una tarea.

Borges: Y, en este siglo, hemos tenido dos guerras muy importantes y nos hemos abstenido. En España hubo una guerra civil que habrá sido muy cruel, pero fue muy entusiasta. En cambio, aquí, las revoluciones han sido de palacio, todo ha sido incruento.

Bernárdez: Lo que tenemos nosotros son virtudes individuales y defectos sociales.

Borges: Eso es verdad. Yo he conocido a jóvenes de muchas partes del mundo; el argentino, individualmente, no es inferior a nadie, pero en conjunto, es como si no existiéramos.

Bernárdez: Bueno, a eso iba yo. Por ejemplo, el argentino no ahorra; eso, desde el punto de vista social, ¡qué horror! En Bélgica, cuando le aumentan el sueldo, el obrero lo invierte todo en papel del Estado. El de aquí se lo gasta todo.

Borges: Porque el papel de allí tiene valor; en cambio, aquí pensamos que mañana serán como las hojas secas en que se convierten las monedas del cuento de *Las mil y una noches*.

Bernárdez: Pero resulta que la imprevisión y cierta prodigalidad son precisamente virtudes evangélicas. Es decir, es el hombre que confía, es uno de los pocos que creen en el pan nuestro de cada día, en los lirios del campo y en todas esas cosas de las que habla el Evangelio; es el confiar en la Providencia constante de Dios. Evidentemente el criollo no piensa nunca en *mañana*, sobre todo el hombre de campo. Yo he vivido bastante en Córdoba, en el interior, y ellos viven al día; no piensan en el pan de pasado mañana. Quizás en ese aspecto, alguien dirá que es preferible Bélgica u Holanda; yo prefiero la Argentina. Hay un cierto señorío en esa despreocupación del criollo.

Borges: Además, otra cosa. Acá, el hombre de campo es capaz de ironía, y en otros países no; tienen una idea burda del humorismo. Acá, al contrario, saben hacer bromas.

Bernárdez: La idea del patán, por ejemplo. No he visto nunca en el campo un patán; en cambio, en Castilla, los he visto a montones.

Borges: Hay un cuento que narra Hudson; estaban en el campo, todo el mundo trabajaba, pero había uno, sentado en el cordón de una vereda, que no hacía nada. Le preguntaron por qué no trabajaba. «Bueno —dijo—, soy demasiado pobre.» Ese tipo de broma hubiera sido imposible en otro país.

Bernárdez: Otro defecto que se le achaca siempre al hombre nuestro es que es demasiado individualista. Yo soy individualista, por eso soy liberal.

Borges: Yo también.

Bernárdez: Pero el hombre debe ser individualista. El hombre no puede conocer a los demás si no es a partir de sí mismo.

Borges: Porque «los demás» es una abstracción; en cambio, uno mismo es, desdichadamente, una realidad o cree ser una realidad, lo cual viene a ser lo mismo.

Bernárdez: Esa idea de que nos pongamos todos de acuerdo es un poco invitarnos a renunciar a sí mismos. Yo creo que lo que hay que hacer es cultivar la diferencia. La democracia consiste, precisamente, en la oposición. Lo otro es el hormiguero. Resumiendo, lo que se llaman defectos, no son tales.

Vázquez: Hace un momento los dos acaban de afirmar que son liberales. Ahora, la palabra liberal es casi una mala palabra.

Borges: En realidad, yo fui liberal, pero ya no lo soy. Creo que soy partidario de una dictadura ilustrada que no fuera demagógica.

Bernárdez: Soy liberal, pero como lo sería un sueco o un holandés; el Estado debe velar por los más débiles sin inmiscuirse excesivamente en la vida de los hombres. Creo razonable la fórmula de Macedonio Fernández: «El máximo Individuo en el mínimo Estado».

Borges: Si me permiten, quiero agregar algo sobre nuestros defectos. Creo que, en general, la gente es más educada y más cortés en las provincias que en Buenos Aires, donde se tiende a ser guarango de un modo más ruidoso. En cuanto a la cortesía, me contaron que en Japón alguien pregunta: ¿tienen un atlas en esta casa? La contestación es sí, a lo que se agrega: no, no tenemos un atlas. El sí es, solamente, un acuse de recibo; luego viene la contestación verdadera. La negación, así, no parece tan brutal.

Vázquez: Y el culto de la amistad del argentino, ¿es una virtud?

Borges: Se entiende que lo más importante es la amistad. Recuerdo que cuando un amigo nuestro, excelente escritor a quien todos queremos y admiramos, Mallea, publicó un libro, *Historia de una pasión argentina*, yo, antes de leerlo, pensé: éste tiene que ser un libro sobre la amistad, porque la amistad es la pasión argentina.

Vázquez: ¿El argentino es egoísta?
Bernárdez: No.
Borges: Decir *argentino*, es una abstracción, podemos hablar de a, b, c y d. Tendríamos que saber si es provinciano, si es porteño, de qué barrio de Buenos Aires es, a qué clase social pertenece, qué educación ha recibido...

Vázquez: ¿Cuáles serían las condiciones ideales de una comunidad?

Bernárdez: Creo que no hay comunidades ideales, ¿no?

Borges: Y, bueno, que fueran lo menos comunidad y lo más individual posible.

Bernárdez: Exactamente. Temo la palabra comunidad cuando sale de su verdadera esfera que es de orden espiritual.

Borges: Cuando estuve en los Estados Unidos, alguien me preguntó, ¿qué piensa de las masas? Bueno —le dije—, veo que usted es platónico, yo aristotélico, yo no pienso en las masas, yo pienso en los individuos. Su pregunta es demasiado abstracta para mí.

Bernárdez: Se piensa en la materia y no en la forma, al fin y al cabo, la masa es la materia, es algo potencial y tiene la forma que le da el que la conduce.

Vázquez: Voy a plantear la pregunta de otra manera. ¿Cuáles son las condiciones ideales para el futuro de un país como el nuestro?

Borges: Quizá pensar menos en política. Convendría que cada individuo pensara más en sí mismo y en cómo puede mejorarse, pero no sólo intelectualmente sino moralmente. Creo que eso nos hace un poco falta a todos; tener un sentido ético de las cosas. La ética va más allá de la religión, yo no profeso ninguna religión. El hombre es ocasionalmente astrónomo, botánico, zoólogo, pero es continuamente moralista. Es decir, en cada momento de su vida está frente a una disyuntiva, ¿debo obrar de tal modo o de tal otro? Y sabe, mediante un instinto ético, cuándo obra bien. Por eso al doctor Johnson, en el siglo XVIII, le parecía mal que Milton, en el siglo XVII, hubiera insistido más en las ciencias y menos en las ciencias morales.

Bernárdez: Hay que desentenderse de la cosa política, siempre, claro está, que no sea una renuncia o una pérdida de la libertad individual.

Borges: Me ha interesado la política cuando ha interferido en la ética. Si no, me interesó relativamente poco, y eso que mi familia ha sido muy politiquera.

Vázquez: ¿Creen que el siglo XIX ha sido mejor que el XX?

Borges: Sí, pero tiene una culpa, que es la de haber engendrado al siglo XX. De la misma forma, el siglo XVIII fue un gran siglo, pero engendró el XIX y éste al XX, lo cual parece significar un proceso de declinación. Quizás este siglo sea muy bueno comparado con el XXI y con el XXII. Esto no es un consuelo sino motivo de melancolía.

Bernárdez: Éste me parece un siglo banal, ni siquiera científico, más bien técnico, porque lo único que se hace es desarrollar cosas que se supieron antes.

Borges: Y nuestra máxima proeza, que ha sido el descubrimiento de la Luna, es quizás inferior a lo que hicieron Newton u otros, porque ha sido hecho por miles de personas, más bien, por una organización de voluntades y de inteligencia.

Bernárdez: Por otra parte, la sustentación filosófica de todos estos descubrimientos está en el siglo pasado y en el XVIII.

Borges: Pero, claro. He estado hablando con gente joven que me dicen que ellos son modernos y que son comunistas y yo les contesto, pero cómo entonces ustedes se atienen a lo que Marx escribió en el Museo Británico a mediados del siglo pasado. ¿En eso consiste el ser contemporáneo? Además, cómo no voy a hablar bien del siglo XIX, si he nacido en 1899.

Bernárdez: Yo también nací en el siglo XIX, porque nací unos días antes de terminar el mil novecientos, que es el último año del siglo pasado.

Vázquez: ¿Qué piensan de la violencia actual?

Borges: Yo llamaría la flojedad actual. Es bastante cobarde, con armas de fuego... Todo es de tipo criminal, no heroico; los secuestros se hacen para conseguir dinero. Heroico fue el general Reyes, por ejemplo; era ministro de Porfirio Díaz, le dijeron que el palacio estaba sitiado y entonces se asomó al balcón con uniforme de gala y lo mataron. Salió para que lo mataran. Mi abuelo tampoco se rindió, se puso un poncho blanco y se adelantó solo y se hizo matar.

Bernárdez: La única violencia que cabe es la violencia cristiana, contra nosotros mismos, contra nuestras pasiones. La violencia contra el prójimo me parece monstruosa, porque es la violencia contra Dios, puesto que el hombre es la imagen de Dios.

III

La pasión literaria
(Con Raimundo Lida en 1977)

María Esther Vázquez: Cervantes, Quevedo, o los que llamamos, en general, clásicos castellanos, ¿deben leerse ubicándolos temporalmente, es decir, ubicándolos en su época?

Jorge Luis Borges: Veo a la literatura como un hecho y no como una serie de hechos. Además, yo soy un lector hedónico; la lectura histórica puede ser necesaria para un comentario crítico, pero lo que uno debe pedir de los libros —y lo obtiene siempre en el caso de Cervantes y, a veces, en el de Quevedo— es el placer y eso es lo más importante que la literatura pueda darnos. Mucho más importante que los datos biográficos, que las fechas, que las bibliografías que, en ocasiones, entorpecen el acceso a los libros. Durante veinte años he sido profesor de literatura inglesa y americana en la Facultad de Filosofía y Letras de la Universidad de Buenos Aires y siempre les decía a mis alumnos: «Si un libro no les interesa, déjenlo. Ese libro no ha sido escrito para ustedes o todavía no les ha llegado el tiempo de ese libro. No lean por obligación; esa lectura sólo sirve para pasar exámenes que, al fin de todo, son bastante triviales».

Raimundo Lida: La lectura por placer, es, desde luego, el punto de partida, y también el de llegada. Entre las dos estaciones, me interesa además leer con un máximo de exactitud, comparar, situar, y volver entonces al autor sin necesidad de notas al pie para entenderlo, para vivir la lectura, para gozarla transparentemente.

Vázquez: Entonces, ¿usted primero los ubica en su época?

Lida: En su tradición, en su grupo, en su sistema de intenciones y en la singularísima realización de esas intenciones. Es verdad que voy a los libros con apetito de placer, pero sin pasividad, sin beatería. Las obras de Cervantes y de Quevedo irradian hacia el lector sus energías latentes, y en cada uno de nosotros se actualizan de manera distinta. Seamos dignos de recibirlas. Ese vaivén, ese doble movimiento, a mí —no escritor, sino estudiante de literatura— me parece esencial, y no puedo vivir sin él.

Borges: Estoy plenamente de acuerdo con usted, Lida, salvo que, en mi caso, empiezo por el mero deleite, por el goce, por la curiosidad y después trato de situar al autor, de ver todas esas connotaciones que son la época, el lenguaje en el momento en que el escritor lo usó. Porque las palabras van cambiando de sentido, quizá menos de sentido que de connotación, de ambiente; en cada época hay palabras prestigiosas que se desgastan y deben ser reemplazadas por otras.

Lida: Pensamos casi lo mismo, pero yo insistiría en un inevitable desacuerdo: en que usted es algo como un colega de Cervantes y de Quevedo, y yo no lo soy.

Borges: ¡Por favor!

Lida: Hablo en serio, y no es para elogiarlo, quizás, al contrario, para disentir de algunas de sus lecturas de Cervantes y de Quevedo. Usted tiene derecho, digámoslo entre comillas, a destruir los autores que lee. De tal destrucción resultará un fruto nuevo, que hace de usted un poeta y no simplemente un profesor de literatura. Además, es una fortuna poder contar con las opiniones estimulantes, a veces injustas, a menudo parciales, siempre interesadas —en el mejor sentido— de los creadores en cuanto creadores. Nuestros juegos, Borges, son distintos. El poeta puede leer parcialmente, puede devorar a sus víctimas. ¿No es Valéry el que dice que el león está hecho de cordero digerido? Pues bien, los poemas de usted son, a veces, cordero digerido, brillantemente transformado en constelación. Sus ensayos críticos son menos críticos que poéticos, permítame que se lo diga, de modo que para mí son siempre incitantes, aunque puedan no ser completos, ni integrarse suficientemente con el hombre o el mundo a que se refieren.

Borges: Lida, yo me considero un mediocre poeta y un buen profesor. He llevado muchas generaciones de alumnos al amor de la literatura inglesa. En cuanto a mis ensayos, los he olvidado y cuando los releo estoy en desacuerdo con ellos.

Lida: Lo de mediocre poeta es de una modestia injusta. En cuanto a los estímulos que usted ha provocado a estudiantes, estudiosos y pedagogos de la literatura, no se limitan a la literatura inglesa...

Borges (interrumpiendo): De la misma forma que la literatura inglesa no se limita a sí misma, ya que procede de otras...

Lida: Sí, pero lo que yo quería confesarles es que debo mucho a esos estímulos recibidos de sus ensayos sobre Quevedo o sobre Cervantes. Recuerdo que en el bachillerato mi primer contacto con Quevedo fue un par de páginas que Roberto Giusti nos leyó en voz alta y que me deslumbraron. Pero luego, Borges, su ensayo de 1924, una revaloración de Quevedo poeta, ha sido decisivo para mi inclinación hacia este tema...

Borges: He olvidado completamente ese ensayo.

Lida: No tanto, porque reaparece transformado, en sus *Otras inquisiciones* y en sus conversaciones recientes.

Borges: La verdad es que uno es muy pobre. Uno vive de ser su propio eco.

Vázquez: La acomodación al lenguaje arcaico, ¿no le resta cierto placer a la lectura?

Borges: Es que también puede dar placer.

Lida: No hablaré yo de lengua arcaica refiriéndome a Cervantes, a Quevedo o a Lope. Piense usted en las dificultades del estudiante francés que debe leer su *Chanson de Roland*. Aquel es un español que ya vive, anda y vuela: tenemos esa ventaja.

Borges: Sí, la *Chanson de Roland* es otro idioma.

Vázquez: ¿*Qué es lo que hace de Cervantes un escritor genial?*

Lida: Menuda pregunta. Yo bajaría un poco la puntería. Hablando con novelistas de talento, les he oído confesar su casi desesperación de llegar a la gran novela, a la novela «total» a que aspiran, porque hay una barrera inmediata, Joyce, y otra algo más lejana, inevitable para el novelista de lengua española: Cervantes.

Borges: Me siento mucho más cerca de Cervantes que de Joyce.

Lida: Me consta. Yo también.

Borges: Joyce es una especie de curiosidad literaria, un poco como Góngora. Cervantes está más cerca de cualquier ser humano que Joyce.

Lida: Por lo que toca a Joyce, créame que no todos los novelistas piensan como usted.

Borges: Yo diría que Cervantes me impide llegar a Joyce (ríe).

Lida: Lo comprendo, pero no es ésa, exactamente, la opinión de los escritores a que me refería.

Borges: Porque Joyce es un literato como Góngora y Quevedo. Posiblemente, Cervantes fuera algo muy distinto y muy superior. Además, la comparación es imposible porque Cervantes era novelista y Joyce no. El talento de Joyce, como el de Góngora, era un talento verbal que se aplica más a composiciones breves que a una larga novela que no lo necesita y sí necesita, en cambio, la convicción de que existen ciertos personajes imaginados y la facultad de transmitirlos al lector. El error de

Joyce fue dedicarse a escribir novelas; lo que logra son frases espléndidas, no crea personajes.

Lida: Sigue usted refiriéndose a un muy determinado tipo de novela...

Borges: Lo importante son don Quijote y Sancho y no las aventuras, que son meros adjetivos.

Lida: No lo creo. Para mí, no hay personajes separables de sus palabras, de sus ideas y de sus actos. El enloquecer de Alonso Quijano, su arrepentimiento y su muerte (y abrevio la larga enumeración) no son aventuras adjetivas. Son el personaje mismo. Con esa tradición continúan los mejores imitadores ingleses de Cervantes en el siglo XVIII y la gran novela del XIX. En Proust, con su gigantesco entretejido (o poema sinfónico) de destinos humanos en constante cambio, se nos da la culminación y la crisis de ese ciclo. Lo que sigue —con Joyce, con Kafka, por lo pronto— es ya otra cosa.

Borges: Ninguno de ellos es novelista.

Lida: Ésa es, Borges, su manera de certificar la defunción de la novela. Y la novela ha sobrevivido con buena salud a muchos pronósticos de muerte inminente.

Borges: Yo diría que Henry James es un extraordinario cuentista y un novelista bastante pesado; yo diría que *Ulises* y *Finnegan's Wake* son un fracaso.

Lida: Sigue usted hablando de sus gustos, y no de lo que le sucede a la novela.

Borges: Pero las palabras tienen que tener un sentido...

Lida: Precisamente. Si James es *para usted* pesado, no por eso deja de ser novelista.

Borges: La diferencia entre novela y cuento (aunque desde luego no es rigurosa) es que en un cuento es muy importante la acción y los personajes en función de la acción; en cambio, en la novela ésta no importa, lo importante es el personaje. El *Quijote* es la misma aventura repetida, como si uno la viera en distintos espejos o la oyera contada por distintas personas, y lo esencial es el diálogo entre don Quijote y Sancho.

Lida: El diálogo es ahí inseparable de la acción; no es diálogo puro, sino consustancial con el relato. Pero con su definición de la novela, Borges, tampoco el *Buscón* sería novela, ni lo sería el *Guzmán de Alfarache*...

Borges: Creo que sí se salvan el *Quijote*... Conrad... Eça de Queiroz... No pretendo agotar...

Lida: Se salvan, se condenan... En efecto, imposible agotar la lista. Habría que salvar de su infierno muchas otras obras maestras.

Borges: Lo que quiero decir es que, para mí, hay cierto sabor literario que es el sabor de la novela y eso no se da ciertamente en James, ni en Joyce. Ahora, un modo de llegar al *Quijote* sería empezar por la segunda parte, que es muy superior.

Lida: Entonces no la entenderíamos, porque allí se dan por sentados ciertos hechos que el lector y los personajes saben por haber leído la primera. En la segunda parte Dulcinea se magnifica...

Borges: Pero es que don Quijote se magnifica también.

Lida: Claro. ¡Si don Quijote es el creador de Dulcinea!

Borges: La segunda es superior a la primera, que no es más que una serie de percances físicos.

Lida: ¡Ah, no! De ninguna manera. Vender tierras para comprar libros de aventuras no es un accidente físico. Y así en cada peripecia de Quijano-Quijote.

Borges: Es que Cervantes lo veía así. A él le parecían graciosas esas cosas que a nosotros nos parecen tristes. Tenemos una prueba de ello en *La vida de don Quijote y Sancho*, en que Unamuno se indigna con Cervantes y se olvida que don Quijote es una creación de Cervantes. Yo releo con mucho placer la segunda parte y no la primera.

Lida: Y hace usted muy bien, si, a la vez, no se olvida de la primera.

Borges: Es cierto (ríe). Pero creo que es casi una irreverencia que hablando de Cervantes haya recordado a Unamuno. ¡Será que lo quiero tanto a Cervantes!

Lida: ¿Y nada a Unamuno? ¿No lo ha querido nunca?

Borges: Sí, me ha gustado, pero actualmente, no. Me parece una persona tan desagradable...

Lida: ¿Sí? Ya cambiará usted.

Borges: ¡Ah! Desde luego. Espero cambiar totalmente y convertirme en otra persona; estoy tan harto de Jorge Luis Borges.

Lida: He visto cambiar tanto sus ideas sobre Góngora, sobre Quevedo. Y cada vez, por cierto, con argumentación original y, repito, excitante. Hace años, en los Estados Unidos, me razonaba usted así su antiguo desdén por Góngora y su admiración por Quevedo: «Cuando somos jóvenes tendemos a admirar los detalles; con la edad aprendemos a apreciar los conjuntos». Si ese es su caso, me parece perfectamente sensato y admirable.

Borges: A mí me ha sucedido con Quevedo y Góngora lo mismo que con Lugones y Rubén Darío. Cuando era joven, pensaba que Lugones era infinitamente superior a Darío, porque línea por línea lo es, y Quevedo era superior a Góngora; pero en conjunto no lo es, y si hoy tuviera que elegir, aunque no tengo por qué hacerlo, me quedaría con Góngora y Darío y prescindiría...

Lida: ... de muchos versos de unos y otros. Y nos quedaríamos con los poemas y páginas mejores.

Borges: Pero uno podría decir que cualquier página de Cervantes es una página corregible por Quevedo o casi por cualquiera, pero nadie puede escribirla. En cambio, una de Lugones o de Quevedo quizá sean incorregibles, según su estética, pero al mismo tiempo no es muy importante que hayan sido escritas.

Lida: Bien: siempre la totalidad, y no lo parcial y minúsculo. Por eso me he quedado con ganas de que usted se extendiera más sobre las «magias parciales» del *Quijote*. Usted ha visto con claridad una parte de esa «magia parcial» que, algo absurdamente, suele llamarse el pirandelismo de Cervantes, cuando debiera hablarse del cervantismo de Pirandello.

Borges: Uno sospecha que Cervantes fue anterior.

Lida: Y sospecha o sabe, además, que Cervantes figuraba, naturalmente, en el programa de la universidad alemana en que Pirandello estudió filología románica.

Vázquez: ¿Se podría trazar un paralelo entre Cervantes y Quevedo?

    Lida: Un *divergelo*, diría yo, en vez de paralelo.

    Borges: Yo también. Hay un romance de Quevedo en el cual se menciona al Quijote.

    Lida: Es el «Testamento de don Quijote»: un documento de la triste incomprensión del *Quijote* en su propio siglo.

    Borges: Pensarían que era un best-séller ¿no?

    Lida: A juzgar por el romance, veían en don Quijote un simple idiota alucinado, y en Sancho un imbécil de otro tipo. Cervantes, al comienzo del libro, todavía no está seguro de su Sancho Panza, y habla de él como de un labrador con poca sal en la mollera. Y luego el escritor va ahondando infinitamente en el personaje. Pero no ahondaban sus lectores.

    Borges: Es que a medida que uno va escribiendo —lo digo por mi modesta experiencia— uno va conociendo a los personajes y, a la larga, todo personaje se identifica con el autor.

    Lida: Lo peculiar de Cervantes me parece la continua transformación e interinflujo entre los personajes, como vemos, al final, en ese conmovedor engrandecimiento de Sancho: así en sus últimas frases de consuelo a don Quijote, en esa invitación a vivir, a reiniciar la vida.

    Borges: Cervantes iba creciendo con su novela.

Vázquez: ¿Y las divergencias entre Quevedo y Cervantes?

Borges: Totales, fuera de la lengua castellana. Y tampoco coincidían demasiado, porque Quevedo quería volver al latín, y Cervantes no.

Lida: Volver al latín... No tanto. Y sólo en la prosa sería, porque en un relato como el *Buscón*, con sus ingeniosidades, malicias y caricaturas geniales, pretende acercarse a menudo al lenguaje cotidiano.

Borges: Me parecen horribles las ingeniosidades y las malicias. Pero, Lida, ¿no podría simplificarse todo y decir que sentimos un amigo en Cervantes y un maestro en Quevedo?

Lida: Bien, en cuanto a Cervantes. Y se ha dicho ya, ¿verdad?

Borges: Es que Quevedo se siente un señor...

Lida: Agresivo e irritado. Sí, es cierto.

Borges: Fácilmente energuménico.

Lida: Su defensa de la religión es siempre polémica, nunca desde dentro como lo es en Fray Luis o en Santa Teresa. Cuando se va a declarar a Santa Teresa patrona de España, Quevedo, que es caballero de la Orden de Santiago, se siente herido por esa insultante coparticipación.

Vázquez: A trescientos cincuenta años de la muerte de Góngora, ¿se lo lee o se prefiere a Manrique, por ejemplo? ¿O no se lee a ninguno?

Lida: Yo los leo admirativamente a los dos. Con más descanso en Manrique, con más curiosidad en Góngora.

Borges: Soy un plagiario, pienso lo mismo; no veo la necesidad de excluir a alguno... He hecho un pequeño descubrimiento, que sin duda han hecho ya todos los filólogos, y es sobre un soneto de Góngora: «... Si persistes / En seguir sombras y abrazar engaños / Mal te perdonarán a ti las horas, / Las horas que limando están los días. / Los días que royendo están los años». Son los mejores versos de Quevedo y los escribió Góngora.

Lida: Bueno, no tanto. Pero Góngora es en verdad el maestro de Quevedo en eso y en muchas otras cosas. El lado satírico de Góngora, que se suele olvidar un tantito, es tan magistral como lo mejor de Quevedo. Y Góngora y sus mejores contemporáneos vienen a reflorecer en una admirable poetisa americana —espero que esté usted de acuerdo—: en Sor Juana Inés de la Cruz.

Borges: Cierto. Recordando que Hugo dijo que Shakespeare incluye a Góngora, ¿usted no cree que podríamos decir que Góngora incluye a Quevedo?

Lida: Eso desequilibra el cuadro, para bien y para mal. Hay mucho más en Quevedo y en Góngora.

Vázquez: Hace poco en Le Figaro *un crítico refiriéndose a una representación en París de* Fuenteovejuna *de Lope de Vega, dijo que Lope no tiene, sin duda, el genio de Shakespeare ni de Calderón. ¿Creen ustedes justos tales juicios?*

Borges: No puedo hablar del teatro de Lope ni de Calderón, porque no me gustan, pero Lope tiene admirables sonetos religiosos.

Lida: Me da pena oírlo, porque me da pena que a mí el tiempo ya no me alcance para leer y releer comedias de Lope y Calderón.

Borges: Lida, yo quisiera ser convertido a Lope.

Lida: Ojalá. Y Calderón es para mí un extraordinario poeta teatral. Sólo él pudo, en la España de entonces, poner en boca de Segismundo estos dos versos: «Porque el delito mayor / del hombre es haber nacido».

Borges: Pero es un lugar común, es la idea del pecado original.

Lida: Las palabras de usted, Borges, son el equivalente en prosa pedagógica, pero ¡en ese momento y en ese drama! Nada de lugar *común:* el poeta lo ha hecho *propio.* Usted propone una explicación muy útil, una nota al pie. Yo me quedo con los versos de Calderón.

Vázquez: ¿Y la comparación de Shakespeare con Calderón y Lope?

Borges: Shakespeare es incomparable.

Lida: En efecto. Las comparaciones de ese tipo son las odiosas: en el fondo, lo que afirman es, perogrullescamente, que España no ha tenido un Shakespeare, que Inglaterra no ha tenido un Dante, que Italia no ha tenido un Goethe, que Alemania no ha tenido un Cervantes. Pero Lope y Calderón sí son comparables e integrables y, repito, excelentes poetas.

Borges: En el caso de Lope estoy de acuerdo. Los versos de Calderón me parecen ridículos: «Nace el pez que no respira, / y aborto de ovas y

lamas / y apenas bajel de escamas...». ¡Es una ver-
güenza!

Lida: Góngora en octosílabos: originalísimo. Y
bastante antes de Herrera y Reissig. Eso no lo escribiría usted, pero tampoco escribiría el soneto
del *Príncipe Constante:* «Éstas que fueron pompas y
alegría...» En fin, de la reacción clasicista y anti-
gongoriana no tiene la culpa Calderón.

Borges: Creo que ese tipo de verso lo hacía muy
bien Góngora y muy mal Calderón.

Lida: Los versos serios de Góngora no abundan en enumeraciones «rígidas» como las del teatro de Calderón.

Borges: Es cierto, tiene razón.

Lida: Son posteriores. Ya es un arte con esas si-
metrías que tanto ofenden a...

Borges (interrumpiendo): Sí, son horribles.

Lida: Horribles para usted, y para Ortega y
Gasset. Para mí, una convención más, que luego
utilizará con mucha eficacia un poeta —seguramente innombrable para usted—: José Zorrilla.

Borges: No. ¡Si yo sabía de memoria el *Don
Juan Tenorio!*

Lida: Pues sus esquemas sintácticos son a veces
copia de Calderón.

Borges: Es que yo diría que la literatura está hecha de artificios, pero conviene que el lector no
note los artificios.

Vázquez: Pero las palabras ¿no son artificios?

Borges: Sí, es cierto. Pero en el *Quijote* uno se
olvida de eso. Leí una frase de Stevenson que me

parece terrible: «Un personaje de una novela es —dice— *stream of words*». Si uno lo siente así, quiere decir que la novela ha fracasado. En cambio don Quijote vive más allá de las palabras. Y se nota más si el autor es muy vanidoso, como Lugones, que quería ser admirado por sus artificios... Por eso, para mí, el primer poeta francés es Verlaine, porque no se nota el artificio.

Lida: Creo que es cuestión de hábito. En cuanto a la frase de Stevenson, me parece muy injusto eso de reducir a un personaje a una línea verbal... Es lo mismo que ha dicho Valéry...

Borges (interrumpiendo): Pero Stevenson lo decía pensando que era un escritor que tenía que escribir novelas y todo lo hacía con una serie de palabras. Había llegado a esa comprobación, no para atacar a alguien, sino con cierta tristeza.

Lida: Se puede no atacar a nadie y estar perfectamente equivocado. Es Valéry el que dice que en las tragedias de Racine los principales personajes son la belleza y la armonía de los versos. Muy injusto. Él no se propone atacar a Racine, lo que pasa es que los personajes de Valéry son así, y él los ve, además, en todo gran teatro en verso.

Borges: Es como si dijera que la música está hecha de sonidos, cuando está hecha de emociones a través de los sonidos, si no, sería una miseria. El defecto de Quevedo es que se nota demasiado lo verbal. Esto no quiere decir que no lo admire: sé muchos versos de Quevedo, de Góngora, de Lugones... Es curioso, siempre pienso en Lugones con el temor y la esperanza, a la vez, de que lo que escribo se parezca a Lugones.

Lida: ¡Qué disparate! Eso sería remordimiento por haber hecho usted muchos chistes sobre Lugones. Recuerdo haber leído en la revista *Martín Fierro* un romance, compuesto entre varios, contra el *Romancero* de Lugones. Yo era muy joven entonces, y no podía identificar a los autores. Pero ahí aparecía una palabra, *velicómenes*, claramente quevedesca. Cuando la leí, con mi petulancia de muchacho —petulancia que nunca me ha abandonado, pero que era entonces más franca—, me dije: «Esta palabra, en la Argentina, sólo la conocemos dos personas: Borges y yo». Y esos versos eran, en efecto, de usted.

Vázquez: ¿Se leen los clásicos? ¿No ocurre que los lectores, al no encontrar problemas del Tercer Mundo, de la guerrilla, del petróleo, del imperialismo, etcétera, los desechan? Y si pregunto esto, es precisamente porque Fuenteovejuna *que parece presentar un problema social, se sigue dando en todos lados.*

Lida: Es curioso y razonable que haya elegido usted la palabra *social*, tan moderna. El caso es que en *Fuenteovejuna* se plantea un problema de virtud y vicio, de labradores ultrajados; pero se le trata, en buena medida, desde el punto de vista de la sangre o linaje, y del imperio de los Reyes Católicos por encima de todo. *Fuenteovejuna* se representa en la Rusia actual; suprimen, desde luego, la última escena, en que los Reyes aceptan la justicia ilegal, ejecutada por los labradores con sus propias manos. Pero Román Jakobson me cuenta que en sus tiempos, en la Rusia de los zares, se representaba íntegra la comedia, porque entonces convenía que el Emperador fuese el padrecito justiciero del pueblo explotado.

Borges: Pienso, Lida, que nadie lee ahora, o por lo menos muy poco. Además, parece que leen sólo a contemporáneos. Yo hace más de veinte años que no leo contemporáneos, porque temo que se parezcan a mí. En cambio, un autor del siglo XVII o del siglo IX sé que no se va a parecer a mí y me puede ser mucho más interesante. Los contemporáneos estamos escribiendo todos el mismo libro.

Lida: Es natural que Cervantes se interesara por lo que escribían Quevedo o Lope; es natural que lo contemporáneo nos enrede y nos haga perder la perspectiva. Por otra parte, el escritor no está obligado a ser un arqueólogo.

Borges: Tampoco está obligado a ser un periodista o un político. Me parece absurdo que una persona se niegue a todo el placer de la literatura acumulada en treinta siglos en tantos países.

Lida: ¡Desde luego! Creo que este diálogo tiene el peligro de que a cada particular afirmación, responde una generalización. Es chistoso. Si Borges dice que se lee lo contemporáneo, yo digo que eso lo han hecho los grandes escritores; al afirmar yo que lo contemporáneo interesa y a la vez desconcierta, Borges me contesta como si el resto de la literatura no me importara...

Borges: Como estamos jugando este juego por primera vez...

Lida: Sí, somos inexpertos.

Borges: Voy a tratar de conducirme mejor, de portarme bien.

Lida: Tiene usted derecho; puede hacer de este juego un gran juego. Yo soy el que tengo que estar vigilando las exageraciones y conservar un imposible equilibrio. Y usted también, ¿no, María Esther?

Vázquez: Por supuesto, pero creo que usted quiere agregar algo más, profesor.

Lida: Borges me ha advertido más de una vez, que no debo fiarme de sus declaraciones publicadas en reportajes...

Borges: Es verdad.

Lida: Ocurre que después de ciertas declaraciones suyas he salido en defensa de los españoles inteligentes.

Borges: Creo que sé a lo que se refiere. Mire, Lida: yo he estado en España y estoy convencido de que es uno de los principales países del mundo. Pero creo que «el hombre de la calle» en España es superior al literato, creo que la manera española es mejor que la literatura española.

Lida: ¿No ocurrirá eso con todos los países? Cuidado con la ilusión «de la calle».

Vázquez: ¿Comparte usted la afirmación de que la «humanidad española» es superior a la literatura?

Lida: No me atrevo a ideas tan generales como «la humanidad española»; me suena un poco rara, un poco victorhuguesca. Yo soy una especie de Funes no memorioso: vivo de experiencias, puramente concretas y estoy deslumbrado por los españoles inteligentes que he conocido y tratado.

Borges: Yo estoy más deslumbrado por los cocheros y por los choferes que por los escritores. Me parece que todo español es un hombre de bien, todo español es un hombre valiente; claro que son exageraciones... Lida, si yo digo que no he conocido a un italiano o a un judío estúpido, eso no quiere decir que no tengan otras virtudes, pero creo que lo que resalta en ellos es la inteligencia y lo que resalta en un español es la hombría de bien y el valor. Los ingleses han producido una notable literatura, una de las principales del mundo quizá, pero personalmente son bastante borrosos...

Lida: Yo me he encontrado en Inglaterra (y no sólo ahí) con ingleses que eran muy originales, muy personajes de Dickens, muy divertidos, nada borrosos. Y me he encontrado en España, en la Argentina y en muchos otros países con españoles inteligentísimos. Creo que, en esta materia, el clasificar a los seres humanos por la nacionalidad es sumamente arbitrario... Y volviendo, Borges, a nuestro tema principal, los clásicos, ¿no estaremos de acuerdo en que de todos nosotros depende el que sigan viviendo? Depende de nuestro conocimiento simpático, de nuestra feliz frecuentación de esos libros.

Borges: Sí, es cierto.

Lida: Es nuestro mundo de lectores. Cuando salimos de él, solemos desbarrar.

Borges: Quizá las opiniones sean lo más superficial de un hombre.

Lida: Es que hay que resistirse a pontificar sobre lo que se ignora. Recuerdo que una vez, en Harvard, al día siguiente de aparecer ciertas declaraciones suyas en el *New York Times*, me tomó usted del brazo y se lamentó: «¡Por qué he opinado yo de tantas cosas, si no entiendo nada más que de literatura!».

Borges (riendo): Es verdad.

Lida: Pero no resiste usted la tentación (ríe).

Borges: No, y en este momento no debo resistirla, porque si no, no habría diálogo. Si renunciara a mis opiniones, no podríamos hablar.

IV

El amor por Buenos Aires
(Con Manuel Mujica Lainez en 1977)

María Esther Vázquez: ¿Cómo era o cómo vieron us-
tedes este Buenos Aires, que tan presente estuvo en la
obra literaria de ambos?

Jorge Luis Borges: Lo que yo recuerdo de aquellos años de mil novecientos veintitantos a 1930 es
que había una pasión que ahora ha desaparecido: la
pasión literaria y la pasión metafísica. Ahora lo
único que parece interesar a la gente es la pasión
política y la política partidaria. Y hay otro hecho:
entonces nadie pensaba en el éxito.

Manuel Mujica Lainez: Eso es muy cierto.

Borges: Nosotros pensábamos mal de Arturo
Cancela, que era muy buen escritor, porque sabíamos que se vendían sus libros y él le aseguró a mi
padre que eso era una calumnia propalada por sus
enemigos. Se pensaba que si un escritor vendía, no
podía ser bueno y actualmente, no sólo se piensa
en el éxito, sino que hasta se organiza.

Hay eso que se llama promoción. Recuerdo un
año que se vendieron treinta y siete ejemplares de
un librejo mío, *Historia de la eternidad*; se lo conté a
mi madre y ella me dijo: «Es imposible». Le mos-
tré la factura y me creyó. En aquellos años lo co-

nocí a Gerchunoff. Él me preguntó si yo escribía y, como le contesté afirmativamente, me pidió que le llevara algo a *La Nación*; yo le dije: «Mire, no creo que lo que escribo merezca ser publicado». Todo esto lo cuento para significar que había pasión literaria, que no tenía nada que ver con el hecho de que los libros se vendieran o no, o de que el autor fuera conocido o desconocido. Hoy parece que la gente está más interesada en su carrera o en su destino personal como escritor. Posiblemente yo exagere; nunca he tenido muchos amigos, aun ahora me trato con media docena de personas, no más, y evito cuidadosamente las comidas literarias. Pertenezco a la Academia Argentina de Letras y no voy nunca, pertenezco al Pen Club y no voy, me borré de la Sociedad Argentina de Escritores...

Vázquez: ... Pertenezco al universo, pero no lo frecuento...

Borges: Es cierto, sí, la verdad es que lo frecuento poco. Bien, pero esa diferencia que señalo es a favor de mi tiempo, salvo que, como dijo Manrique: «cualquiera tiempo pasado fue mejor». Es decir, creo que nunca hubo una *belle époque*. Pienso que todas las épocas fueron espantosas para quienes tuvieron que vivirlas, pero luego en el recuerdo todo se mejora... Quizás haya un futuro en que la gente piense en 1975, 1976, y diga: «¡Qué maravilla!...». Sin duda habrá una nostalgia de esta época que a nosotros nos parece intolerable.

Mujica Lainez: Con todo, Georgie, vos perteneciste a un grupo que se llamaba el grupo de Florida.

Borges: El grupo de Florida fue una invención de Ernesto Palacio y Roberto Mariani. No hubo ni grupo Florida, ni grupo Boedo. Eso se hizo porque se pensaba que convenía que en Buenos Aires hubiera vida literaria a la manera de París, que hubiera cenáculos. A mí me hablaron de los dos grupos y yo dije que prefería ser de Boedo, pero los organizadores me dijeron que ya me habían puesto en el de Florida. Total, no tenía importancia porque era una broma. Hubo escritores, como Arlt y Olivari, que pertenecían a los dos...

Mujica Lainez: Como yo soy diez años menor que vos, nunca pertenecí a ningún grupo literario. Lo cierto es que entre mis veinte y mis treinta años fue la época en que yo ingresé en el diario *La Nación*. Al mismo tiempo, es una época de mi vida muy, muy frívola, de una frivolidad increíble. Es la época de ir a bailes, época mundana en un Buenos Aires tan distinto. En ese momento había en Buenos Aires tres o cuatro señoras viejas, disparatadamente ricas y disparatadamente finas, que eran disparatadamente viudas y sin hijos, pero con sobrinas a quienes tenían que casar. Entonces daban esos bailes «monstruos» en noviembre y en diciembre. Yo iba a esos bailes y todos me han acusado de perder el tiempo. Sin embargo, allí aprendí muchísimo, no hubiera escrito libros como *La casa* si no hubiera ido a esos lugares. Simultáneamente, entré en el diario *La Nación* en 1932; tenía veinte años, y ahí conocí a Gerchunoff, que fue para mí un verdadero maestro, una persona a la que adoré y la verdad es que, fuera de vos, ha sido el hombre que yo he encontrado a lo

largo de mi vida —y he conocido mucha gente—
con la réplica inmediata más espléndida. Después
venías vos, en segundo término. Felizmente se te ha
muerto Gerchunoff. Lo conocí a él, a Cancela, que
vos has nombrado, que fue buenísimo conmigo y
que me decía «maestro» cuando yo tenía veintidós
años. A Lugones, que era *un spectacle de la nature*,
por la forma en que se movía, cómo metía el dedo
dentro del zapato, por todas esas cosas tremendas
que hacía...

Borges: Siempre le tuve un poco de miedo a Lugones; me sentía incómodo frente a él.

Mujica Lainez: Conmigo fue muy bueno. Había otros de esa generación: García Velloso, Jean-
Paul Echagüe; yo aprendí mucho al lado de esa
gente. Así que, simultáneamente, tenía esa parte
frívola y esta especie de verdadera academia...

Borges: Sí, la verdad, elegiste bien el epíteto.

Mujica Lainez: Lo cierto es que hemos tenido
dos Buenos Aires distintos en esa edad.

Borges: Qué rara es esta conversación, parece
un sueño (ríe), rasgo típico de la realidad.

*Vázquez: Pese a que la obra de ustedes es tan diferente,
¿creen que por haber sido elaborada casi toda en Buenos
Aires tienen determinadas características?*

Mujica Lainez: Lo único que pueden tener en
común no depende de nosotros sino de nuestro
origen. Es decir, tanto Borges como yo descende-
mos de una serie de personas que en una forma o
en otra han contribuido a hacer el país y esas personas que en el caso de él son héroes y en el mío

son escritores (se interrumpe y dirigiéndose a Borges, dice: «Vos tenés a Lafinur»).

Borges: Y vos la muerte de Varela en Montevideo.

Mujica Lainez: ¡Qué te parece!

Borges: ¡Y un degollado! Casi nada, ¿no?

Mujica Lainez: Bueno, esos que nosotros tenemos, que yo tengo a Varela, que vos tenés a Laprida, que yo tengo a Cané, que vos tenés a Suárez, gente que nos hemos repartido, en cierto modo.

Borges: Y al cabo de cien años, tendremos los mismos antepasados, además de don Juan de Garay.

Vázquez: A Garay se lo reparten a medias.

Mujica Lainez: Sí, claro. Bueno; esos hombres han contribuido a hacer nuestras obras y eso es lo que nosotros tenemos en común. Aunque vos insistís demasiado en que sos pariente de Rosas, así como yo no dejo de señalar que soy descendiente de Florencio Varela. Eso nos pondría de pique, pero yo creo que no: somos dos unitarios.

Borges: ¡Claro que soy unitario!

Mujica Lainez: Es lo que hay que ser.

Borges: No sé si te acordás cuando a mi madre le hicieron una operación, que pudo ser seria. Al sacarla en la camilla, ella quiso darme a entender que esa operación no era nada, que ella seguía siendo Leonor Acevedo, y entonces, con un hilo de voz, me dijo: «¡Salvaje unitaria!». Entonces me di cuenta de que todo estaba bien.

Mujica Lainez: Tu madre era uno de los últimos seres admirables que yo he conocido.

Vázquez: ¿Cuáles son las ventajas y las desventajas de haber nacido en una ciudad como ésta, tan alejada de Europa y de los Estados Unidos, pero a la que llegaban los exponentes más importantes de la cultura occidental?

Borges: No sé si venían los exponentes, pero sí sus libros.

Mujica Lainez: En la época paqueta venían ellos también. Venían por Amigos del Arte.

Borges: Cierto. Recuerdo que Helena Udaondo me dijo que vendría Chesterton, que ella iba a recibirlo en su casa y que iba a invitarme. Yo me sentí triste, porque pensé: «¡Qué lástima que Chesterton, a quien yo veo como un hombre mágico, esté aquí en Buenos Aires, conozca a personas que yo conozco y forme parte de esta vida nuestra! ¡Ojalá no venga!». Y efectivamente, no vino y se mantuvo en su condición mágica de un hombre que vivía en un Londres mágico.

Mujica Lainez: Me parece que la ventaja, cuando hemos tratado los temas de Buenos Aires, es que estaba prácticamente todo por hacer. Si nosotros hubiéramos nacido en Londres o en París, habríamos encontrado todo hecho. Creo que Balzac y Dickens se habían ocupado bastante bien... Mientras que lo que había aquí, antes de nosotros (que conste que yo lo respeto)...

Borges: Pero era casero.

Mujica Lainez: Claro. Así que se podían hacer cosas interesantes y hemos tratado de hacerlas.

Borges: Y además, tenemos una ventaja sobre los europeos y es que somos, podemos ser, buenos europeos y más europeos que ellos. Porque un italiano corre el hermoso peligro de ser solamente italiano y un inglés de ser inglés; en cambio, nosotros somos herederos de toda la cultura occidental, no tenemos que fijarnos en una región más que en otra. Somos lo que queremos y podamos ser. ¡Es una lástima que se haya perdido la hegemonía de Europa! Ahora estamos abandonados a dos países que han de parecerse muchísimo: Rusia y los Estados Unidos. Un bisabuelo mío, inglés, estuvo un año en los Estados Unidos y tuvo ocasión de cambiar unas palabras con un piel roja: «¡El único caballero que conocí en América!», dijo. ¡Qué lástima esas dos guerras mundiales europeas! Ahora tenemos a Europa en segundo lugar, y en Europa está todo. Y está nuestro pasado, porque limitarnos al pasado sudamericano sería un poco miserable... Un poco pobre...

Vázquez: ¿Cuáles son las desventajas?

Borges: Son tan evidentes que mejor sería ni nombrarlas.

Mujica Lainez: Voy a hablar egoístamente. Las desventajas para mí, que soy un hombre cuya obra está construida sobre la base del pasado, son que nuestro pasado es hermoso, es un pasado romántico, pero muy limitado. Si yo hubiera sido aunque fuera brasileño, el Imperio, esos reyes desterrados, los negros, el trópico... Todo eso me hubiera dado toda clase de temas. Pensá en la obra de ciertos escritores belgas que han tenido atrás a Flandes y que han hecho esos libros admirables... Yo, con envidia siempre... Sin embargo, pensé, como vos, que nosotros éramos los herederos de esas culturas y por eso me di el lujo de escribir *Bomarzo*, *El unicornio*, libros de carácter universal, porque creí que tenía ese derecho.

Vázquez: ¿Por qué no vale la pena enumerar las desventajas?

Borges: Creo que si pensamos en los siete millones de votos de las últimas elecciones, las desventajas de este país son evidentes.

Vázquez: Buenos Aires, hoy, ¿difiere mucho de la Buenos Aires de la década de los veinte?

Mujica Lainez: ¡Por favor! Yo vivo ahora en Córdoba, en las sierras, y cada vez que vengo es como si viajara al extranjero. No reconozco a esta ciudad, fuera de acá, alrededor de esta plaza San Martín, porque han quedado esos cuatro palacios que compró el gobierno y el Plaza Hotel... A esta ciudad no la reconozco, es otra. Y la gente, no digamos... Bueno, ha pasado mucha cosa, han pasado dos peronismos.

Borges: Creo que se conserva algo del Buenos Aires de mi infancia en el barrio sur. El Buenos Aires que yo alcancé era lo que ahora se llama el barrio sur; casas bajas, con azoteas, con patios, con aljibes, lo que ahora corresponde a San Telmo...

Mujica Lainez: Mi querido, a veces tiene ventajas no ver... tú estás viendo el San Telmo que nosotros conocimos, ahora es otro... Se ha disfrazado de San Telmo.

Borges: Me han dicho que hay una plaza y en el

medio un aljibe. Jamás hubo aljibes en el medio de las plazas, estaban en los patios...

Mujica Lainez: Y menos en las esquinas, como han puesto ahora el de la SADE: en una esquina en la calle Uruguay.

Borges: En las esquinas, más bien había buzones, vigilantes y changadores, personajes éstos que perduran verbalmente, nomás.

Vázquez: ¿Qué es lo mejor y lo peor de Buenos Aires?

Mujica Lainez: Lo mejor de Buenos Aires es que nosotros estemos conversando en este momento.

Borges: Es que lo mejor es la amistad, que todavía perdura en Buenos Aires y que es una pasión, un sentimiento que se ha perdido en otros países, como se ha perdido el sentido de la familia; parece que nadie tuviera parientes, ni amigos. No hay intimidad.

Mujica Lainez: Es curioso. Nosotros, a través del tiempo hemos tenido una especie de amistad, me doy cuenta ahora.

Borges: Desde luego. Una amistad muy importante para mí y una amistad que ha podido prescindir de la frecuentación. Pasamos años sin vernos, pero, de pronto, estoy en un sanatorio, donde me han operado, y Mujica Lainez está a mi lado. Eso es muy importante para mí. Además del placer de la lectura de tus libros.

Mujica Lainez: El gran vínculo era tu madre. Yo la quería mucho y ella me quería.

Borges: Sí, es verdad.

Vázquez: ¿*Y qué es lo peor de Buenos Aires?*

Borges: Hay tantas cosas peores, que es difícil elegir.

Mujica Lainez: No creo que entren en una página de *La Nación*. Tendrían que hacer un número especial.

Borges: Salvo que dijéramos que fuera de lo que hemos dicho, todo lo demás es peor.

Vázquez: El amor que ustedes sienten por Buenos Aires… Porque sienten amor, ¿no es cierto?

Borges: A pesar de Buenos Aires, sí.

Mujica Lainez: La prueba es que si no, nos hubiéramos ido. Nos hemos quedado siempre acá y casi todos los demás se han ido.

Borges: Cierto. Me acuerdo que Carriego le decía a mi padre, de un modo un poco campanudo, «aquí estamos los dos entrerrianos». Y mi padre le contestaba: «y, como todos los entrerrianos que pueden, estamos en Buenos Aires».

Vázquez: Y ese amor, ¿tiene algo que ver con los elementos folklóricos: el sur, el tango, los compadritos, los suburbios?…

Borges: Yo podría prescindir de esos elementos, pero los cuchilleros, ¡caramba!, ésos son un vicio mío.

Mujica Lainez: Es una geografía tuya.

Borges: Y posiblemente apócrifa.

Mujica Lainez: Eso yo no lo he conocido. Siempre he sospechado que esos cuchilleros y esos suburbios y tal, eran anteriores a vos, eran cosas que vos habías oído…

Borges: ¡Ah!, pero desde luego. Todo eso yo lo debo, no a lo que yo he experimentado, sino a las mentiras del viejo caudillo Paredes, a toda la gente que vi en su casa, que serían tan embusteros como él, y a conversaciones con comisarios, que también tienden a exagerar las cosas, y luego a algunos relatos de los Iberra, de Turdera, también de segunda mano; yo conocí a un primo hermano de los asesinos.

Vázquez: ¿Y eso no es renegar de las fuentes?

Borges: No, quizá convenga que las cosa lleguen así. Yo no me comparo con Homero, pero todo le puede haber llegado así.

Mujica Lainez: Vos tuviste tus mitos y yo, ahora que pienso, también tuve los míos. Porque mi padre, que era un hombre tan especial, que era un *clubman*... Fijáte que nunca, en mi vida entera, lo vi a mi padre vestirse en casa, tenía sus roperos en el Círculo de Armas... Ese hombre, cuando a mí de chico me hablaba de los hombres de su época, de Roca... Eso pasó a ser algo tan mítico como tus cuchilleros.

Borges: Quizá convenga todo eso; el arte se hace con recuerdos personales y ajenos que llegan, al fin, a ser también personales. Como todo el pasado, como los clásicos.

Mujica Lainez: Claro, vivimos devorando.

Borges: Los recuerdos que uno tiene de *El Quijote* son los recuerdos del patio de la casa. Uno incorpora todo.

Vázquez: ¿A ustedes les gusta vivir en Buenos Aires? ¿Estarían más cómodos en otra ciudad?

Borges: Quizá para extrañar, para querer a Buenos Aires convenga estar lejos de ella. Estoy pensando en Joyce que no volvió nunca a Irlanda...

Mujica Lainez: Henry James, Eliot. Yo sería muy feliz viviendo un tiempo largo en Venecia o en París.

Borges: Yo también.

Mujica Lainez: Pero tendría que volver, de eso no hay duda.

Vázquez: A esta altura, ¿podrían escribir otro libro que tuviera como tema a Buenos Aires?

Mujica Lainez: Tengo una novela que acaba de salir, donde he vuelto al tema y he terminado otra, que se llama *Los cisnes*, que transcurre en una casa que había en la calle Charcas, donde tenían los ateliers los artistas, frente a la plaza Rodríguez Peña.

Vázquez: ¿Todavía existe esa casa?

Mujica Lainez: No. La han echado abajo, como todo.

Borges: Eso puede decirse de todo Buenos Aires, que ya no existe. Yo, en cambio, estoy escribiendo cuentos fantásticos que no pasan en Buenos Aires. Trato de que lo que hago no se parezca demasiado a lo que he hecho. Pero, ahora que me acuerdo, sí, hay uno, un cuento psicológico, que ocurre en los días anteriores a la revolución de septiembre de 1955, de la Libertadora. Va a ser mi mejor cuento y se titula, como si fuera un restaurante, «Los amigos».

Vázquez: ¿Cómo juzga cada uno de ustedes al otro?

Mujica Lainez: Yo lo he admirado mucho a Georgie y si no lo he imitado es porque he hecho unos esfuerzos terribles.

Borges: Entiendo eso, porque yo, cada vez que escribo, siento el temor o la esperanza de haber escrito una página de Lugones. Y cuando mis amigos me dicen que no, me siento un poco aliviado y un poco defraudado.

Mujica Lainez: Después de lo que has dicho, tengo la impresión de que hace muchos años que no leés *La guerra gaucha*.

Borges: Bueno, pero *La guerra gaucha* no se parece a Lugones. Has elegido el peor libro.

Mujica Lainez: El peor, francamente malo. Pero esto no hay que publicarlo. Yo lo he querido mucho.

Borges: Pero ¿por qué no? Si todo es una serie de cachivaches.

Vázquez: ¿Cachivaches?

Borges: Pero sí... Todos los caballos son caballos embalsamados. Los Andes están hechos de cartón piedra...

Mujica Lainez: Todas las metáforas son feas. A mí lo que me gustaba de Lugones eran los *Poemas solariegos*.

Borges: Y los *Romances del Río Seco*. Y el cuento «Izur», que es lindísimo.

Mujica Lainez: Por supuesto. Fue el primero que vio acá esa cosa mágica...

Vázquez: ¿Existe alguna otra virtud en los argentinos?

Borges: Alguna vez existió el coraje. Ahora no. Queda la violencia, que más bien se limita a bombas, de un modo más prudente y más clandestino. Tenemos el diálogo; vuelvo a insistir en esto después de mis cuatro meses en los Estados Unidos. El argentino todavía puede conversar.

Mujica Lainez: Fuera de las que has enumerado no consigo ver otra virtud esencial de los argentinos. En general, los veo a todos tan deseosos de irse de acá...

Borges: Entonces, ¿tenemos el impulso centrífugo?

Mujica Lainez: Sobre todo los jóvenes.

Borges: Quizá porque deseamos volver a Europa, porque somos desterrados de algún modo.

Mujica Lainez: Hay una virtud, de la cual acabo de acordarme, y que observé no acá, sino viajando, en el extranjero. Los argentinos son muy inteligentes. En Europa, por ejemplo, los he ido encontrando en puestos claves.

Vázquez: Y haciendo las cosas más disparatadas.

Mujica Lainez: Sí, por ejemplo, me acuerdo que en Israel hace muchos años, en un instituto donde se hacían estudios sobre tuberculosis, los principales médicos eran argentinos. En Egipto, en El Cairo, el segundo especialista en el Museo de Antigüedades Egipcias, era un argentino. Los directores más importantes de teatro, en París, son argentinos. Hay actores, hay directores...

Vázquez: El que perfeccionó el traje de los astronautas es un argentino.

Mujica Lainez: Es cierto. Yo creo que los argentinos son muy inteligentes. ¡Lástima es que no apliquen esa inteligencia a este país!

Borges: En los Estados Unidos hay plomeros, hay electricistas argentinos o, a veces, sudamericanos, muy superiores a la gente de allí, que es bastante torpe. En Utah estuve hablando con unos artesanos argentinos, mormones, que ganan el doble que los otros porque trabajan muy bien.

Mujica Lainez: ¿Nuestros negros se liquidaron con la guerra del Paraguay? ¿Cuándo desaparecieron?

Borges: Yo puedo decir algo personal. En 1910 o 1912 era muy frecuente ver negros, sobre todo donde yo vivía, en Palermo. No fueron liquidados ni en la campaña del desierto ni en la guerra del Paraguay; ahora, qué les pasó después, no sé. Había un conventillo de negros muy lindo en la esquina de Uriburu y Vicente López. Después se transformó en un conventillo de gitanos. También había otro de negros cerca de donde vivía Cecilia Ingenieros, en la calle Sarmiento... Cuando yo era chico eran muy comunes.

Vázquez: ¿Se habrán casado con blancas y se mestizaron?

Borges: Puede ser. Pero es mentira que fueron sacrificados en las guerras.

Mujica Lainez: Puede ser que se hayan desteñido, y que, muchos blancos que conocemos, sean negros.

Vázquez: ¿Y quién era el Negro Raúl?

Mujica Lainez: Yo lo conocí.

Borges: Era un negro a quien protegían los «niños bien» y le daban ropa, un bastón, galerita... Era un personaje un poco cómico, pero también un poco mimado. Yo lo he visto muchas veces. Andaba cerca de la confitería El águila, no la vieja, la de la calle Florida, sino la de Callao y Santa Fe.

Mujica Lainez: A la salida de misa, en la Iglesia del Pilar, en la misa de doce, siempre estaba el Negro Raúl saludando. Era un personaje propio de una ciudad pequeña. Una vez Adolfo Mitre hizo un artículo muy interesante sobre todos esos personajes (había unos que saludaban en la calle Florida). La nota se titulaba «Los locos de Buenos Aires».

Borges: Bueno, podría decirse que Mujica Lainez y yo hemos reemplazado al Negro Raúl en cierto modo, ¿no? Uno saluda todo el tiempo en la calle a gente que no conoce. Somos los herederos del Negro Raúl.

Mujica Lainez: Por lo menos hemos hecho todo lo posible. Y eso que nadie nos da ropa, y mirá que se ha puesto muy cara.

Borges: Sí, nos convendría.

Desde la misteriosa orilla

Un mediodía de principios de octubre de 1964 llegamos al castillo de Elsinor en Dinamarca, donde Hamlet consumó su tragedia. Él ya no veía pero reconocía las luces, las sombras, la amplitud de los espacios. Hacía frío, lloviznaba. El viaje había sido largo y estábamos ateridos, cansados y hambrientos. Éramos los únicos visitantes del día y el guardián deseaba que entráramos y recorriéramos rápidamente el recinto para cerrar e irse. Sin embargo, Borges se detuvo frente a las puertas y alzando la cabeza, recitó con voz alta, tan alta que el eco devolvía y traía restallantes las palabras, aquella frase dicha por Hamlet en el mismo lugar, antes de enfrentar al fantasma que aterrorizaba a sus amigos: «¿Qué habré de temer? No le doy a mi vida más valor que el de un alfiler. En cuanto a mi alma, ¿qué podrá hacerle? si es inmortal...».

Cuando ayer el teléfono nos anunció la muerte de Borges, de pronto, volví a ver su figura recortada contra el cielo gris de la explanada del castillo, haciendo suyas las palabras de Shakespeare y sentí que no importaba que su cuerpo decrépito y enfermo haya quedado sepultado lejos porque su alma, su sombra, triunfantes sobre la vejez, la ceguera, la enfermedad y la muerte crecen, reviven y sueñan todo lo amado, lo gozado, lo vivido. La infancia compartida con la hermana, la adolescencia de Ginebra, las noches de Adrogué, los amigos imaginarios, el sonido de campana de un vaso veneciano, las viejas milongas tarareadas a media voz para sí mismo («quisiera ser canfinflero, para tener una mina...»), la emoción de la patria entrevista con Drieu La Rochelle y Néstor Ibarra desde los pajonales de Puente Alsina, un arroyo minúsculo en el fondo de una quinta de la Banda Oriental, el pelo luminoso de Elvira de Alvear, la amistad feliz con Silvina y Adolfito, los laberintos oscuros de la Biblioteca Nacional, tanteados con el bastón, recorridos cada tarde del brazo de Clemente, murmurando los versos que le trae su memoria.

Vuelve a recitar, erguido y enfático, en el duro anglosajón el Padre Nuestro, «para darle una pequeña sorpresa a Dios», en una iglesia cerrada de Inglaterra y donde nadie ha rezado el *Faether Ure* en los últimos diez siglos.

Recupera la frescura del cuerpo joven nadando en el río tranquilo de Pocitos. Libre y dichoso cruza otra vez los puentes de Constitución y asomado a la baranda reconoce abajo entre la niebla, el hollín y el humo, el fragor de los trenes. Al fondo de la calle Patagones se asoma a una fragua y el olor de la lluvia de verano lo envuelve en las barracas del Parque Lezama. Sube una vez más al tranvía que lo lleva a Boedo y a la *Divina Comedia*. Recorre la mítica cortada de El Lazo y con Paco Bernárdez visitan los boliches buscando a los compadritos, mientras toman, para ser más criollos, una copita de guindado oriental. Con acento nasal y arrabalero, recobra las coplas de los guapos: «Soy del barrio e'Monserrate, / donde relumbra el acero, / lo que digo con el pico / lo sostengo con el cuero».

Estudia en todos sus detalles el grabado de Durero que, colgado sobre su cama, le muestra «El caballero, la muerte y el diablo» y piensa que es inmortal. Da vuelta el reloj de arena y mira caer, con sus ojos nuevos, la lluvia dorada. Sigue con el dedo el contorno de un tigre azul de porcelana y le admira la frialdad de su cuerpo alargado.

En el sosiego de la tarde ríe con el doctor Johnson y repite una frase suya que parece inventada por el propio Borges: «Su mujer, señor, con el pretexto de que trabaja en un lupanar, vende telas de contrabando».

Descubre a Kipling en el libro de tapas verdes y cantos dorados o sueña con Papini y es otra vez el chico que lo leía, sentado en el último peldaño de la escalera en el patio de la legendaria casa ubicada en su manzana, en Palermo: Guatemala, Serrano, Paraguay, Gurruchaga.

Piensa con melancólica ternura en Beda el Venerable, que murió hace mil doscientos años, cuando traducía para los monjes de su convento los códices sagrados, y también en san Isidoro, el sabio más sabio del siglo VII, y sabe que le hubiera gustado ser, aunque fuera por un momento, san Isidoro.

Es otra vez el Borges que una noche sevillana

de jerez y primavera se enardece oyendo la desgarrada pasión del cante jondo y es el muchacho que llora de emoción cuando ve una caballada cruzar el campo en el atardecer y es el hombre austero, que tiembla de coraje evocando la batalla de Hastings y el doliente destino de Edith, Cuello de Cisne.

Y Borges es, desde la ribera eterna que lo recibe, él y todos sus personajes, múltiple y singular: Laprida con el íntimo cuchillo en la garganta, la vengadora Emma Zunz, la gota de lluvia detenida en una mejilla, las traslúcidas manos del judío, Matilde Urbach, el Aleph, Funes y la ronda sin fin y sin edad crece y se multiplica. En ella lo buscamos, como buscamos su rostro quieto en tantas fotografías y oímos su voz detenida en cientos de grabaciones. Lo buscamos y está en cada línea y estará siempre, mientras alguien la repita con fervor.

Porque no somos nosotros los que perdemos a los que se han ido. Son ellos quienes se alejan y nos abandonan a la aridez rutinaria de los días.

Borges, amigo, amigo admirado y admirable, querido maestro, desde la orilla misteriosa donde estás soñándote en tu sueños, no nos dejes caer, no nos olvides.

15 de junio de 1986

Frases y anécdotas
*(Se incluyen aquí frases y anécdotas de Borges
poco difundidas)*

«Vivimos en un tiempo en que las gentes que tienen éxito son personas primarias. Incluso si no lo son, procuran volverse primarias para colocarse al alcance de todo el mundo.»

En 1977 Borges escribió un cuento, «Veinticinco de agosto de 1983» donde el propio Borges se soñaba a sí mismo suicidándose al cumplir ochenta y cuatro años: de ahí el título. Cuando Borges escribió el texto en 1977 no tuvo en cuenta que el tiempo pasa y en 1983, a medida que se acercaba la fecha de su cumpleaños, apareció mucha gente preocupada por el posible traslado de la ficción a la realidad. Borges entonces comentó: «¿Qué hago? ¿Me comporto como un caballero y convierto en realidad la ficción para no defraudar a esa gente? ¿O me hago el distraído y dejo pasar las cosas?».

Como constatamos todos, se hizo el distraído.

En uno de sus recientes viajes, a bordo de un avión, Borges reconoció el apellido de un señor que lo había saludado la noche anterior y en cuya casa de Alemania había comido muchos años atrás. Estrechó sus manos entonces, con gran efusión y dijo: «¡Qué lindas noches aquellas de Alemania!». Cuando el señor se alejó, Borges agregó: «Es la primera vez en mi vida que no cometo una gaffe. En realidad, si se escribiera mi biografía tendría que empezar: su vida fue una sucesión ininterrumpida de gaffe sur gaffe y nada más; eso fue todo».

«Yo me acuerdo que hace años, cuando todavía existían los bares automáticos, íbamos con Xul Solar a uno que quedaba en Córdoba y Callao. A Xul le gustaba experimentar y como era un inventor nato, y había inventado cosas espléndidas, trataba de hallar combinaciones posibles entre los alimentos. Así, llegó a mezclar café negro con salsa de tomate (verdaderamente repugnante) o sardinas con chocolate (atroz). Probábamos juntos esas mezclas y él mismo comprendía que eran incompatibles los elementos mezclados.

»Yo creo que las buenas combinaciones ya fueron inventadas y que nada podrá superar al café con leche (su inventor debe haber sido un ser excepcional) que es riquísimo y que es la combinación por excelencia.»

«Hace muchos años, cuando todavía éramos jóvenes —contaba Manuel Mujica Lainez—, nos reuníamos un grupo de escritores en el viejo edificio de la SADE, casi todas las noches. Venía Borges, a veces Mallea y generalmente los sábados comíamos allí y las sobremesas eran larguísimas y divertidas.

»Un sábado, ya casi habíamos terminado de comer, llegó un escritor a quien se le había muerto, de repente y hacía poco, la mujer. Este escritor se expresaba con gestos grandilocuentes, frases ampulosas y actitudes algo teatrales, pero todos lo queríamos mucho. Se acercó a la mesa y nos dijo: "Amigos, me ha ocurrido algo increíble. Ustedes saben que recientemente he sufrido la pérdida irrecuperable de mi compañera. Pues bien, anoche he soñado que ella se acercaba adonde yo estaba y me decía (y aquí nuestro escritor alargaba las vocales y afinaba la voz): Adióooos Fulaniiiiiito, adiiiiióoooos Fulaaaaniiiiiiito... Ella, amigos, volvió para despedirse de mí", concluyó nuestro escritor con un profundo suspiro, al tiempo que bajaba la cabeza sobre el pecho.

»Todos quedamos silenciosos sin saber qué decir y, de pronto, se oyó la voz de Borges, que contestaba: "Pero, ¡qué atenta!".

»Ni te cuento que todos, hasta el viudo, largamos la risa.»

«Estar enamorado es sentir que existe algo único, precioso y sobre todo indispensable en alguien.»

«Sarmiento fue el hombre más importante que ha producido nuestro país. Creo que fue un hombre de genio y creo que, si hubiéramos resuelto que nuestra obra clásica fuera el Facundo, nuestra historia hubiera sido distinta.»

Cuando Borges estaba de muy buen humor, solía tararear, más mal que bien (el buen oído no era su especialidad) una canción cuya letra dice así: «Cattaneo, dame la mano / para subir a tu aeroplano. / Cattaneo, no vueles alto / que se te rompe el aparato».

Bartolomé Cattaneo fue un esforzado y valiente piloto italiano que en 1910 sobrevoló Buenos Aires a dos mil metros de altura y fue el primero que unió en un vuelo directo Buenos Aires y Rosario a noventa y nueve kilómetros por hora.

Pero Borges no tenía la menor idea de las proezas de Cattaneo: «Sólo sé que cuando yo era chico, él era célebre y yo cantaba esa estrofa para mí inexplicable, sin mayor erudición. Como versos comprendo que no apuntan muy alto, es que la "divina inspiración" no suele ser uno de los atributos de la musa popular. Pensándolo bien, peores no pueden ser, ¿no es cierto?».

En 1983 Borges fue invitado a visitar la escuela normal Mariano Acosta, que cumplía ciento nueve años. Los alumnos le preguntaron sobre su obra durante una hora y media y, cuando se fue, formaron una doble fila de más de cien metros. Borges caminaba por el medio y los alumnos lo vivaban y lo aplaudían con entusiasmo. Antes de que se fuera, le leyeron una décima anónima de un payador desconocido. Claro que todos sabían que el payador desconocido era Elías Carpena, que con sus ochenta y cinco años, resucitaba el viejo oficio de los gauchos.

La décima decía así: «De inspiración celestial / los buenos versos que forjes / glorien a Jorge Luis Borges, / un escritor de verdad, / que hoy en la escuela normal / su presencia requerida / le va dando feliz vida / literaria al alumnado, / que en gozo manifestado, / celebra su bienvenida».

Cuando acabó la décima, Borges le palmeó el hombro al payador y le dijo: «Discúlpeme, Carpena, que me hayan traído en auto, yo, la verdad, quería venir montado en un overo rosao...».

«Creo que la mentira es muy necesaria por razones de cortesía, de buena educación y de reserva también. Yo, al cabo de un día, con palabras o callándome, habré mentido constantemente, y eso que me considero un hombre ético.»

«El cuento debe ser escrito de un modo que el lector espere algo continuamente, que haya una expectativa, que se resuelva luego de un modo que pueda ser asombroso o, en todo caso, que pueda parecer extraño y nunca un capricho del autor, sino algo inevitable. Si puede ser asombroso e inevitable, mejor.»

«La novela es una superstición de nuestro tiempo, así como lo fue el drama en cinco actos o la epopeya en otras épocas. Es muy verosímil que la novela desaparezca, mientras que el cuento... No veo una literatura sin cuento o sin poesía, en tanto que una novela de cuatrocientas, quinientas páginas puede muy bien desaparecer.»

«He tomado mucho mate cuando era joven. Tomar mate, para mí, era la forma de sentirme criollo viejo. Me lo cebaba yo mismo y creo que lo hacía muy mal porque siempre había flotando unos palitos sospechosos. Tenía dos mates, uno común, y otro de los que se llaman galleta. Y ahora, caramba, he perdido el hábito.»

Agosto de 1979 fue consagrado íntegramente a celebrar los ochenta años de Borges, quien aparecía a cada momento en reportajes en diarios, en radios, en canales de televisión, en revistas. Él comentó:

«Yo creo que han exagerado. Al fin y al cabo, mi obra es una serie de vacilaciones, acumulaciones y también de reiteraciones. Casi desde principios de este mes, cuando recibí la Gran Cruz de Alemania, me están persiguiendo aquellos versos de Bartrina: "En tiempos de las bárbaras naciones / colgaban de la cruz a los ladrones. / Pero ahora, en el siglo de las luces / del pecho del ladrón cuelgan las cruces".

»Y si adaptamos este verso a mi caso especial, yo diría: Del pecho del chambón cuelgan las cruces.»

«En el Cairo uno entra en una tienda y le ofrecen, inmediatamente, café, vino, frutas... Luego le dicen: "Bienvenido a Egipto". Después cuando uno pregunta el precio de algo, con toda cortesía le advierten: "¡No, señor! ¡Es un regalo!" Pero se sobreentiende que esto es una convención y que no es un regalo que se deba aceptar. Enseguida viene el regateo, que puede durar media hora o tres cuartos de hora. Uno ofrece cinco y ellos piden veinticinco y todo eso para que, finalmente, el precio quede en diez. Y es una maravilla porque si uno no compra nada, igual son muy corteses.

»Ellos no han descubierto el mate, pero igual han encontrado una manera, casi más simpática, de perder el tiempo.»

«Hay un Borges personal y un Borges público, personaje que me desagrada mucho, quien suele contestar a reportajes y aparecer en el cinematógrafo y en la televisión. Yo soy el Borges íntimo, es decir: creo que no he cambiado desde que era niño, salvo que cuando era niño no sabía expresarme. El Borges público es el mismo Borges que el privado, con exageraciones, con énfasis, con gustos y con disgustos exagerados.»

«Con Bernárdez salíamos a explorar Buenos Aires, siempre en sábados o domingos. Llegábamos en la madrugada a Puente Alsina o al fondo de la Chacarita o al barrio de Saavedra, donde vivía Xul Solar. Allí nos palparon de armas dos veces porque entre Cabildo y la estación que ahora se llama Rivadavia, se extendía una zona muy brava. Había un gran monte de ombúes, una ranchería, el arroyo Medrano y, atrás, una chacra. Por el lado de Palermo, llegábamos muchas veces hasta la cortada de El Lazo, también barrio bravo, detrás de la Penitenciaría. Éramos muy jóvenes y con Bernárdez, no sé si esto debo confesarlo, estuvimos (yo mucho más que él) a punto de convertirnos en borrachos, porque nos parecía que así éramos más criollos y porteños. Y para ser porteños tomábamos guindado oriental o caña brasileña. Lo curioso es que a Bernárdez no le gustaba nada el alcohol. Un día lo encontramos a don Nicolás Paredes, un matón que tenía el orgullo de ser del barrio de Palermo. Yo los presenté y Paredes le preguntó a Paco de qué barrio era. "¡¡De Almagro!!" contestó él enfáticamente y Paredes que tenía ya más de setenta años, dijo, sabiendo que tenía que representar su papel de compadre: "En Almagro son muy guapos, no le tienen miedo al... frío Y salen sin sobretodo." Entonces Bernárdez me codea y me susurra: "Pero, che, éste se tomó en serio el patriotismo de los barrios."»

Cronología

1899   Jorge Francisco Isidoro Luis Borges nace en
        Buenos Aires, a los ocho meses de gestación,
        en una casa de la calle Tucumán entre las de
        Suipacha y Esmeralda, el 24 de agosto. (Los
        tres primeros nombres responden a los de su
        padre y abuelos; Luis, al de su tío Luis Melián
        Lafinur, jurisconsulto y diplomático urugua-
        yo.) Hijo de Jorge Guillermo Borges y de
        Leonor Acevedo Haedo. Abuelos paternos:
        Francisco Borges Lafinur y Frances Haslam
        Arnet (inglesa). Abuelos maternos: Leonor
        Suárez Haedo e Isidoro Acevedo Laprida. El
        padre era abogado y dictaba una cátedra de
        psicología en inglés en el Instituto del Profe-
        sorado de Lenguas Vivas. Escribió también
        una novela y poemas; a menudo recitaba a su
        hijo poemas en inglés, idioma que se alternaba
        en el hogar con el español, debido a la influen-
        cia de la abuela paterna. Tanto por parte de la
        rama paterna como de la materna, desciende
        de militares y guerreros que participaron en
        las luchas por la independencia hispanoameri-
        cana y de la organización nacional argentina.

1901 El 4 de marzo nace su hermana Norah.

1906 Escribe su primer relato: «La visera fatal», influido por Cervantes y redacta en inglés un texto sobre mitología griega.

1908 Traduce del inglés *El príncipe feliz*, de Oscar Wilde. Después de recibir en su hogar la instrucción que le imparte una institutriz inglesa, ingresa en el cuarto grado de la escuela primaria del Estado. Todos los veranos la familia pasa sus vacaciones en Adrogué, población cercana a Buenos Aires, que inspiró más tarde algunos de sus cuentos.

1909 Descubre la llanura pampeana al realizar un viaje a San Nicolás, ciudad situada a 240 km al norte de Buenos Aires.

1914 La familia, acompañada por la abuela materna, viaja a Europa. Visita París y se instala en Ginebra, Suiza, donde los niños realizarían sus estudios. El padre busca curación a su inminente ceguera. Borges ingresa en el Colegio de Ginebra, fundado por Calvino. Mientras los padres realizan una gira por Alemania, estalla la guerra y regresan para reunirse con sus hijos. Un año más tarde, sin embargo, todos realizan un viaje por el norte de Italia y conocen Verona, Milán y Venecia. Jorge Luis lee autores franceses (Voltaire, Baudelaire, Flaubert, Maupassant, Rimbaud) e ingleses (Carlyle, Chesterton).

1918 Muere la abuela materna. La familia se traslada a Lugano. Aprende alemán con un volumen de Heine y lee a Schopenhauer, Mey-
rink y los poetas expresionistas alemanes.
Termina el bachillerato.

1919 La familia Borges viaja a España, primero a
Barcelona y luego a Mallorca. En Palma, Jorge
Luis escribe dos libros que no serán publicados
nunca: *Los ritmos rojos* (poesías de elogio a la revolución bolchevique) y *Los naipes del tahúr*
(cuentos). Se dedica al estudio del latín y del
árabe. Su padre escribe una novela titulada *El
caudillo*. La familia se traslada a Sevilla y a Madrid. Borges participa en el movimiento literario denominado ultraísmo, que se manifestó
principalmente en la poesía. Colabora en revistas literarias como *Ultra*, *Grecia* y otras. Conoce a Guillermo de Torre, quien luego será
un destacado crítico literario español y se casa-
rá con su hermana Norah en Buenos Aires.
Lee a Quevedo, Unamuno, Cansinos Assens y
otros. Conoce a los principales escritores españoles de la época (Ortega y Gasset, Valle In-
clán, Juan Ramón Jiménez) y traduce al español a los poetas expresionistas alemanes.

1921 Regreso a Buenos Aires. Borges redescubre
con entusiasmo su ciudad. Con otros jóvenes escritores funda la revista mural *Prisma*,
ilustrada por su hermana, que se revelaría
delicada pintora. De esta época data su «Ma-

nifiesto ultraísta», publicado en la revista *Nosotros*. Comienza a sentir la influencia personal de Macedonio Fernández, amigo de su padre, poeta y escritor que cultiva un humor paradojal al estilo de Alfred Jarry.

1922 Funda la revista *Proa* con Macedonio Fernández, Eduardo González Lanuza y otros jóvenes escritores.

1923 Aparece su primer libro de poemas, *Fervor de Buenos Aires* y viaja nuevamente a Europa con su familia: Londres, París, Madrid, Mallorca y el sur de España.

1924 En Buenos Aires reanuda la revista *Proa*, ahora acompañado por Ricardo Güiraldes, Pablo Rojas Paz y A. Brandán Caraffa. Colabora activamente en la revista *Martín Fierro*, que agrupó a los valores más importantes de la literatura argentina del momento.

1925 Conoce a Victoria Ocampo. Publica *Luna de enfrente* (poemas) e *Inquisiciones*, libro de ensayos que el autor no quiso reeditar nunca en vida.

1926 Otro libro que en vida no reeditará: *El tamaño de mi esperanza* (ensayos).

1928 Su hermana Norah se casa con Guillermo de Torre. Borges publica *El idioma de los argen-*

tinos, ensayos de los cuales sólo permitirá re-editar en vida el que da título al libro.

1929   Publica *Cuaderno San Martín* (poemas), que obtiene el segundo Premio Municipal de Literatura.

1930   Publica *Evaristo Carriego*, biografía y estudio del popular poeta bonaerense. Las escritoras Victoria y Silvina Ocampo le presentan a Adolfo Bioy Casares, que en esa época contaba diecisiete años. Éste y Borges entablarían una amistad indeclinable.

1931   Integra el comité de colaboración de la revista *Sur*, fundada por Victoria Ocampo, órgano que cumplirá una destacada labor en la vida intelectual hispanoamericana, pues en ella colaborarán los más grandes escritores mundiales de la época y cuya influencia se extenderá durante casi cuarenta años.

1932   Publica *Discusión* (ensayos).

1933   La revista *Megáfono* dedica parte de un número a analizar la obra de Borges. Dirige el suplemento literario de *Crítica*, diario vespertino popular, en el que publica relatos con el seudónimo de Francisco Bustos, un bisabuelo suyo. Inicia también allí la publicación de los relatos que incluirá en *Historia universal de la infamia*.

1935 Aparición del libro últimamente mencionado.

1936 Publica *Historia de la eternidad* (ensayos). Traduce *El cuarto propio*, de Virginia Woolf.

1937 Publica *Antología clásica de la literatura argentina* en colaboración con Pedro Henríquez Ureña. Traduce *Orlando* de Virginia Woolf. Debe emplearse como auxiliar de una biblioteca municipal situada en un barrio alejado de su casa. En el viaje en tranvía lee *La Divina Comedia* y *Orlando furioso*.

1938 Muere su padre, que vivió ciego muchos años, de hemiplejía. En Navidad sufre un accidente al golpear su cabeza contra una ventana; se le declara una septicemia y lucha inconsciente entre la vida y la muerte. Durante la convalecencia, ante el temor de haber perdido sus facultades mentales, escribe un cuento fantástico: «Pierre Ménard, autor de Don Quijote». Su vista comienza a debilitarse notablemente.

1939 Aparece la primera traducción de Borges al francés: «L'Aproche du Caché» traducido por Néstor Ibarra en *Mesures, París*, 15 de abril.

1940 Adolfo Bioy Casares y Silvina Ocampo se casan. Borges es testigo de la boda. Los tres publican la *Antología de la literatura fantástica*.

1941 Aparecen: *El jardín de senderos que se bifurcan* (cuentos); *Antología poética argentina* (con Silvina Ocampo y Bioy Casares) y traduce *Palmeras salvajes*, de Faulkner, y *Un bárbaro en Asia*, de Michaux.

1942 Publica, en colaboración con Bioy Casares, *Seis problemas para don Isidro Parodi*, historias policiales que firman con el seudónimo de H. Bustos Domecq. A raíz de no habérsele concedido el Premio Nacional de Literatura, la revista *Sur* publica un número especial de desagravio en su homenaje en el que colaboran los más importantes escritores argentinos del momento.

1943 Aparece el volumen *Poemas (1922-1943)*, que reúne los tres libros de poesía ya mencionados más las últimas poesías publicadas en *La Nación* y en *Sur*. Con la colaboración de Bioy Casares publica una antología: *Los mejores cuentos policiales*. Traduce a Kafka: *La metamorfosis* y otros relatos.

1944 Publica *Ficciones* (cuentos). La Sociedad Argentina de Escritores crea especialmente el Gran Premio de Honor para entregárselo a Borges.

1945 Publica en colaboración con Silvina Bullrich una antología de textos de autores argentinos: *El compadrito*. La oposición a la política peronista origina el arresto en su domicilio de su madre y el encarcelamiento de su hermana.

1946 Publica *Un modelo para la muerte* y *Dos fantasías memorables*, en colaboración con Bioy Casares. Al asumir Perón el gobierno, elegido en elecciones realizadas ese año, es transferido, en julio, por el intendente Emilio Siri de su puesto de bibliotecario a la Escuela de Apicultura de la Municipalidad. Se trataba de una humillante venganza por su decidida oposición al peronismo. Borges renuncia y comienza a dar conferencias en el Instituto Superior de Cultura Inglesa para ganarse la vida. El primer tema versó sobre los místicos orientales. Estos actos eran vigilados por policías o pesquisas del gobierno peronista. Aparece una nueva revista literaria, *Anales de Buenos Aires*, y Borges es designado director. En dos años de existencia, aparecen 23 números.

1947 Publica *Nueva refutación del tiempo*.

1949 Publica *El Aleph* (cuentos).

1950 Es elegido presidente de la Sociedad Argentina de Escritores, que agrupa a intelectuales enemigos del régimen peronista. Desempeña esa tarea hasta 1953. Dirige la cátedra de literatura inglesa en la Asociación Argentina de Cultura Inglesa y en el Colegio Libre de Estudios Superiores. Pronuncia muchas conferencias, siempre vigiladas.

1951 Publica *La muerte y la brújula* (cuentos). En México aparece *Antiguas literaturas germánicas*, en colaboración con Delia Ingenieros. Con Bioy Casares publica la segunda serie de la antología *Los mejores cuentos policiales*. En París aparece la traducción de *Ficciones*, efectuada por P. Verdovoye y prologada por Néstor Ibarra.

1952 Publica *Otras inquisiciones* (ensayos). Reedita *El idioma de los argentinos*, con prólogo de José Edmundo Clemente.

1953 Con Margarita Guerrero publica el ensayo *El «Martín Fierro»*. Comienzan a aparecer las ediciones en tomos individuales de *sus Obras completas*, al cuidado de José Edmundo Clemente. El primer volumen es *Historia de la eternidad*.

1954 Dos nuevos tomos de *Obras completas: Poemas (1923-1953)* e *Historia universal de la infamia*. Leopoldo Torre Nilson dirige el film *Días de odio*, basado en el cuento «Emma Zunz».

1955 La Revolución Libertadora expulsa a Perón del país. El nuevo gobierno nombra a Borges director de la Biblioteca Nacional. Es designado miembro de la Academia Argentina de Letras. Publica en colaboración con Bioy Casares *Los orilleros*, *El paraíso de los creyentes* (argumentos cinematográficos) y una antología: *Cuentos breves y extraordinarios*. Con Luisa Mercedes Levinson publica *La hermana de Eloísa*, que contiene un cuento de cada autor y uno en colaboración. Con Betina Edelberg, un ensayo: *Leopoldo Lugones*. Cuarto tomo de las *Obras completas: Evaristo Carriego*.

1956 Es nombrado profesor de literatura inglesa en la Facultad de Filosofía y Letras de la Universidad de Buenos Aires. Recibe el título de doctor honoris causa de la Universidad de Cuyo (Mendoza, Argentina). Se le otorga el Premio Nacional de Literatura. Se publica el quinto tomo de sus *Obras completas: Ficciones*. A causa de su creciente ceguera, que motivó múltiples operaciones, se le prohíbe leer y escribir, funciones que son cumplidas por su madre y personas amigas.

1957 En colaboración con Margarita Guerrero publica en México el *Manual de zoología fantástica*. Aparecen el sexto y séptimo tomos de sus *Obras completas: Discusión* y *El Aleph*.

1958 Una nueva edición de sus poemas publicada por Emecé abarca hasta 1958. Ante las dificultades que le impone su ceguera para crear cuentos, vuelve a escribir poemas, cuyos versos puede memorizar y luego dictar. Aparecen así algunos de ellos en las revistas *Sur* y *Davar*. En el diario *La Nación* publica uno de sus mejores poemas: «Límites».

1959 Su obra despierta cada vez mayor interés y es traducida a muchos idiomas. Sigue publicando poemas y alguna prosa breve, como «El puñal».

1960 Aparece un nuevo libro integrado por prosas breves y poemas: *El hacedor*, incluido como tomo noveno de las *Obras completas*. También se publica el octavo: *Otras inquisiciones*. En colaboración con Bioy Casares se edita la antología *Libro del cielo y del infierno*.

1961 En Formentor, Mallorca, se le otorga, junto con Samuel Beckett, el Premio del Congreso Internacional de Editores, dotado de 10.000 dólares, que divulga universalmente su nombre. El presidente italiano, Giovanni Gronchi, al visitar Buenos Aires, lo honra con el título de *commendatore*. Publica en *Sur* su *Antología personal*. Invitado por la Universidad de Texas, el 10 de septiembre viaja a los Estados Unidos acompañado de su madre. Es su primer contacto con ese país, donde dicta numerosas conferencias. Permanece seis meses y visita Nuevo México, San Francisco, Nueva York, Nueva Inglaterra y Washington.

1962 El 25 de febrero regresa a Buenos Aires. La Academia Argentina de Letras lo recibe en un acto solemne. El gobierno francés del general De Gaulle, a proposición de Malraux, le otorga la insignia de *Commandeur de l'Ordre des Lettres et des Arts*, junto con Victoria Ocampo, que les entrega el embajador de Francia en la Argentina. Se estrena el film *Hombre de la esquina rosada*, sobre el cuento del mismo título, dirigido por René Mujica.

1963 Acompañado por su madre viaja a Europa invitado por institutos culturales. Desde el 30 de enero hasta el 12 de marzo visita Madrid, París, Ginebra, Londres, Oxford, Cambridge, Edimburgo, donde pronuncia conferencias. A su regreso, el Fondo Nacional de las Artes le otorga su Gran Premio.

1964 Invitado por el Congreso por la Libertad de la Cultura visita la República Federal Alemana y asiste, en Berlín, acompañado por María Esther Vázquez, a un congreso internacional de escritores, en el que participan, entre otros, Guimarães Rosa, Miguel Ángel Asturias, Eduardo Mallea y Günter Grass.

La UNESCO lo invita con Giuseppe Ungaretti a asistir a la celebración del homenaje a Shakespeare, realizado en París, donde pronuncia una conferencia titulada «Shakespeare et nous». Luego viaja a Inglaterra, donde es huésped por dos días de sir Herbert Read, quien lo lleva a Yorkminster, donde se exhiben las espadas de los antiguos vikingos daneses. Invitado por su editor sueco y el embajador argentino, visita Estocolmo y luego Copenhague. Al regresar, conoce Santiago de Compostela (Galicia). La revista francesa *Cahiers de l'Herne* le dedica un voluminoso número especial. Publica *El otro, el mismo*.

1965 Viaja al Perú en compañía de María Esther Vázquez. Pronuncia conferencias en Lima y conoce Macchu Picchu. En Buenos Aires recibe varias condecoraciones: el embajador de Gran Bretaña le entrega en nombre de su soberana la Insignia de Caballero de la Muy Distinguida Orden del Imperio Británico. Victoria Ocampo recibe la de Comendadora.

El embajador de Italia le entrega la medalla de oro del IX Premio de Poesía de la ciudad de Florencia, Italia, distinción concedida en 1964 por la Sociedad Nacional Italiana Dante Alighieri. En noviembre, el Gobierno del Perú le otorga la Orden del Sol. Publica con María Esther Vázquez una edición aumentada y corregida de *Literaturas germánicas medievales*.

Con la misma colaboradora, aparece *Introducción a la literatura inglesa*. Acompañado por Esther Zemborain viaja a Colombia y Chile, invitado por las universidades de esos países.

1966   Reordena su *Obra poética* en otro tomo que incluye los años 1923-1966. La Comuna de Milán le entrega el IX Premio Internacional Madonnina. La Fundación Ingram Merril, de Nueva York, le concede el premio literario de 1965 dotado de 5.000 dólares.

1967   Publica *Introducción a la literatura norteamericana* (con Esther Zemborain de Torres); *Crónicas de Bustos Domecq* (con Adolfo Bioy Casares), relatos humorísticos que satirizan aspectos de la cultura contemporánea; *Para las seis cuerdas*, versos al estilo de canciones populares argentinas llamadas «milongas»; *El otro, el mismo*, nueva recopilación de sus poemas (1930-1967). El 21 de septiembre se casa con Elsa Astete Millán, a quien conoció en su juventud y reencontró, ahora viuda, después de muchos años. Con ella viaja a los Estados Unidos, donde la Universidad de Harvard lo nombra profesor de poesía para el año académico 1967-1968 en la cátedra que auspicia la Fundación Charles Eliot Norton. Visita diversas ciudades dictando cursos y conferencias. *Norte*, revista hispánica de Amsterdam, Universidad de Leyden, publica un número dedicado a Borges.

1968 En abril regresa de los Estados Unidos. En Boston es designado miembro honorario extranjero de la Academia de Artes y Ciencias de los Estados Unidos. El 22 de mayo el embajador de Italia le entrega las insignias de la Orden del Mérito de la República Italiana en el grado de Gran Oficial. Publica *Nueva antología personal* y *El libro de los seres imaginarios*, edición aumentada del *Manual de zoología fantástica*. Hugo Santiago dirige la película «Invasión», con argumento de Bioy Casares y de Borges.

1969 El 20 de enero se encuentra en Tel Aviv, donde dicta conferencias. Lo acompaña su mujer. Se entrevista con Ben Gurion. En Nueva York se estrena «The Inner World of Jorge Luis Borges», film documental en colores de Harold Mantell.

La Universidad de Oxford lo designa doctor honoris causa. Al cumplir setenta años, los escritores argentinos le rinden un homenaje en un acto público realizado en la Sociedad Hebraica Argentina. En noviembre, la televisión francesa transmite un film documental sobre Borges en dos emisiones, realizado por André Camp y José María Berzosa. Nuevo viaje a los Estados Unidos con su mujer: el 5 y 6 de diciembre se le rinde homenaje en la Universidad de Oklahoma, por la que fue invitado. Da un recital de su obra poética en la Universidad de Georgetown, Washington. Aparece su nuevo libro de poemas y prosas titulado *Elogio de la sombra*. Traduce *Hojas de hierba* de Walt Whitman. El libro es ilustrado por Antonio Berni.

1970 Publica un nuevo libro de cuentos: *El informe de Brodie*. En el Festival de Venecia se estrenan dos films para televisión; uno, italiano: *La estrategia de la araña*, de Bertolucci, con Alida Valli; el otro, francés: una adaptación del cuento «Emma Zunz», por Alain Magrou. El 22 de agosto viaja al Brasil para recibir el Premio Interamericano de Literatura Gobernador del Estado de São Paulo, dotado de 25.000 dólares. En octubre, una encuesta mundial realizada por el *Corriere della Sera* revela que Borges obtiene más votos como candidato al Premio Nobel que Solzhenitsyn, a quien se lo acuerda la Academia de Suecia. En ese mismo mes, Borges se separa de su mujer, Elsa Astete.

1971 En marzo, la Academia Norteamericana de Letras y el Instituto Nacional de Artes y Letras de los Estados Unidos lo designan miembro honorario. La televisión italiana difunde una entrevista a Borges. La Universidad de Columbia le confiere el diploma de doctor honoris causa y Borges viaja, acompañado por su traductor al inglés Norman Thomas di Giovanni, para recibirlo. En abril participa en dicha universidad de un seminario cultural junto con otros escritores latinoamericanos. De los Estados Unidos, viaja a Islandia, cumpliendo un viejo sueño. De ahí vuela a Israel, donde el 19 de abril recibe el Premio de Jerusalén, dotado de 2.000 dólares, que anteriormente había sido conferido a Max Frisch, Bertrand Russell e Ignacio Silone. Se dirige luego a Escocia. De regreso en Inglaterra recibe en Oxford el doctorado honoris causa y en Londres, invitado por el Instituto Británico de Artes Contemporáneas, pronuncia en mayo cuatro conferencias en inglés que obtienen gran éxito. De regreso a Buenos Aires, publica un cuento en edición separada: *El congreso*.

1972 Publica un nuevo libro de prosa y verso: *El oro de los tigres*. En marzo inaugura un curso sobre literatura hispanoamericana en la Universidad de New Hampshire, en Durham. Visita Houston, Texas. Es nombrado doctor honoris causa por la Universidad de Michigan. Un mes antes, en febrero, se estrena en Turín: *El Evangelio según Borges*, texto de Domenico Porzio inspirado en un cuento de Borges e interpretado por el Teatro Estable de Turín dirigido por Franco Enríquez.

1973 La Municipalidad de Buenos Aires lo declara ciudadano ilustre. El 22 de abril viaja a

España invitado por el Instituto de Cultura Hispánica y la Embajada Argentina en Madrid. Habla en la Real Academia Española, refiriéndose a su labor de escritor. Por la televisión española se transmite un espectáculo sobre su obra. Al hacerse cargo del gobierno el partido peronista, se retira de la Biblioteca Nacional y solicita la jubilación, que le es acordada. En diciembre viaja a la ciudad de México, donde recibe el premio Alfonso Reyes. Lo acompañó la señora Claude Hornos de Acevedo.

1974 En mayo aparece en Milán la más lujosa edición que se haya hecho hasta el presente de una obra de Borges. Se trata del cuento *El congreso*, editado por Franco María Ricci, en la colección «I segni dell'uomo». Es un volumen encuadernado en seda (35 por 24), con letras de oro, ilustrado con casi medio centenar de miniaturas de la cosmología Tantra a todo color y pegadas. Se imprimió en caracteres bodonianos sobre papel Fabriano, hecho a mano. Fueron tirados tres mil ejemplares numerados y firmados. El volumen tiene 141 páginas y se completa con una entrevista, una cronología y una bibliografía realizadas por la autora de este libro, especialmente para esa edición. En julio aparece *Obras completas*, volumen que reúne la obra de cincuenta años de creación literaria. En noviembre muere ahogada Angélica de Torre, su sobrina nieta de cinco años. El trágico hecho inspira a Borges un soneto, «En memoria de Angélica», que luego incluirá en *La rosa profunda*.

1975   En marzo aparece *El libro de arena*, volumen que reúne trece cuentos y un epílogo. En Italia, el editor Franco María Ricci inicia una colección titulada *La biblioteca di Babele* de literatura fantástica dirigida por Borges, con la colaboración de María Esther Vázquez y que reunirá veintinueve títulos. Aparecen en este año tres volúmenes elegidos y prologados por Borges: *Le morti concentriche*, de Jack London; *Lo specchio che fugge*, de Giovanni Papini, y *Storie Sgradevoli*, de León Bloy. El 8 de julio muere, a los noventa y nueve años, Leonor Acevedo de Borges. En agosto aparece *La rosa profunda*, libro que reúne treinta y seis poemas, con un prólogo, e ilustrado por Horacio Butler. En septiembre viaja a los Estados Unidos por una semana y visita la Universidad de Michigan. Lo acompaña María Kodama. En Buenos Aires se estrena la película «El muerto» sobre un cuento del mismo título, dirigida por Héctor Olivera. Aparece *Prólogos. Con un prólogo de prólogos*. Este libro reúne treinta y ocho prólogos que Borges escribió a distintas obras de diferentes autores, entre 1923 y 1974.

1976   El 6 de agosto parte hacia México. Aparece *La moneda de hierro*, poemas, prólogo y notas, ilustrado por Antonio Berni. Además se edita *Qué es el budismo*, escrito en colaboración con Alicia Jurado. A fines de agosto el gobierno de Chile lo condecora con la orden al mérito Bernardo O'Higgins en el grado de Gran Cruz. En septiembre parte hacia España. En abril viaja a los Estados Unidos con María Kodama. El 6 de agosto, publica en *The Times Literary Supplement* el poema «La moneda de hierro». Recibe el premio del Club de los XIII de Buenos Aires. Viaja a Chile y se entrevista con Pinochet.

1977 El 19 de abril, viaja, invitado por Franco María Ricci, a París, Ginebra, Venecia y Roma. En Milán entrevista a Eugenio Montale. En octubre vuelve a París y participa de un homenaje a Ricardo Güiraldes. Da una conferencia en la Sorbona, inaugura una exposición de Xul Solar. Viaja a Grecia. En noviembre aparece *Historia de la noche*, que reúne treinta y un poemas, una inscripción y un epílogo y notas. El libro fue ilustrado por Ricardo Supisiche. Editado en Barcelona, aparece *Rosa y azul*, libro que reúne dos cuentos: «La rosa de Paracelso» y «Tigres azules».

1978 En febrero viaja a París y recibe el doctorado honoris causa de la Sorbona. Viaja a Ginebra y a Egipto.

1979 En mayo viaja a París y participa en el home-

412

naje a Victoria Ocampo, que había muerto el 27 de enero de 1979, realizado por la UNESCO. En agosto es condecorado por la República Federal de Alemania con la Gran Cruz. También en agosto recibe de la República de Santo Domingo el premio denominado *Canoabo de oro*, aunque su mala salud le impide viajar a ese país a recibirlo en propia mano. En ocasión de cumplir ochenta años, la Secretaría de Cultura del Estado argentino le hace un homenaje oficial en el Teatro Nacional Cervantes, donde hablan los escritores Juan Liscano, Alicia Jurado y Manuel Mujica Lainez. En febrero, aparece el tomo de *Obras completas en colaboración*.

Septiembre 4: Es intervenido quirúrgicamente de una enfermedad menor. Mientras lo operan, con anestesia local, le explica al cirujano y a su equipo la etimología de la palabra quirófano. En esta ocasión lo acompañan, casi constantemente, sus amigos Silvina Ocampo, Adolfo Bioy Casares y Vladi Kociancich.

En octubre visita Japón.

1980   El 23 de abril recibe de manos del rey de España el Gran Premio de la Academia Real Española, compartido con Gerardo Diego, dotado de cinco millones de pesetas.

El 15 de mayo publica en el diario *Clarín* «La Memoria de Shakespeare», cuento incluido en 1982 en las *Obras completas*.

El 5 de junio recibe en París el Premio Cino Del Duca, otorgado por una fundación privada, consistente en 200.000 francos.

En septiembre la Fundación Argentina para la Poesía le otorga el Gran Premio de Honor.

1981 El 6 de marzo el presidente de Italia, Sandro Pertini, le entrega el Premio Balzan, otorgado por dicha fundación en Milán y compartido con Hasyan Fathy y Enrico Bombieri (140.000 dólares). Borges dice una vez más: «*Civis romanus sum*».

El 3 de junio en Cambridge (EE.UU.) recibe el doctorado honoris causa de la Universidad de Harvard.

A fines de junio recibe el doctorado honoris causa en Letras otorgado por la Universidad de Puerto Rico.

En julio, invitado por la comuna de Milán y por su editor Franco María Ricci, preside el Congreso de los Laberintos.

El 25 de agosto el presidente de México, José López Portillo, le entrega el premio Ollin Yoliztli, dotado de 70.000 dólares otorgado por el Festival Internacional Cervantino «por su aporte a la literatura escrita en lengua española».

A fines de diciembre aparece su nuevo libro de poemas *La cifra* en coedición argentino-española.

1982   Mientras la Argentina se encuentra en guerra no declarada con Inglaterra por la posesión de las Islas Malvinas, a principios de abril, viaja a los Estados Unidos.

A fines de octubre nuevo viaje a los Estados Unidos; de allí, invitado por el gobierno alemán, viaja a Munich y a Berlín.

De regreso se detiene en Ginebra.

El 2 de diciembre se presenta en Buenos Aires su nuevo libro *Nueve ensayos dantescos*.

1983   El 19 de enero, en París, el presidente Mitterrand le acuerda la Orden de la Legión de Honor.

El 4 de septiembre viaja a los Estados Unidos para dar un curso en Texas.

A fines de octubre viaja nuevamente a los Estados Unidos, a Madison, a dictar un curso y a recibir un doctorado honoris causa.

El 1 de noviembre se entera del triunfo del doctor Alfonsín en medio de una fiesta (Fiesta de las Brujas) y en Madison, se pone a cantar el Himno Nacional.

En noviembre viaja primero a Ginebra y después a los Estados Unidos a recoger el premio de la Fundación Ingersoll (15.000 dólares), llamado T. S. Eliot, en Chicago. De allí viaja a New York, y pasa la Navidad en New Orleans oyendo jazz.

1984   El 21 de marzo parte para un viaje de cuatro meses que inicia en Palermo (Sicilia), donde lo hacen doctor honoris causa de la Universidad y recibe una rosa de oro como homenaje a la sabiduría, que pesa medio kilo. Va a Venecia, viaja a Tokio, recibe el doctorado honoris causa de su universidad. Visita Grecia, recibe el doctorado honoris causa de Creta en Iraklion el 13 de mayo.

El 18 de mayo vuelve a Buenos Aires.

A fines de julio viaja a los Estados Unidos. Allí recibe otro doctorado honoris causa y el editor italiano Franco María Ricci ofrece una comida en la sala de lectura de la Biblioteca Nacional de New York para 450 personas y en su transcurso entrega a Borges 84 libras esterlinas de oro, la primera de 1899, año del nacimiento de Borges y así sucesivamente las 83 restantes de cada uno de los años que le tocó vivir.

En septiembre es doctorado honoris causa en la Universidad de San Juan.

A fines de septiembre viaja a España y Portugal. Se corre el rumor de que su salud flaquea y que los médicos le aconsejan volver a Buenos Aires; él desmiente públicamente tales versiones y viaja a Italia donde el 12 de octubre es homenajeado en la Academia Cultural Italiana Lincei con la asistencia del presidente de Italia, Sandro Pertini. El 13 de octubre recibe el doctorado honoris causa de la Universidad de Roma. Borges, de toca negra con ribetes rojos y birrete académico, sólo atinó a decir: «Me siento lleno de asombro y honrado, Roma... Roma... Italia». Fue acompañado en todo momento por Giuseppe Palmieri, que durante los últimos seis años fue director del Instituto Italiano de Cultura en Buenos Aires. En pleno acto académico de entre el público salió un muchacho con una guitarra y le cantó a Borges dos de sus milongas: «A dos hermanos» y «Nicanor Paredes». Lo insólito de la guitarreada no programada causó cierta incomodidad entre los académicos. Antes de Borges, la Universidad de Roma había concedido el doctorado honoris causa a T. S. Eliot, Umberto Saba y Eugenio Montale.

El 16 de octubre el presidente de Italia, Sandro Pertini, condecoró a Borges con las insignias de Caballero Gran Cruz de la Orden al Mérito de la República Italiana. El 17 de octubre parte hacia Marruecos, para asistir a un Congreso Mundial de Poetas, que se celebró en Marrakech.

El 22 llega a Lisboa y al día siguiente el primer ministro portugués Mario Soares le ofrece una recepción y le entrega el Gran Collar de la Orden de Santiago de Espada, en nombre del presidente de la República, general Ranalho Eanes.

1985 El 5 de enero en Volterra, cerca de Pisa (Italia) recibe el Premio Etruria de Literatura por el primer volumen de sus *Obras completas*, editado por Mondadori en Italia. Su único jurado, Sergio Zavoli, presidente de la Radiotelevisión italiana, entregó personalmente el premio a Borges en la Sala Mayor del Consejo del Palacio de los Priores de Volterra. Borges dijo: «Cada día se vive un poco de felicidad y hoy para mí, en esta Volterra y con vuestra simpatía y calor humano, he gustado anticipadamente un poco del paraíso».

En abril viaja a los Estados Unidos y da conferencias en Santa Bárbara, California. De ahí se traslada a Milán, en cuya universidad también dicta conferencias, y luego a Barcelona y a Madrid, ciudades en las que presenta su último libro, *Los conjurados*.

El 4 de mayo emprende viaje hacia los Estados Unidos invitado por la fundación Fulbright para pronunciar conferencias.

En mayo la casa Sotheby's de Londres, vende el manuscrito del cuento «El Aleph» en sus dos versiones, la primitiva y la definitiva, en 25.760 dólares. El manuscrito perteneció a Estela Canto, a quien Borges se lo había regalado luego de su publicación en *Sur* en el año 1945.

En junio estrenan en Pittsburgh un ballet titulado *Dream Tigers*. Es invitado a su presentación. Allí se pone en comunicación con una secta protestante, los Amish. Esta secta rechaza la electricidad, el conocimiento, vive en Pensilvania y habla una especie de alemán. Borges queda impresionado por su rusticidad y por su bondad. Son campesinos, pacifistas y se visten a la moda del siglo XIX.

Presenta en Buenos Aires su último libro de poemas *Los conjurados*.

A principios de diciembre la Fundación Armando Verdiglione (psicoanalista de Milán) lo invita a ir a Italia. Ya fijada la fecha de la partida debe posponerla porque se siente enfermo y muy fatigado. Sin embargo, tres días después parte. Deben sostenerlo entre dos personas para trasladarlo al coche que lo llevará al aeropuerto. Pasa fin de año fuera de Buenos Aires.

1986 Entre enero y febrero es internado dos semanas en el Hospital Cantonal de Ginebra. María Kodama niega que esté enfermo y anuncia que sólo se lo ha sometido a exámenes de rutina. Se dice que escribe el libreto para una película sobre Venecia. Se corre nuevamente el rumor de que se encuentra muy enfermo y otra vez es desmentido.

El 22 de abril se anuncia su casamiento por poder en el Paraguay con María Kodama (10 de marzo de 1937) no válido. Legalmente Borges nunca se divorció de Elsa Astete, que lo sobrevive.

(María Kodama hija de padre japonés y madre argentina, pero que conserva los atributos físicos de su ascendencia paterna, luego de la muerte de la madre del escritor, comenzó en septiembre de 1975 a acompañarlo en sus salidas al extranjero. Entre 1975 y 1985 realizaron, por lo menos, medio centenar de viajes.) Lentamente, en los últimos tiempos, Borges empezó a separarse de sus amigos de toda la vida.

El mismo día en que se anuncia el ilegal casamiento con Kodama, Fani Uveda, que desde hacía treinta y ocho años servía en la casa de la familia Borges, fue inesperadamente despedida.

El 14 de junio muere Borges en Ginebra. El 18 es sepultado en el cementerio de Plainpalais. Los diarios europeos atribuyen la muerte del escritor a un enfisema pulmonar o a un paro cardiaco; su apoderado en Buenos Aires habla de un cáncer de hígado. Éste anuncia, además, que María Kodama es la heredera universal de Borges.

El día del sepelio en Ginebra, aparece en el diario *La Nación* de Buenos Aires una carta de Norah Borges de Torre, hermana del escritor, que dice: «Me he enterado por los diarios que mi hermano ha muerto en Ginebra, lejos de nosotros y de muchos amigos, de una enfermedad terrible que no sabíamos que tuviera. Me extraña mucho que su última voluntad fuera ser enterrado ahí, ya que siempre quiso estar con sus antepasados y con nuestra madre en la Recoleta (no en el Cementerio Británico, como dice el apoderado). Aunque él esté muerto, los recuerdos de toda una vida nos siguen uniendo».

Bibliografía*

Obras de Jorge Luis Borges

POESÍA

Fervor de Buenos Aires. Imprenta Serantes. Buenos Aires, 1923.

Luna de enfrente. Proa. Buenos Aires, 1925.

Cuaderno San Martín. Proa. Buenos Aires, 1929.

Poemas (1922-1943). Losada. Buenos Aires, 1943.

Poemas (1923-1958). Emecé. Buenos Aires, 1958.

Obra poética (1923-1964). Emecé. Buenos Aires, 1964. (Hay varias reediciones aumentadas. La última es de 1978.)

Para las seis cuerdas (milongas). Emecé. Buenos Aires. 1965.

El otro, el mismo (1930-1967). Emecé. Buenos Aires, 1969. En 1969, la editorial Emecé reeditó *Luna de enfrente* y *Cuaderno San Martín* en un solo vo-

---

* Para una bibliografía exhaustiva consultar: Nicolás Helft, *Jorge Luis Borges, Bibliiografía completa*. Fondo de Cultura Económica, Buenos Aires, 1997.

lumen y *Fervor de Buenos Aires*. El material original de estos libros fue revisado por Borges, quien modificó versos y eliminó algunos poemas.

La rosa profunda. Emecé. Buenos Aires, 1975.
La Moneda de Hierro, Emecé. Buenos Aires, 1976.
Historia de la noche. Emecé. Buenos Aires, 1977.
La cifra. Emecé-Alianza Editorial. Buenos Aires-Madrid, 1981.
Los conjurados. Alianza Editorial. Madrid-Buenos Aires, 1985.

POESÍA Y PROSA

El hacedor. Emecé. Buenos Aires, 1960.
Elogio de la sombra. Emecé. Buenos Aires, 1969.
El oro de los tigres. Emecé. Buenos Aires, 1972.
Atlas. (Textos con un prólogo. Fotografías de María Kodama.) Sudamericana. Buenos Aires, 1984.

ANTOLOGÍAS

Antología personal. Sur. Buenos Aires, 1961.
Ficcionario. Una antología de sus textos. Edición, introducción, prólogo y notas por Emir Rodríguez Monegal. Fondo de Cultura Económica. México, 1985. 483 páginas.
Nueva antología personal. Emecé. Buenos Aires, 1968.

Historia universal de la infamia. Tor. Buenos Aires, 1935. La editorial Emecé publicó una edición aumentada en 1954 (tomo III de las *Obras completas*).

El jardín de senderos que se bifurcan. Sur. Buenos Aires, 1941-1942.

Ficciones (1935-1944). Sur. Buenos Aires, 1944. (Agrega seis narraciones a las ocho del libro anteriormente citado.) Emecé publica en 1956 una reedición en que se agregan tres nuevos cuentos (tomo V de las *Obras completas*).

El Aleph. Losada. Buenos Aires, 1949 (incluye trece cuentos). La misma editorial publica en 1952 una reedición que agrega cuatro cuentos.

La muerte y la brújula (selección de nueve cuentos publicados en los dos libros anteriormente citados). Emecé, Buenos Aires, 1951.

El informe de Brodie. Emecé. Buenos Aires, 1970.

El Congreso (cuento). El Archibrazo. Buenos Aires, 1971.

El libro de arena. Emecé. Buenos Aires, 1975.

Rosa y azul. Sedmay Ediciones. Barcelona, 1977. Este libro reúne dos cuentos: «La Rosa de Paracelso» y «Tigres Azules».

La Memoria de Shakespeare. Se encuentra en la edición de las *Obras completas* Tomo II.

Inquisiciones. Proa. Buenos Aires, 1925.

El tamaño de mi esperanza. Proa. Buenos Aires, 1926.

El idioma de los argentinos. M. Gleizer. Buenos Aires, 1928.

Evaristo Carriego. M. Gleizer. Buenos Aires, 1930. En 1955 la editorial Emecé reeditó esta obra con el agregado de nuevos textos (tomo IV de las *Obras completas*).

Discusión. M. Gleizer. Buenos Aires, 1932. En 1957, Emecé reeditó la obra con la supresión de un texto y el agregado de otro: «Poesía gauchesca» (tomo IV de las *Obras completas*).

Las kennigar. Colombo. Buenos Aires, 1933.

Historia de la eternidad. Viau y Zona. Buenos Aires, 1936. En 1953, Emecé reeditó la obra agregando tres textos (tomo I de las *Obras completas*).

Nueva refutación del tiempo. Oportet et Haereses. Buenos Aires, 1947 (texto de 35 páginas incluido en *Otras inquisiciones*).

Aspectos de la literatura gauchesca. Número. Montevideo, Uruguay, 1950.

Otras inquisiciones (1937-1952). Sur, Buenos Aires, 1952.

Macedonio Fernández. Ediciones Culturales Argentinas. Buenos Aires, 1961.

Prólogos. Con un prólogo de prólogos. Torres Agüero Editor. Buenos Aires, 1975.

Borges oral (cinco conferencias pronunciadas en la

Universidad de Belgrano, recopiladas por Martín Müller). Emecé. Buenos Aires, 1979.

Siete noches. Conferencias. Epílogo de Roy Bartholomew, 173 págs. Fondo de Cultura Económica. Buenos Aires, 1980.

Páginas de Jorge Luis Borges seleccionadas por su autor. Estudio preliminar de Alicia Jurado. Editorial Celtia. Buenos Aires, 1982.

Nueve ensayos dantescos. Introducción de Marcos Ricardo Barnatán y presentación de Joaquín Arce. 162 págs. Selecciones Austral. Espasa-Calpe. Madrid, 1982.

Obras en colaboración

Con Adolfo Bioy Casares:

Seis problemas para don Isidro Parodi (firmada con el seudónimo de H. Bustos Domecq). Sur. Buenos Aires, 1942.

Dos fantasías memorables (firmada con el seudónimo de H. Bustos Domecq). Oportet et Haereses. Buenos Aires, 1946.

Un modelo para la muerte (firmada con el seudónimo de B. Suárez Lynch). Oportet et Haereses. Buenos Aires, 1946.

Los orilleros. El paraíso de los creyentes (dos argumentos cinematográficos). Losada. Buenos Aires, 1955.

Crónicas de Bustos Domecq. Losada. Buenos Aires, 1967.

Con Betina Edelberg:
Leopoldo Lugones. Troquel. Buenos Aires, 1955.

Con Margarita Guerrero:
El «*Martín Fierro*». Columba. Buenos Aires, 1953. Ed. Pocket Emecé. Buenos Aires, 1979.
Manual de zoología fantástica. Fondo de Cultura Económica. México, 1957. Una nueva edición aumentada apareció en Buenos Aires (Editorial Kier) con el título de *El libro de los seres imaginarios*, 1967. Emecé, 1978.

Con Delia Ingenieros:
Antiguas literaturas germánicas. Fondo de Cultura Económica. México, 1951.

Con Alicia Jurado:
Qué es el budismo. Columba, Buenos Aires, 1976.

Con Luisa Mercedes Levinson:
La hermana de Eloísa (cuento). Ene. Buenos Aires, 1955.

Con María Esther Vázquez:
Literaturas germánicas medievales (edición corregida y aumentada de *Antiguas literaturas germánicas*). Falbo. Buenos Aires, 1965. 2da. ed. Emecé, 1978.
Introducción a la literatura inglesa. Columba. Buenos Aires, 1965.

Con Esther Zemborain de Torres:
Introducción a la literatura norteamericana. Columba. Buenos Aires, 1967.

Con María Kodama:
Breve antología anglosajona, selección de textos con prólogos y comentarios. Ediciones La Ciudad, 48 págs. Impreso en Moneda 1901, Santiago de Chile, 1978.

Obras completas en colaboración
(1979, Editorial Emecé. 989 págs.)

CONTENIDO

Con Adolfo Bioy Casares, con el seudónimo común de H. Bustos Domecq:

Seis problemas para don Isidro Parodi. Dos fantasías memorables.

Con el seudónimo común de B. Suárez Lynch:
Un modelo para la muerte.

Con el nombre de los autores:
Los orilleros. El paraíso de los creyentes. Crónicas de Bustos Domecq. Nuevos cuentos de Bustos Domecq.

Con Betina Edelberg:
Leopoldo Lugones.

Con Margarita Guerrero:
El «Martín Fierro». El libro de los seres imaginarios.

Con Alicia Jurado:
Qué es el budismo.

Con María Kodama:
Breve antología anglosajona.

Con María Esther Vázquez:
Introducción a la literatura inglesa. Literaturas germánicas medievales.

Antologías de otros autores efectuadas por Borges

El matrero (textos de autores argentinos sobre el tema). Barros Merino. Buenos Aires, 1970.

Hojas de hierba, de Walt Whitman (traducción y selección de Borges e ilustrado por Antonio Berni). Juárez Editor. Buenos Aires, 1969.

Libro de sueños. Torres Agüero Editor. Buenos Aires, 1976. (Colaboró Roy Bartholomew.)

Con Adolfo Bioy Casares y Silvina Ocampo:
Antología de la literatura fantástica. Sudamericana. Buenos Aires, 1940.
Antología poética argentina. Sudamericana. Buenos Aires, 1941.

Con Adolfo Bioy Casares:

Los mejores cuentos policiales (primera serie). Emecé.
Buenos Aires, 1943.

Los mejores cuentos policiales (segunda serie). Emecé.
Buenos Aires, 1951.

Cuentos breves y extraordinarios. Raigal. Buenos
Aires, 1955.

La poesía gauchesca. Fondo de Cultura Económica.
México, 1955.

Libro del cielo y del infierno. Sur. Buenos Aires, 1960.

Con Silvina Bullrich:

El compadrito. Emecé. Buenos Aires, 1945.

Con Pedro Henríquez Ureña:

Antología clásica de la literatura argentina. Kapelusz.
Buenos Aires, 1937.

Otras publicaciones

El lenguaje de Buenos Aires. Firmado con José Edmundo Clemente. Contiene tres ensayos sobre
el tema escritos por Clemente y tres pertenecen a Borges: la edición de Emecé de 1968 (colección Piragua) incluye: «El idioma de los argentinos», «Las alarmas del doctor Américo
Castro» y «Las inscripciones de los carros».

Obras completas. Con este título, la editorial Emecé inició en 1953 la publicación individual de

todas las obras de Borges. Se han publicado nueve volúmenes, pero no existe una edición definitiva, pues el escritor se negó a reeditar algunas obras que figuran en esta bibliografía.

Obras completas. La editorial Emecé reunió en un solo volumen la obra publicada hasta 1972, inclusive, respetando el criterio del autor, que se negó a reeditar algunos títulos. Buenos Aires, 1974.

Cosmogonías (con ilustraciones de Aldo Sessa). Poemas ya publicados. Ediciones Librería La Ciudad. Buenos Aires, 1976.

Norah. Edición de quince litografías de Norah Borges con prólogo de J. L. B. y un texto de Domenico Porzio. Edizioni Il Polifilo. Milán, 1977. Texto bilingüe, español-italiano.

Adrogué (poemas ya publicados). Ilustraciones de Norah Borges. Ediciones Adrogué, 1977. 75pp.

Laberintos. (Tres cuentos: «La casa de Asterión», «Los inmortales» y «Las ruinas circulares», ilustrados por Z. Ducmelic.) Ediciones Joracix. Buenos Aires, 1977.

Diálogos (Borges-Sabato). Compilación de Orlando Barone. Emecé. Buenos Aires, 1976.

Lo mejor de Paul Groussac. Prólogo y selección de Jorge Luis Borges. Editorial Fraterna. Buenos Aires, 1981.

La alucinación de Gylfi, de Snorri Sturluson. Prólogo y traducción de Jorge Luis Borges y María Kodama. Alianza Editorial. Buenos Aires, 1984. 104 pp.

Textos cautivos. Ensayos y reseñas en «El Hogar»

(1936-1939). Edición de Enrique Sacerio-Garí y Emir Rodríguez Monegal. Tusquets Editores. 338 pp. Buenos Aires, 1986.

Borges en Sur 1931-1980. Colaboraciones en la revista *Sur*. Emecé Editores. Buenos Aires, 1999.

Índice

Biografía

María Esther Vázquez trabajó con Jorge Luis Borges desde 1959 hasta octubre de 1986, poco antes de la muerte del escritor argentino. Colaboró con él en dos libros: *Introducción a la literatura inglesa* y *Literaturas germánicas medievales* y en colecciones como *Babel* para el editor italiano Franco Maria Ricci. Ha publicado una docena y media de libros: poesía, cuentos (su género preferido), ensayos, entrevistas, biografías (una de ellas *Borges, esplendor y derrota*). Ha recibido cinco importantes premios. Como periodista ha hecho alrededor de mil cuatrocientos reportajes, «y no obstante sobrevivo», confiesa. Está casada desde 1965 con el poeta Horacio Armani.

Otros títulos en esta colección

Las sandalias del pescador
Morris West

La Fiesta del Chivo
Mario Vargas Llosa

Demasiado para Gálvez
Jorge M. Reverte

Tormenta seca
Eduardo Iglesias

Olé
Manuel Hidalgo

Caronte aguarda
Fernando Savater